LE MONDE DES RÊVES

PETER KOLOSIMO

LE MONDE
DES RÊVES

Traduit de l'italien
par
SIMONE DE VERGENNES

AM

ALBIN MICHEL

Titre original

GUIDA AL MONDO DEI SOGNI

Edizioni Mediterranée — Roma, 1968.

© *Editions Albin Michel, 1975*
22, rue Huyghens, 75014 - Paris

ISBN 2-226-00152-2

PREMIÈRE PARTIE

La clef du mystère

I

VOYAGE DANS UNE DIMENSION INCONNUE

Dimension inconnue, univers fantastique : le rêve. Le rêve qui nous entraîne dans des voyages en comparaison desquels un chef-d'œuvre de science-fiction n'est rien, qui annulent le temps et l'espace et qui se moquent de la réalité.

En rêve, il est permis de vivre aux époques révolues, de parler avec des personnages qui ont existé des milliers d'années avant notre ère, avec des héros de légendes et de mythes. En rêve, on va en un instant à New York, Tokyo, Singapour, au sommet de l'Everest, dans les plus utopiques cités martiennes.

Le dieu Morphée, fils de la Nuit et du Sommeil, abolit les dimensions que nous connaissons, en substitue d'autres où les événements les plus absurdes apparaissent comme naturels. A l'intérieur des frontières de ce royaume rien ne nous empêche de nous dédoubler, de nous multiplier, de nous rencontrer avec nous-mêmes comme ce jeune auteur dramatique qui, en dormant, se vit en même temps assis dans un fauteuil d'orchestre en tant que spectateur et sur la scène où il interprétait tous ses personnages puis à la fin, se retournant, s'aperçut que le théâtre était plein de centaines d'individus qui lui ressemblaient comme des frères.

Dans les rêves les morts sont vivants, les vivants sont des morts. On peut dire que, grâce à eux, l'homme est immortel puisqu'il peut continuer à vivre dans les songes de qui sait combien de gens. Y a-t-il quelque chose qu'il soit impossible de faire en rêvant ? Nous pouvons voler, nous enfoncer dans les entrailles de la Terre, comprendre le langage des animaux et des objets et être compris par eux. Nous pouvons même (et ce n'est pas le moindre des prodiges) « rompre avec nous-mêmes », c'est-à-dire avec notre conscience, perpétrer des crimes, et accomplir des actes que nous serions incapables de faire même en état d'hypnose, comme l'affirment les savants.

Werner Kemper, l'éminent psychologue allemand, écrit : « Au cours du rêve apparaissent des traits de caractère tout à fait étrangers à ce qu'ils sont en état de veille. En gardant notre aspect humain nous nous transformons en monstres mus par le désir du pouvoir, le désir de la vengeance, la haine. Nous pouvons aussi bien assassiner sauvagement et de sang-froid l'être que nous aimons le plus au monde qu'embrasser notre pire ennemi. Tous les crimes, toutes les perversités sexuelles sont acceptées. Freud n'a-t-il pas eu raison dans son livre intitulé *L'Interprétation des rêves (Traümdeutung*, 1910), de placer en épigraphe de la première édition les vers de Virgile tirés de l'*Enéide* :

Flectere si nequeo
Superos Acheronta movebo

puisqu'il a, en effet, déchaîné et soulevé les forces infernales (*Acheronta*) en se penchant sur les mystères qui se cachent derrière les songes ? »

Nous avons tous, vous et moi, éprouvé en rêve des sensations beaucoup plus fortes que celles que nous réserve la vie quotidienne mais n'avons-nous pas aussi vu s'étaler sous nos yeux des paysages enchanteurs et merveilleux de paix et de sérénité ? N'avons-nous pas été plongés dans une sorte de bonheur total et presque surnaturel ? N'avons-nous pas connu, en dormant, des instants de volupté tels que nous n'aurions su les imaginer, bien qu'ils existassent dans un recoin caché de notre être ?

Plus on avance dans le royaume de Morphée, plus les fantasmes qui le peuplent se mettent à tenir du miracle. On peut en songe revivre dans leurs moindres détails des scènes d'une époque que l'on pensait avoir totalement oubliée. On peut y trouver des solutions à des problèmes qui semblaient, la veille encore, insolubles, y recevoir des messages télépathiques, ou du moins le croire. Mais pourtant... il faut aussi se souvenir que les songes peuvent être trompeurs, conduire sur de mauvais chemins et entraîner à commettre des erreurs monumentales.

Alors, dites-vous, comment comprendre quelque chose à ce monde plein de contradictions et de confusion ? Comment faut-il juger cette succession rapide et changeante d'idées saines et folles, sérieuses ou absurdes, profondes ou idiotes ? La réponse à cette question est peut-être contenue dans la phrase de Chuang Tsé, poète et philosophe chinois : « Cette nuit, j'ai rêvé que j'étais un papillon. Comment faire pour savoir si je suis un homme qui a rêvé qu'il était un papillon ou un papillon qui rêve en ce moment qu'il est un homme ? »

Un tic-tac qui nous entraîne dans l'inconnu.

Le rêve est une conséquence du sommeil, tout le monde le sait, mais par quel mécanisme passons-nous de l'état de veille, ou de conscience, à l'état de sommeil qui est, théoriquement, un état d'inconscience ?

Les réponses à cette question sont très nombreuses. Quelques savants parlent de l'influence des scories des processus de rechange, d'autres de l'action de substances déterminées (le professeur Kroll crut un moment les avoir isolées, mais ses expériences n'obtinrent que des résultats relatifs), d'autres encore supposent l'existence d'une *hormone du sommeil*.

Le professeur R. L Müller voit la cause de la sensation de fatigue après le travail et de bien-être après le repos comme un échange mécanique entre les cellules et le sang et il ajoute que l'organisme ressemble à un accumulateur qui se décharge durant le jour et se recharge pendant le sommeil.

En 1917, on put fixer « le centre cérébral du sommeil »

et, un peu plus tard, un philosophe suisse, le docteur Hess, arriva à provoquer chez les chats une sorte d'état de somnolence au moyen de passages de courant électrique dans leur cerveau. Pourtant le fait que les animaux ne s'endormaient pas immédiatement, mais seulement après quelques manifestations de fatigue, l'incita à imaginer que le centre du sommeil en question n'était pas un *interrupteur,* mais un organe de coordination destiné à induire le corps à se relâcher et à arriver peu à peu au repos complet.

Le biologiste soviétique Ivan Petrovich Pavlov, prix Nobel de médecine, après avoir procédé à ses célèbres expériences sur les chiens, remarqua qu'ils ne s'endormaient qu'après avoir été obligés d'entendre des bruits se répétant sans cesse et uniformément. Nous-mêmes, hommes, subissons ce genre d'emprise. Même si nous avons passé une très bonne nuit, nous pouvons fort bien, si rien n'intervient pour nous distraire, succomber au sommeil en entendant le tic-tac d'une pendule, le crépitement régulier de la pluie sur les vitres, le roulement prolongé de trains passant dans le lointain. Pavlov a conclu de ses observations que le sommeil peut s'installer en maître quand l'esprit est attentif à une seule manifestation extérieure. Un bruit régulier, par exemple, ne fatigue qu'un seul point du cerveau et finit par le bloquer. Bref, cet arrêt agit comme un embouteillage de voitures qui provoque une paralysie du trafic sur des dizaines de kilomètres et arrête toutes activités.

Cependant Pavlov ne détermina pas la zone cérébrale responsable du phénomène. Ce fut un Italien, le professeur Giuseppe Moruzzi, de Pise, qui annonça en 1958, à Paris, à la Semaine de Neurophysiologie, qu'il avait localisé le *centre du sommeil* à la base du cerveau. On dit que Moruzzi a commencé ses recherches en s'attardant à observer les effets produits sur les bébés par les berceuses qu'on leur chante et qu'il appelle « les somnifères musicaux par excellence ».

Malheureusement la carte topographique du sommeil continue à présenter plus de territoires mystérieux que de régions explorées. Nous ne pouvons parler longuement ici de cette question passionnante, nous constaterons seulement que les savants sont arrivés à conclure que le sommeil ne survient jamais d'un coup. Nous constatons nous-mêmes que lorsque nous sommes fatigués nous fixons mal notre attention, que nos paupières ont tendance à s'alourdir et que nous réagissons plus lentement. La vision s'atténue, l'oreille s'assourdit, une sorte de brouillard s'empare de l'esprit et on a la sensation de sortir de la réalité. On passe par ces différents stades même lorsqu'on croit s'être endormi d'un seul coup. Ces jours-là le déroulement de chaque phase s'est particulièrement accéléré mais la période de pré-sommeil existe de toute façon.

L'inconscience dans laquelle le sommeil plonge l'homme n'est que partielle, bien entendu, puisque l'inconscience totale c'est la mort. Le sommeil n'empêche pas nos organes de fonctionner et nos centres nerveux de poursuivre leur activité. Mais cette activité n'est plus guidée et coordonnée et elle n'est plus en contact direct avec les objets, les événements réels.

Nous rêvons tous, plus ou moins, et les savants qui ont étudié les phénomènes du sommeil sont, bien qu'en défendant des théories différentes, tous absolument d'accord sur un point : tous les hommes rêvent, même ceux qui prétendent le contraire. La psychanalyse l'avait bien établi, en conduisant d'innombrables sujets à revivre des rêves qu'ils pensaient n'avoir jamais rêvés. La médecine expérimentale confirma cette théorie et récemment trois Américains, le professeur Nathaniel Kleitmann, le docteur Aserinsky et le docteur Dement, y apportèrent une conclusion aussi stupéfiante qu'importante. Kleitmann et Aserinsky observèrent que les yeux d'un bébé qui dormait, les paupières closes, bougeaient et ils se demandèrent alors si ces mouvements ne seraient pas en relation avec une certaine activité onirique. Ils effectuèrent une série d'expériences qui furent couronnées de succès. De minuscules fils de plomb furent fixés aux alentours immédiats des yeux, et permirent de contrôler les mouvements des pupilles et d'enregistrer sur un appareil la tension des muscles intéressés. Grâce à ce

13

dispositif, les Américains observèrent le sommeil de divers individus, n'hésitant pas à les réveiller chaque fois que leurs pupilles se mettaient à bouger, pour leur demander s'ils étaient en train de rêver. Ils arrivèrent assez vite à une conclusion logique : tout au long d'un rêve, les yeux regardent ce qui s'y passe comme s'ils suivaient un film se déroulant sur un écran. Ils affirmèrent aussi que tout le monde rêve au moins pendant quatre-vingt-dix minutes, mais non consécutives, pouvant se subdiviser en cinq visions différentes. Il existe aussi des gens qui rêvent sans qu'on observe de mouvements de leurs pupilles mais alors il s'agit de rêves où ne figurent ni personnages ni machines qui bougent et qui ne concernent que des idées abstraites, des réflexions d'ordre intellectuel. Il faut noter que les aveugles de naissance ne rêvent que de voix, de bruits, de sensations tactiles et d'abstractions.

Kleitmann et son assistant, le docteur Dement, cherchèrent aussi à vérifier ce qui se passe lorsqu'on réveille exprès un individu avant qu'il n'ait commencé à entrer dans un rêve et ils s'aperçurent que son besoin de visions oniriques se décuplait. Ils en donnent un exemple avec le cas d'un certain H. S. qui durant la première nuit de l'expérience commença sept rêves différents. Après six nuits, durant lesquelles on l'empêcha systématiquement de rêver, on dut le réveiller vingt-quatre fois pour empêcher son cerveau d'exercer cette activité. Finalement lorsque la septième nuit le docteur Dement lui permit de se reposer totalement *sa période de rêve* augmenta d'une heure et vingt et une minutes. Il récupérait les moments perdus !

Que peut-il arriver à un homme qu'on empêche de rêver ? Voici l'expérience faite — toujours par ces mêmes Américains — sur un certain M. A., un homme de bonne éducation et plutôt timide. Réveillé entre deux rêves A. se rendormait et se levait le matin de très bonne humeur. L'interruption de son sommeil ne semblait lui causer aucun désagrément. Les choses changèrent lorsqu'on décida de le réveiller au début de chaque rêve. L'expérience se poursuivit durant quatorze jours consécutifs, mais elle dut être forcément interrompue par les expérimentateurs assez effrayés de ce qu'ils constataient. L'homme était complètement différent. Il manifestait ouvertement le désir de se livrer à des actes contraires aux bonnes mœurs, comme, par exemple, de se jeter sur les infirmières en leur demandant de se déshabiller devant lui. Il donnait des signes de grave déséquilibre mental : des moments de grande agitation succédaient à de totales inerties. La dépression semblait imminente.

La preuve était faite que personne ne peut demeurer normal s'il est privé de ses cinq rêves par nuit et qu'une expérience poursuivie trop longtemps aboutirait à la folie et à la mort du patient.

Pourquoi ? Nous répondrons par l'explication donnée par les psychanalystes depuis déjà pas mal d'années : c'est à travers ses rêves que l'homme « se décharge » de ses aspirations irréalisables, de ses désirs baroques ou coupables (nous venons d'exposer le cas de ce M. A. dont les désirs ne pouvant plus prendre forme dans ses rêves rompirent la barrière psychique en se manifestant dans la réalité), de ses frustrations, de ses peurs, de ses « complexes », de la formidable tension qui dérive de ces contraintes. Il n'est pas certain que « ce cinéma nocturne » soit suffisant, mais nous pensons que sans cette soupape de sûreté le manque d'équilibre psychique se ferait davantage sentir et plus lourdement. Comme le dit Berger : « Nous sommes tous malades de quelque chose et parfois il suffit d'un médicament très simple, comme le rêve, pour nous guérir. Même lorsqu'il s'avère insuffisant, il nous conduit presque toujours sur le chemin de la guérison. »

Nous ajoutons de notre chef que les somnifères, ainsi que la plupart des tranquillisants, agissent très mal en matière de rêves. Il faut éviter tout à fait les premiers et ne recourir aux seconds qu'en cas de nécessité absolue en éliminant catégoriquement ceux qui endorment en annihilant les rêves. Un sommeil de plomb, comme on dit, n'est jamais souhaitable puisqu'en « assassinant » les rêves on met en péril aussi bien l'équilibre du système nerveux qu'une bonne santé psychique.

Les « cinq rêves » dont parle Dement représentent le minimum indispensable à la ration nocturne bien souvent plus abondante qui peut être parfois faite d'une chaîne ou d'une succession irrégulière de rêves dont la durée varie d'une fraction de seconde à un temps qu'on n'a pu encore évaluer mais qui est certainement considérable.

L'homme qui vit en moins d'une seconde.

Comment ce que nous appellerons les « visions nocturnes » se concrétisent-elles ? Le verbe concrétiser est impropre, nous le savons, mais il nous servira à mieux faire comprendre le phénomène que nous aimerions comparer à la construction d'une ville. En nous servant de cette comparaison, nous dirons que les matières premières du rêve sont fournies par la mémoire.

Le cerveau enregistre tout ce qu'il voit et les sensations, même rapides, qu'il éprouve. Un Américain, le professeur Gérard, dit que les impressions sont enregistrées et emmagasinées par les synapses, régions de contact entre deux neurones * et qu'au moment où l'on rappelle un souvenir on ne fait que pousser un levier mécanique qui le libère d'une enveloppe et qu'il apparaît plus ou moins précisément selon l'intensité dont l'événement a été vécu.

Le docteur canadien Wilder Penfield compare le centre de la mémoire (à peine plus grand qu'un paquet de cigarettes) à une cavité remplie de films et de bandes enregistrées. Mais de quelle admirable façon fonctionnent cette cinémathèque et cette discothèque ! En touchant une certaine région du cerveau avec une électrode plus fine qu'un cheveu, on peut réveiller le souvenir d'une mélodie et la faire chanter au patient endormi avec la perfection d'un disque. Si le contact électrique est interrompu, puis repris, le patient

---

* Neurone : cellule nerveuse formée d'un corps cellulaire à prolongements protoplasmiques munie d'un cylindraxe formant la fibre nerveuse (*N. d. T.*).

recommence à chanter en reprenant l'air à son commencement, comme si la bande s'était de nouveau enroulée et était
revenue à son point de départ.

Le centre de la mémoire accumule beaucoup plus de matériel qu'on ne l'imagine. Si en allant rendre visite à un
ami vous avez jeté un rapide coup d'œil à sa bibliothèque,
vous croyez avoir oublié les titres entrevus. En état d'hypnose, ou au contact des électrodes du docteur Wilder Penfield, vous pourrez citer de vingt à quarante titres entr'aperçus. Ces mêmes électrodes ont le pouvoir stupéfiant de réveiller les moindres, mais très précis, détails de toute la vie
du patient, inconsciemment enregistrés depuis sa plus petite
enfance.

Ces expériences n'ont pas seulement une valeur théorique ;
elles obligent à constater qu'une partie de la mémoire existe
secrètement. Dans la tête de ceux qui prétendent avoir
tout oublié, « un dossier d'archives » est en place. Seule
la faculté d'y accéder a disparu : ceci peut arriver pour
divers motifs que la science cherche sans trêve à découvrir.
Durant le sommeil elle ressuscite bien qu'elle semble s'exercer de manière assez irrationnelle. On dirait que l'esprit, ne
subissant aucun contrôle, ouvre les tiroirs des souvenirs pour
en tirer quelques-uns, au hasard, et former, avec des éléments prélevés dans des époques et des lieux différents, des
tableaux qui n'appartiennent qu'à la fabuleuse cité des
songes.

Des facteurs extérieurs ou organiques peuvent influencer
le choix de la disposition des édifices et cela quelquefois
dès le début du projet architectural. Une mauvaise digestion
ou le fait de mal respirer procurent souvent des rêves d'angoisse, comme, du reste, une pression quelconque qui gêne
physiquement le corps du dormeur. On sait que certains par-
fums influencent les rêves et l'action du bruit est bien connue.
Un souffle de vent peut faire revivre une tempête vue au
cinéma et les gouttes d'eau qui tombent d'un robinet mal
fermé peuvent se transformer en bruit de pas d'un terrible
géant auquel nous jurons n'avoir jamais pensé, mais qui

est pourtant sorti d'un recoin de mémoire où dorment les souvenirs poussiéreux des livres de contes de fées.

Si nous observons quelqu'un très fatigué par un gros effort physique, nous remarquons qu'il ne dort pas vraiment mais qu'il ne voit ni n'entend ce qui se passe autour de lui. On dirait qu'il voit et qu'il entend autre chose, qu'il se parle à lui-même, qu'il suit une idée à lui. Avant de s'endormir, (ou plutôt au moment où il commence à dormir) il rêve : il est entré dans la phase du pré-sommeil dont nous avons parlé. Il y est entré avec la tête pleine d'images, de voix, de sons qui n'appartiennent pas à la réalité. L'abus de l'alcool et l'usage des stupéfiants produisent le même phénomène. La chose est logique car leur action sur les centres nerveux est pareille à celle qu'exerce la fatigue avec, en plus, une excitation du cerveau provoquant le délire. Vous avez certainement tous eu l'occasion d'entendre les discours d'un ivrogne qui essayait de lutter contre les effets de la boisson, vacillant, de corps et d'esprit, entre la réalité et l'illusion avant de tomber dans une totale inconscience.

L'état d'extrême fatigue qui conduit au pré-sommeil contient des éléments susceptibles de contribuer à la formation des rêves. Le fait d'être en quelque sorte hors du monde qui l'entoure indique que l'homme n'est plus maître de son esprit, qu'il est obligé de le laisser courir à sa guise en mêlant les sensations venues de l'extérieur à ses anciens souvenirs. Le pré-sommeil est souvent la période où s'ébauche ce qui deviendra le rêve proprement dit.

Selon les Américains, un rêve dure de dix à trente minutes. Nous avons déjà dit que certains se terminent en quelques minutes, parfois quelques secondes. Les hôpitaux possèdent une énorme documentation sur la question. Si nous nous y plongions nous nous trouverions devant des faits très curieux qui — tels qu'ils sont ou avec des variantes insignifiantes — nous sont arrivés à nous-mêmes.

Un physiologue et psychologue scandinave, Bergström, raconte qu'il avait un collègue auquel il arrivait souvent de faire un petit somme au milieu d'une écrasante journée de travail. Un jour, il rejoint cet ami et commence à lui raconter (sans s'apercevoir qu'il parlait à un homme endormi) qu'un gynécologue allemand venait d'être arrêté pour avoir opéré des femmes qui ne désiraient pas avoir d'enfants ; il continue en demandant l'avis de son interlocuteur et en disant que lui-même s'élevait contre la sentence mais quelle n'est pas sa stupéfaction d'entendre : « Qu'est-ce que tu fais ici ? Retourne en Afrique si tu ne veux pas être condamné à six ans de prison ! »

Le médecin, brusquement tombé dans le sommeil, venait de rêver que Bergström faisait de la propagande pour la stérilisation des femmes, qu'il avait été dénoncé, arrêté, condamné à six ans de travaux forcés, puis qu'avec l'aide de plusieurs amis il s'était évadé, qu'il s'était caché quelques semaines, qu'il avait fini par trouver le moyen de s'embarquer sur un navire qui allait en Afrique, qu'il y avait débarqué sain et sauf et qu'il avait recommencé à pratiquer ses avortements sur les indigènes.

Tout ceci durant les quelques secondes employées par Bergström pour dire : « Moi, à la place du juge allemand, je l'aurais absous. Et toi, qu'en penses-tu ? » Entre ce « moi » et ce « tu », ce rêve plein de péripéties s'était déroulé !

Un cas analogue a été décrit, en 1868, par Alfred Maury. Ce savant français, né à Meaux en 1817, affirme avoir rêvé son arrestation, sa comparution devant le tribunal révolutionnaire, sa condamnation à mort, son dernier voyage à travers Paris sur la charrette avec ses compagnons de supplice, les préparatifs devant la guillotine, la douleur causée par le couperet... et puis son réveil... haletant, le corps couvert de sueur, pour constater qu'une barre de cuivre de son lit s'était détachée et qu'elle venait de tomber sur son cou. Une fraction de seconde avait suffi pour lui faire vivre un véritable roman.

De son côté, le professeur Pierre Réal, psychologue, raconte : « On tire une balle à côté d'un homme qui dort : il se réveille immédiatement en disant qu'il vient de rêver qu'il a rencontré des amis dans un bistrot, qu'il a assisté à une bagarre qui s'est terminée par des coups de revolver.

19

Cet homme a donc eu l'impression d'avoir fait un très long rêve alors qu'il ne s'est écoulé qu'une seconde entre l'explosion et son réveil. »

Cela n'a rien d'étonnant. Pensez simplement à certains moments de votre journée où quelqu'un vous dit : « A quoi pensez-vous ? » et que vous répondez : « Moi ? A rien. » Ce n'est pas vrai car vous venez de voir en pensée une scène longue, compliquée ; vous avez imaginé des situations absurdes, des personnages, des demandes, des réponses. En quelques secondes. Il faut donc admettre que les idées naissent de pulsions électriques d'une prodigieuse rapidité.

Pour en revenir à la cité fantastique dont nous parlions, nous nous demandons : Mais qui en est le constructeur ? Notre Moi conscient ? Certainement pas car il est incapable d'agir en étant paralysé par le sommeil. Mais si Morphée condamne le conscient aux fers, il libère notre second Moi, celui que nous cachons volontairement au fond de nous-mêmes quand nous ne dormons pas. C'est le Subconscient, un personnage chargé d'instincts ataviques, d'hérédités malheureuses, de désirs, de peurs, d'habitudes, de manies dont nous ne parlons pas volontiers et que nous n'hésitons pas à cacher, même à nous-mêmes.

Ce Subconscient, le Mister Hyde * qui existe en chacun de nous et s'évade la nuit, c'est lui qui édifie la cité dont nous parlons. Est-ce lui le responsable du plan de construction lorsque entrent en jeu des facteurs extérieurs ? Quelques psychothérapeutes, pensant que oui, disent qu'il se sert de ces facteurs de façon intelligente et qu'il les adapte à ses besoins. D'autres penchent, *grosso modo,* pour une classification des rêves en deux catégories : ceux créés par l'inconscient qui en respectent la nature et ceux qui n'ont aucun sens, qui naissent d'un bruit, d'une pression, d'une odeur, d'un malaise, de la fièvre ou d'une forte impression reçue en état de veille.

Nous sommes d'avis qu'il ne faut pas écarter cette thèse,

---

* *L'étrange cas du Docteur Jekyll et de Mister Hyde,* de R. L. Stevenson *(N. d. T.).*

bien que rien ne permette de prendre position en sa faveur, tandis que nous sommes persuadés que le subconscient a une importance considérable dans nos songes. C'est donc l'activité du subconscient que nous allons examiner parce que, pour nous, c'est lui qui joue un rôle décisif.

Cette affirmation va peut-être donner à quelque lecteur l'idée que nous allons nous occuper des rêves inspirés, prophétiques ou prémonitoires. Existent-ils vraiment ? Franchement, nous en doutons. Nous désirons ici nous entretenir des rêves « ordinaires ». Et puis, au fond, que signifient ces adjectifs : inspirés, prophétiques, prémonitoires, sinon que les rêves nous aident à nous connaître, à voir au-dedans de nous, à comprendre l'origine de certains gestes inexplicables, à mettre en lumière notre personnalité, à nous aider à lui donner tous nos soins et par conséquent à nous conduire sur la voie qui nous convient le mieux.

II

DES DINOSAURES DANS NOS REVES

Frankie se réveille en hurlant. Hurlement extraordinaire qu'aucun enfant, qu'aucun homme ne pousse. On dirait un rugissement de bête où se mêlent la colère, la peur et le désespoir.

Le docteur Porter et sa femme se précipitent dans la chambre de leur fils. Ils le trouvent debout sur son lit, le dos appuyé au mur, le poing serré comme s'il tenait une lance, défiguré par une expression de rage et de terreur.

Frankie regarde ses parents, ahuri, puis se jette dans les bras de sa mère : « Maman, oh maman... j'ai fait un rêve... j'ai peur. »

Le docteur William Porter est un psychanalyste très connu et le rêve de Frankie l'intéressait comme père et comme médecin. Il se le fit expliquer dans ses moindres détails car il en était très impressionné.

L'enfant raconta qu'il dansait avec des hommes nus autour d'un grand feu allumé au pied d'une montagne. Après, il y avait eu un banquet. Les sauvages se levaient pour aller prendre des morceaux de viande crue qu'ils mangeaient. Tout d'un coup un animal monstrueux était survenu et tout le monde était allé se cacher dans des cavernes. Le monstre ne pouvait pas passer sa grosse tête dans les ouvertures, et les sauvages se défendaient en donnant des coups de lance sur le museau de la bête féroce.

Ce rêve bizarre aurait pu s'expliquer par des impressions laissées par un film, une histoire, des images. Mais Frankie

23

n'avait que cinq ans et il n'avait jamais rien vu ni rien entendu qui aurait pu le lui inspirer. Son père — en bon disciple de Freud — arriva pourtant à en donner une explication logique, mais peut-on imaginer sa stupéfaction lorsqu'un an après le gamin désigna du doigt une illustration qu'il vit en feuilletant une encyclopédie en disant : « Oh ! voilà la grosse bête de mon rêve ! »

C'était un dinosaure carnivore !

Quand nous verrons tomber la Lune.

D'après Denis Saurat, spécialiste du Cosmos, il y a un rêve que font la plupart des hommes et c'est celui de la chute de la Lune. Au milieu d'un ciel rouge sang les étoiles tremblent, la Lune oscille, augmente de volume, puis se précipite sur la Terre, ravagée par des tourbillons de vent.

Il ne s'agit pas de science-fiction ni de prémonition, mais d'un retour de souvenirs ancestraux, transmis à travers des milliers de générations. Les descriptions de la fin du monde écrites par Jean l'Evangéliste lui ont été probablement inspirées par les souvenirs venus d'un très lointain passé concernant la disparition d'une Lune existant avant celle que nous connaissons.

Beaucoup de savants pensent que certains rêves sont des souvenirs de la naissance du monde et l'anthropologie, la paléontologie, l'archéologie, témoignent que certains des éléments y apparaissant ne sont pas imaginaires. Le rêve de Frankie Porter pourrait appartenir à cette catégorie à moins qu'on ne veuille le considérer comme un pur hasard.

Vous vous demandez si nous conservons vraiment le souvenir de pensées, de sensations, d'événements, de temps, depuis longtemps révolus qui se serait transmis à travers d'innombrables générations ? Jusqu'à ces dernières années les hommes de science se montraient extrêmement sceptiques sur la possibilité de cette transmission en disant que le développement de la partie du cerveau humain où siège la mémoire était encore trop restreint pour lui permettre de mettre en réserve une masse importante de souvenirs.

Des travaux récents prouvent que la naissance du genre humain remonte beaucoup plus loin que la date que lui avaient fixée les disciples de Darwin. Le professeur Werner Kemper, psychologue allemand très connu, observe à ce propos : « La prise de position des incrédules ne me semble plus soutenable : nous connaissons une théorie sur les fonctions vitales qui lie celles-ci au développement du cerveau. »

Aujourd'hui existe « le traitement de choc à l'insuline » qui semble fournir la preuve absolue que chacun de nous peut se rappeler inconsciemment, non seulement les événements de la préhistoire, mais ceux qui précédèrent cette période. On traite à présent les cas de schizophrénie ou de démence précoce à l'insuline *. Le malade reçoit d'abord une injection de cette hormone qui le met en état d'inconscience puis il est ensuite réveillé par une piqûre à base de glucose. Le réveil s'effectue lentement et graduellement et c'est à ce moment qu'il parle de promenades à travers toutes les époques de l'Univers dont il se souvient vraiment.

On sait que durant les neuf mois de gestation, le fœtus « synthétise » les stades de l'évolution subie par ses plus lointains ancêtres. Il commence par posséder les branchies des poissons avant de passer à la respiration pulmonaire. Il est ensuite muni d'un appendice caudal (il le perd à la naissance) comme son grand-père le singe. D'autres organes se forment et se transforment, puis disparaissent au moment où le petit *Homo Sapiens* apparaît à la lumière du jour.

Sous l'influence de l'insuline et du glucose, l'adulte recrée à peu près le même périple. A la suite de la première injection, le patient semble mort : pas la moindre manifestation de vie. Les battements de son cœur et sa respiration ne peuvent se percevoir qu'au moyen d'appareils très compliqués. Après l'administration du glucose, les fonctions vitales se remettent légèrement en mouvement. Le malade se trouve

---

* Insuline : hormone secrétée par le pancréas *(N. d. T.)*.

au stade où, il y a des millions d'années, s'alluma en l'homme le premier éclair de connaissance. Il n'est pas encore en état de penser, ni même de rêver.

Quelques minutes plus tard, il commence à bouger en faisant de lents mouvements des bras et des jambes qui ressemblent à ceux d'un nageur. Il en est à la période où toute créature était poisson. Ensuite, il fait les gestes de l'amphibie qui sort de la mer et se traîne sur la terre ferme. Tout de suite après (dans l'histoire de l'univers des milliards d'années séparent cette évolution), il imite le singe. Enfin il émet des sons gutturaux qui se transforment en balbutiements enfantins, puis en mots employés normalement par l'homme qu'il est devenu petit à petit.

A la lueur de cette expérience nous pourrions peut-être expliquer quelques manifestations oniriques (sur lesquelles nous reviendrons plus tard) désignées sous le nom du « déjà vu », qui déconcertent et impressionnent même les personnes les moins sensibles en leur faisant se demander s'il n'existe pas réellement autour d'elles on ne sait quoi qui tient à la magie.

Ecoutons parler un Allemand, le docteur Albert Müller : « J'arrivais à la gare d'Amsterdam un certain jour vers 5 heures de l'après-midi. C'était la fin de l'été. Il faisait un temps magnifique et je décidai d'en profiter. Je déposai ma valise à la consigne et je partis à pied vers le centre. Je traversai un pont et dès que je fus dans la rue principale j'eus l'impression de connaître la ville. Les petites venelles étroites qui étonnent les touristes m'étaient familières et je reconnaissais les magasins et les cafés. J'eus brusquement envie de fumer et j'entrai dans une boutique sans même avoir cherché à savoir si c'était un marchand de tabac.

« Je me mis à vagabonder le long des canaux où généralement les étrangers se perdent parce qu'ils les trouvent tous pareils. Tout d'un coup je demeurai stupéfait. J'étais en train de me dire que là-bas, au tournant, il y avait un hôtel confortable et tranquille et que j'aimerais bien y retrouver la chambre du premier étage qui donne sur la cour et qui est particulièrement agréable. L'idée serait venue tout naturellement à l'esprit de quelqu'un qui aurait séjourné à Amsterdam mais comment à moi qui venais en Hollande pour la première fois de ma vie ?

« Je trouvai l'hôtel tel que je l'avais imaginé, avec son long couloir, son escalier étroit et son tapis rouge. La chambre n'était pas celle que j'attendais. Le lendemain en sortant je jetais un coup d'œil à travers une porte entrebâillée et je reconnus " la " chambre où j'avais espéré dormir.

« En rentrant en Allemagne, je racontai à ma femme ce qui m'était arrivé. Elle ne démontra qu'un peu d'étonnement et beaucoup d'incrédulité. Le soir je rendis visite à mes parents auxquels je m'empressais de redire mes aventures d'Amsterdam. Sans me laisser le temps d'achever mon récit, mon grand-père s'écria : " Mais cet hôtel c'est l'*Ambassadeur,* au numéro 349 de la Herrengracht. La chambre dont tu parles est celle que j'occupais habituellement lorsque je m'arrêtais à Amsterdam. "

« Je me suis alors rappelé à ce moment que j'avais vu cette rue, cet hôtel, cette chambre, dans un rêve il y avait cinq ou six ans. »

Ce genre de transmission de souvenirs entre un grand-père et son petit-fils (des faits analogues se comptent par milliers) a quelque chose qui touche au fantastique, mais on peut tenter d'y donner une réponse logique. C'est apparemment plus difficile lorsque cette sensation de « déjà vu » se rapporte à des paysages, des personnes, des situations qu'on est certain d'avoir rencontrés en rêve, mais où l'éventualité de transmission de pensée doit être exclue.

J. Kinsey, ingénieur anglais, raconte : « Je me trouvais en Afrique du Sud et un matin je me dirigeais à travers un petit bois vers le fleuve où on construisait un pont. Le lieu choisi par les responsables ne me paraissait pas idéal, mais je ne pensais pas qu'on devait aboutir à une catastrophe. Au moment où je débouchais sur le terre-plein herbeux, je sentis brusquement que le pont allait s'écrouler. Ce n'était pas un pressentiment. Je " revivais " une scène vue en rêve : la clairière, les arbres abattus, les cabanes... tout m'était familier, tout, même le visage du contremaître qui venait vers moi. Au moment où je disais : " J'ai peur que votre construction ne soit pas très solide ", le pont commença à céder et il s'écroula en quelques minutes sans, heureusement, qu'aucun ouvrier ne soit blessé. J'avais " vu " toute la scène en rêve, telle qu'elle se présentait à mes yeux. »

Ici, nous touchons aux rêves « prophétiques » dont nous nous occuperons par la suite. L'impression du « déjà vu » est toujours impressionnante, même lorsqu'il ne se passe aucun drame comme, par exemple, lorsque nous traversons un pays quelconque en ayant la nette sensation de le connaître, tout en sachant pertinemment n'y avoir jamais mis les pieds. On peut aussi se trouver dans une situation quelconque et se dire qu'on est déjà passé par là bien qu'on n'en ait pas la moindre preuve.

Le monde des rêves a-t-il un rapport avec la prédiction de l'avenir ?

Non. Le grand spécialiste du cerveau, le professeur Wilder Penfield, affirme que les impressions de « déjà vu » sont dues à une petite panne, à une sorte de court-circuit qui se produit dans le centre cérébral de la mémoire. Tout ce que nous pensons ou faisons, inconsciemment et très rapidement, est confronté avec les souvenirs d'une situation analogue passée qui peut fort bien avoir été rêvée. Notre mémoire nous dit : « En ce moment, ceci se passe ainsi, autrefois la même chose s'est passée autrement. »

Il suffit du moindre trouble physique ou moral pour qu'elle dévie et nous fasse dire : « Ce qui se passe aujourd'hui s'est exactement passé de la même façon autrefois. »

Le professeur Wilder Penfield peut provoquer artificiellement ce trouble. Il en a fait l'expérience sur certains de ses malades et c'est ce qui lui permet d'affirmer ce qu'il avance.

Dans le cas de l'ingénieur anglais J. Kinsey, l'explication est simple. N'oublions pas que les craintes et les désirs sont très souvent les hôtes de nos rêves. Dans son cas particulier, on peut dire : Quel est l'ingénieur qui ne craint pas que le pont qu'on l'a chargé de construire ne soit pas élevé sur le meilleur emplacement et quel est celui qui ne pense pas à un accident en souhaitant que les ouvriers en sortent indemnes ? Pourquoi n'en rêverait-il pas la nuit ? Quant au paysage et au visage du contremaître, « la panne » de mémoire est évidente. Tous les chantiers ont des éléments communs comme, du reste, toutes les usines, les bureaux, les maisons. Ne nous arrive-t-il pas dans la journée d'être frappé par la ressemblance de M. X. avec un acteur de cinéma américain ou de celle de Mlle Y. avec une de nos amies d'enfance, alors qu'en réalité, il n'y ait que quelque chose de très vague entre ces personnes ? Alors comment fonder une sérieuse théorie à propos des choses et des gens qui nous apparaissent durant notre sommeil ?

Les impressions des intra-utérins.

Laissons de côté les sensations plus ou moins fausses du « déjà vu » et revenons aux souvenirs pour parler d'une chose, moins effrayante que la série de rêves remontant à la préhistoire, qui mérite toute notre attention par ce qu'elle réserve de révélations étonnantes. Il s'agit de la mémoire « pré-natale ». Quelques spécialistes nient que cette mémoire subsiste en nous ou dans notre inconscient, mais les psychanalystes ont démontré de façon évidente (nous aurons l'occasion de le constater par la suite) que l'adulte tend à fuir les difficultés de la vie en se réfugiant, en rêve, dans des lieux qui symbolisent le ventre maternel.

Les psychanalystes ne sont pas seuls à appuyer l'hypothèse car il y a une bonne part de vérité dans les affirmations des mères qui expliquent le comportement anormal de leurs enfants avec des phrases de ce genre : « Quand je l'attendais, j'ai vécu des moments très difficiles... C'est à cause des soucis que j'ai eus pendant ma grossesse... Avant sa naissance, j'étais excessivement nerveuse... »

L'existence d'une corrélation directe entre l'état d'une future maman et le caractère de l'enfant qu'elle porte n'est pas encore absolument prouvée. Cependant, on sait que les battements de cœur du fœtus s'accélèrent lorsque la mère est effrayée ou qu'elle éprouve une forte émotion. Si elle sursaute, sa médullo-surrénale envoie de l'adrénaline dans son sang. L'adrénaline stimule l'activité cardiaque de la mère et à travers le placenta atteint l'enfant produisant sur lui la même réaction. Réaction chimique normale. Mais que sait-on de ses conséquences ?

« Nous pouvons mettre en doute le fait que l'état d'âme de la mère exerce une influence sur l'enfant qu'elle porte », observe le grand psychologue et sexologue anglais, Eustache Chesser, « si nous croyons à l'existence d'une nette séparation entre le corps et la psyché. Mais, plus progresse la connaissance médicale, plus nous sommes certains que les facteurs psychiques peuvent promouvoir des troubles physiques et vice versa.

Si durant le temps de la grossesse la mère éprouve de l'angoisse et si elle est saisie par un sentiment de peur, nous avons de fortes raisons de croire que son physique s'en ressentira et que l'enfant qu'elle porte, et qui est si intimement lié à elle, en recevra le contrecoup. Nous ne savons pas exactement ce qui se passe dans la psyché de l'enfant avant sa naissance, mais on peut imaginer qu'elle ne pourra qu'en être malencontreusement touchée. A un certain stade de développement, on peut parler de la psyché de l'enfant en gestation. Il n'est certainement pas vraiment conscient dans le sens ordinaire du terme, mais on ne peut pas dire non plus qu'il n'est qu'une forme inférieure de la vie. Sa possibilité de perception ne se déclenche pas juste au moment où il voit le jour comme s'il s'agissait d'un déclic mécanique. Il existe un très grand nombre de stades de conscience et ce que nous savons sur la question n'est qu'une partie infinitésimale concernant la vie psychologique des êtres humains. Nous disons couramment qu'une personne endormie perd conscience et cependant elle peut suivre un songe de bout en bout. Au réveil, certains rêves sont oubliés mais qui nous dit qu'ils ne restent pas dans un coin de la mémoire ou dans le subconscient ? »

Des faits intéressants et convaincants viennent épauler la théorie d'Eustache Chesser. Il suffit de considérer certaines angoisses qui étreignent les hommes et dont on sait que l'origine remonte à leur vie utérine : on l'a découvert en plaçant certains patients en état d'hypnose. Il faut parler ici du cas d'un professeur très connu, contraint professionnellement à faire de longs trajets en automobile, qui mourait de peur à chaque soubresaut de sa voiture. Il crut qu'il s'agissait de tension nerveuse et il décida de prendre de longues vacances de détente. Après ce repos, étant toujours dans le même état, il s'adressa à un neurologue qui lui conseilla d'interroger un psychanalyste.

Pour le psychanalyste, l'énigme fut vite résolue lorsqu'il apprit que la mère de son client avait été, pendant sa grossesse, brutalement jetée sur le sol à la suite d'un coup de frein donné par le conducteur de l'autobus où elle avait pris place. Son fils adulte réagissait encore à la peur nerveuse ressentie des mois avant sa venue au monde.

D'autres grands psychologues font des constatations analogues et ajoutent que souvent des gens revivent en songe des traumatismes pré-natals. Ils citent en exemple le cas de deux petits garçons qui, depuis leur plus jeune âge, manifestaient une peur irraisonnée en descendant en ascenseur. Dès qu'ils eurent l'âge de s'exprimer, ils racontèrent qu'ils rêvaient souvent qu'ils étaient en train de tomber et qu'ils s'arrêtaient brusquement au milieu de leur chute. On découvrit que leurs mères, enceintes, avaient glissé, l'une sur de la glace, l'autre sur le plancher en faisant le ménage.

Le professeur Werner Kemper ajoute qu'il possède une grande documentation — une vingtaine de rêves très significatifs — sur ce sujet et, entre autres, ceux de deux enfants qui, certainement, n'étaient pas informés des phénomènes de la gestation. En rêve, ils revenaient dans leur existence utérine et l'un d'eux (une fillette de quatre ans) fit une description véritablement anatomique du cadre dans lequel elle se mouvait.

Nous croyons utile de souligner que « les rêves où l'on se retrouve dans le milieu prénatal » (refuges dans des lieux calmes, chauds, confortables, où l'on se sent bien) ne sont pas inquiétants, à moins qu'ils ne reviennent trop souvent. Dans ce cas, ils indiquent une personnalité très faible, une crainte excessive de l'adversité, une impressionnabilité maladive et d'autres fâcheuses tendances qui, si elles ne sont pas surveillées, peuvent conduire à des déséquilibres sérieux.

III

TOUTES LES NUITS NOUS RETOURNONS
DANS LE PASSE

En Amérique, tout le monde a connu un personnage de bandes dessinées nommé *Pete the tramp,* Pierrot le Vagabond, qui porte une longue barbe, un vieux chapeau, des habits en haillons, qui voyage caché sous les wagons de marchandises, qui est toujours affamé et qui vole les gâteaux que les ménagères mettent à refroidir sur l'appui de leur fenêtre. Il dort et il rêve beaucoup. Il rêve de biftecks, de poulets, de tartes aux pommes et il ronfle en faisant zzzzz...

C'est peut-être en pensant à ce célèbre bonhomme que le docteur Weiss, psychanalyste renommé, a cherché à gonfler sa documentation sur la fonction protectrice et compensatrice du rêve en décidant d'interroger un professionnel de la mendicité. Naturellement, celui-ci rêvait de biftecks, de poulets et de tartes aux pommes comme le brave *Pete the tramp.*

Ecoutons-le raconter un de ses songes. « Je m'étais installé pour dormir à l'abri d'un buisson lorsque je sentis qu'un liquide venait mouiller mes lèvres. En passant ma langue dessus je m'aperçus que le liquide était du whisky. Debout à côté de moi, Dixie Dan (un autre clochard) souriait. C'était lui qui avait introduit le bout de sa canne contenant de l'alcool entre mes lèvres. Le jet très fort se répandait sur mes habits. Je voulus protester mais mon copain Dixie avait disparu. J'étais entouré de messieurs très bien habillés qui m'aidèrent à me relever et m'entraînèrent en riant vers un village. Je me trouvais à l'aise au milieu d'eux. Je ne portais plus mes vieilles loques mais un bel habit noir. Quelqu'un me dit : nous sommes invités chez le maire. En effet, nous nous sommes trouvés en pleine fête. J'avais une faim terrible (en réalité, je n'avais pas mangé depuis vingt-quatre heures) et en essayant de ne pas me faire remarquer je me mis à engouffrer je ne sais combien de tranches de viande froide et de tartes aux framboises. Pendant que je terminais mon festin je m'aperçus qu'un officier me regardait. Je vis alors que j'étais de nouveau vêtu de mes hardes. L'officier commença à me frapper avec des branches épineuses. A ce moment arriva une dame qui portait un diadème sur la tête et un ruban autour du cou. »

On pourrait dire : il est tout à fait normal qu'un homme qui meurt de faim rêve de manger, que celui qui a soif rêve de boire et que celui dont les besoins sexuels sont refoulés rêve de les satisfaire. C'est vrai, mais les besoins naturels ne prennent généralement pas des formes aussi évidentes lorsqu'ils se présentent dans les rêves. Le plus souvent « ils se camouflent ». Seuls ceux que le dormeur considère comme sans intérêt lui apparaissent tels qu'ils sont dans la réalité. Notez que ceci n'est pas une règle générale.

A propos du rêve du vagabond le recours à la psychanalyse peut sembler superflu, mais non. Pour s'en rendre compte il faut ne pas oublier que la nature des songes est double, à peu d'exceptions près. Chaque vision a un aspect simple lorsque celui qui a rêvé le raconte. Il dira, par exemple : « J'ai rêvé que je donnais un coup de couteau à ma femme. » Sans savoir que pour les psychanalystes rêver de poignarder une femme signifie qu'on désire coucher avec elle.

Le récit du rêve du clochard ne révèle au premier abord rien que de très normal et pas du tout ce qui se passe dans son subconscient. L'analyse de ce qu'il contient de caché ouvre sur le personnage des horizons insoupçonnables.

Les stimuli * externes ne manquent pas dans le récit ; ils

* Stimulus : agent externe ou interne capable de provoquer la réaction d'un système excitable sensoriel ou psychique *(N. d. T.)*.

ne sont pas déterminants mais ils sont suffisants pour donner à l'explication une très nette direction : une goutte d'eau tombe d'une feuille sur l'homme endormi et se transforme en whisky (objet du désir) ; le sol est humide parce qu'il a plu récemment et c'est lui qui donne au dormeur la sensation d'avoir des vêtements mouillés par l'alcool.

Voici comment le docteur Weiss a interprété ce rêve en tenant compte bien entendu de tous les détails fournis par le patient et toujours indispensables à la réussite des analyses.

La canne était en réalité le bâton d'agent de police dont le clochard (nous l'appellerons Pete) avait été plusieurs fois menacé. Il perd sa signification menaçante et se transforme en objet dispensateur de béatitudes (whisky). Le policier qui porte le bâton dans la rue devient Dixie Dan, qui disparaît peu après comme disparaissent les vieux habits crasseux.

N'oublions pas que Pete suçait le bout de la canne : cette action exprime son désir inconscient de fuir sa vie de vagabond, de retrouver son enfance heureuse (de sucer le sein maternel). C'est alors que les désirs secrets de Pete se révèlent : il veut redevenir un individu normal, ne plus avoir peur du policier et de son bâton, être accueilli sur un pied d'égalité par les autres (cordialité, gaieté, invitation), s'élever socialement (l'habit noir), jouir de l'estime de ses supérieurs et des autorités (participation à la réception du maire).

Dans son rêve Pete ne calme pas sa faim avec un vulgaire sandwich mais avec des nourritures choisies qui représentent le pas en avant qu'il a fait dans la société ; cependant, il mange en cachette et il craint de ne pas arriver à se rassasier, d'être reconnu comme ex-vagabond, de ne pas pouvoir cacher son passé (ses vieux haillons qui se substituent à son bel habit noir).

Entre en scène un officier. Qui est cet officier ? C'est le père de Pete qui, dans la vie, était employé de banque. En songe, le père apparaît souvent comme quelqu'un possédant une grande autorité (un roi, un officier, un gendarme, un professeur, etc.). Cet officier essaie de battre Pete mais une dame (qui est la mère réelle du dormeur) intervient pour empêcher un châtiment immérité.

L'explication ne se termine pas là. Car le fameux « complexe d'Œdipe » et ses remous sexuels y trouvent aussi leur place. Il transparaissait à travers tout le récit mais pour en savoir davantage il a fallu poser à l'homme des questions sur son enfance qui révélèrent qu'il avait épié ses parents alors qu'il n'avait encore aucune notion concernant l'amour et qu'il avait été bouleversé, croyant que son père maltraitait sa mère au point de vouloir l'étrangler. Plus tard, surpris par son père en train de « jouer au docteur » avec une petite fille il avait été fouetté très fort. Depuis ce jour, la haine que Pete portait à son père s'amplifia : « Je n'ai rien fait de mal et j'ai été puni par papa qui est très méchant puisqu'il veut tuer maman. »

Voici donc l'explication de la dernière partie du rêve du vagabond qui met en évidence les souvenirs des diverses interventions de sa mère pour lui éviter des punitions trop dures et du choc causé par « la vision interdite » (le diadème porté par la dame signifie bonté et noblesse et le ruban autour du cou cache les marques laissées par l'étrangleur). C'est l'inconscient de Pete qui a associé ces détails à son désir sexuel. Ajoutons qu'il ne faut pas oublier que l'officier du rêve (nous avons dit qu'il représentait l'autorité du père) tient dans sa main une branche d'arbre couverte d'épines. Les feuilles d'arbre sont un des symboles de la féminité et les épines signifient que des obstacles existent qui s'opposeront à la réussite de la relation amoureuse désirée.

Les fonctions du rêve.

De l'analyse du récit de Pete, on déduit clairement quelles sont les trois principales fonctions du rêve :
— Protéger le sommeil.
— Aider à un imaginaire apaisement des désirs.
— Faire émerger (soit à travers la mise en évidence bru-

tale d'un défaut, soit en plaçant le dormeur dans une situation qui le dépasse) ses angoisses, ses problèmes, ses conflits intérieurs, ses « complexes » et tout ce qui s'y relie.

Les rêves ne sont pas du tout de folles galopades de l'imagination dans un monde inexistant, ni des messages envoyés par on ne sait quelle puissance surnaturelle : ils font partie de nous-mêmes, *ils sont nous-mêmes*. Nous sommes pleinement responsables de nos rêves, affirme Freud, des « mauvais » comme des « bons » ; nous essayons de le nier mais la vie s'ingénie à nous démontrer le contraire.

Un seul rêve peut suffire à dévoiler notre personnalité, à mettre en relief ce que nous ne pouvons ou ne voulons pas voir. Mais généralement, il faut avoir la possibilité d'analyser plusieurs rêves avant d'arriver à un bon résultat. Il faut aussi connaître la manière d'en étudier le mécanisme. Nous ne pourrons parler ici à fond des méthodes employées mais nous donnerons tout de même l'essentiel de ce qui est utile à savoir.

Dans notre premier chapitre, nous avons comparé le songe à une cité dont l'architecte serait le subconscient qui tirerait ses matériaux de construction d'une sorte de réserve qui n'est, en fait, que la mémoire. Nous allons voir maintenant sur quels critères s'appuie cet imaginaire « maître d'œuvre » et de quoi il se sert vraiment pour bâtir sa ville.

C'est ainsi que nous pénétrerons plus avant dans les mystères du sommeil et que nous commencerons à nous rendre compte des abîmes qu'il s'agit de sonder pour dessiner avec des traits justes et précis une personnalité.

Divers esprits résolument rationalistes se demandent, lorsqu'ils sont confrontés à des rêves très bizarres, qui semblent n'avoir rien de commun avec le dormeur et sa vie quotidienne, ou à ceux qu'on doit obligatoirement attribuer à de mauvaises conditions physiques, si ce phénomène ne serait, tout compte fait, qu'un transport de l'imagination en délire, et ses références à la réalité, un effet du hasard.

Il est possible que cette opinion soit défendable dans certains cas, mais s'il en était toujours ainsi la psychanalyse n'offrirait aucune possibilité de « lire dans le passé » et la psychothérapie ne pourrait se vanter d'un seul succès.

L'architecte du rêve s'appuie-t-il sur des critères aussi peu simples, et pourquoi ?

Nous avons cité un peu plus haut les trois fonctions du rêve qui ne peuvent s'accomplir autrement, car le Moi conscient s'y opposerait. Si le rêve n'était que la reproduction de la réalité, il ne protégerait pas le sommeil (par exemple, le clochard ne se reposerait pas si sa faim, sa fatigue, ses soucis revenaient tels quels lorsqu'il dort), il ne lui apporterait aucun apaisement, il ne dévoilerait aucun de ses conflits intérieurs.

Les désirs qui nous assaillent le plus violemment sont généralement ceux auxquels s'opposent des principes de morale ou de religion ou simplement le bon sens, et, parfois, la peur. Souvent, nous semblons ignorer leur existence parce que nous n'osons même pas y penser. Le subconscient connaît l'existence de ce que l'être refoule mais il ne subit ni l'emprise des principes moraux, ni du bon sens, ni de la peur ; il ne s'en préoccupe que parce que c'est une partie de nous-mêmes. Alors il accepte un compromis ; il prend ce qu'on pourrait appeler des chemins de traverse pour n'offenser ni ne trahir qui que ce soit. Il agit un peu comme les joueurs invétérés qui, lorsque quelque chose les empêche d'aller dans les salles de jeux, achètent des billets d'une quelconque Loterie nationale.

Le subconscient applique un système analogue quand il doit s'occuper d'angoisses, de difficultés, de « complexes ». N'y a-t-il pas toujours intervention d'un désir ? Dominer celui qui nous effraie, vaincre des difficultés, résoudre un problème.

Maintenant une question vous vient sans doute à l'esprit. Puisqu'on dit que les images qui apparaissent au cours des rêves camouflent le plus souvent des désirs un peu honteux et des vérités pas toujours agréables à entendre, devons-nous en conclure que nous sommes tous, plus ou moins, des anormaux ?

Qui donc pourrait sincèrement affirmer n'être jamais torturé par des désirs, des craintes, des problèmes secrets ? La chose n'a en soi rien d'effrayant et il faut se dire que c'est aussi de la façon d'accepter la présence du danger, de le repousser ou de l'éliminer qu'est faite une personnalité. Sans ces conflits, elle n'existerait pas. Si nous acceptions tout ce qui se présente sans tendre à autre chose, nous serions des débiles mentaux.

En nous basant sur la part de réalité et d'imagination présentes dans ce que nous voyons en dormant, nous allons maintenant faire une première ébauche de diagnostic de caractère en nous rapportant aux rêves classiques « des trois jeunes filles » *(Lemaître)*. Je vous prie de noter que nos déductions ne s'appliquent pas uniquement à la sexualité.

Il s'agit de trois jeunes filles de dix-huit ans, de famille bourgeoise, que nous appellerons Alba, Bruna et Clara. Elles sont amoureuses d'un jeune homme qui, malheureusement, ignore les sentiments qu'il a fait naître.

Alba rêve qu'elle se trouve seule avec le jeune homme dans une clairière. Elle le taquine, le provoque, s'enfuit, se cache puis se laisse attraper. Il veut l'embrasser, elle se rebelle, proteste, puis cède. Ce rêve reflète — un peu transposé — un comportement normal : équilibre, sagesse, absence de craintes et de pudeurs exagérées. Le fait qu'Alba refait souvent ce rêve sans grandes variantes la définit comme une fille saine et normale.

Bruna se comporte de façon beaucoup plus audacieuse avec le jeune homme : sur la plage, elle laisse glisser son maillot de bain et se dénude en partie ; de sa salle de bains elle téléphone pour encourager son amoureux (baignoire, eau, téléphone sont des symboles sexuels) ; dans une chambre qui n'est pas la sienne, elle se déshabille. Ces images sont d'une évidence totale. Cette jeune fille est soumise à ses instincts, elle est incapable de se contrôler, ne subit aucune contrainte et peut se laisser entraîner à faire tout ce dont elle a envie sans aucun remords.

Clara voit dans ses rêves des châteaux, des dragons, des églises, des lions qui ressemblent à son amoureux, et très souvent de fantastiques scènes d'épouvante. Trop de symboles, trop de luttes intérieures. Son caractère est un mélange de timidité, de faiblesse, de manque de bon sens, d'anxiétés de toutes sortes. Il semble que pour elle le recours à un psychanalyste soit tout indiqué.

Les détectives de la conscience.

Des phares qui foncent dans l'obscurité, des sirènes d'auto, des pas, des voix excitées... Lily, terrorisée, s'adosse au mur d'une ruelle obscure. On la cherche. Le monde entier est à ses trousses. Elle est obligé de fuir, de se cacher, de s'en aller toujours plus loin. Jusqu'à quand ? L'étau se resserre, la situation devient désespérée. Elle sait qu'elle est coupable, qu'elle a commis quelque chose d'affreux, un crime qui ne mérite aucune pitié. Mais quoi ? Elle cherche à se rappeler. Rien. Il est arrivé quelque chose de terrible, quelque chose de... de...

Ah, voilà, elle sait... mais non... le mystère demeure, toujours aussi hallucinant. Tout se confond dans sa tête. Elle se remet à courir. Les policiers sont là, derrière elle. Elle court, mais la ville a changé d'aspect. Ici reste encore le cinéma mais les grands magasins ont disparu. A leur place il y a un lac... le lac de montagne qu'elle a vu il y a longtemps lors d'une excursion. Voilà la via Veneto de Rome... En courant, elle passe par-dessus les guéridons d'un café, elle voit les colonnades des Galeries de la place du Duomo à Milan, les éventaires des bouquinistes des quais de Paris, une fontaine de Turin, les murs d'un château dessiné par Walt Disney.

Elle arrive maintenant dans une rue qu'elle connaît bien. Elle frappe contre la porte d'une maison. Un judas s'ouvre et deux yeux sévères la fixent. Elle reconnaît ce regard, elle distingue quelques traits. C'est son grand-père, mort quelques mois auparavant. Elle implore pitié mais le vieillard secoue la tête et la laisse dehors.

Elle se remet à courir et se trouve brusquement dans un jardin. C'est celui de la villa où elle a passé son enfance. Elle parcourt les allées, elle cherche sa mère qui devrait être assise sur le vieux banc de pierre, mais qui n'y est pas. Voici l'entrée d'une grotte ; elle s'y précipite. Elle est enfin tranquille, sûre d'avoir échappé aux persécutions. Personne ne la trouvera, personne ne lui fera de mal...

Qu'y a-t-il à l'origine du rêve de Lily ? Quelque chose que d'autres filles trouveraient sans importance : elle s'est laissée aller pour la première fois (elle a vingt ans) à accepter un vrai baiser de son fiancé. Ce n'est pas grave mais c'est une jeune fille qui a été élevée très sévèrement : elle se sent coupable et ce sentiment de culpabilité se révèle totalement tandis qu'elle dort.

Lily s'est dit : « Si les gens savaient ce que j'ai fait ils me mépriseraient, ils me détesteraient, ils me puniraient. » Son rêve traduit en images dramatiques ces considérations qui auraient pu être formulées seulement dans son subconscient sans qu'elle s'en rende même compte. Elle est devenue une criminelle, les gens se transforment en une armée de policiers qui lui donnent la chasse. Elle cherche refuge chez son grand-père qui la repousse (cette scène reflète une seconde préoccupation de Lily : « Mon grand-père était bon, prêt à me défendre et à me protéger... mais il était sévère et il ne m'aurait jamais pardonné ce que j'ai fait »).

Elle revient à la villa où elle a vécu dans son enfance parce qu'elle désire revenir à cette époque, sans souci, heureuse, à un âge où n'existait pour elle aucun problème. Elle cherche sa mère sans la trouver. Son subconscient lui dit : « Ta mère elle-même ne te donnerait pas raison. » Alors elle se réfugie dans le seul endroit où personne ne pourra lui faire de mal, le ventre maternel, représenté par la grotte.

Ce rêve est-il particulièrement curieux et extraordinaire ? Non. Chacun de nous en a fait de semblables. Dans des périodes d'angoisse, de découragement, nous sommes souvent revenus en rêve dans l'alvéole maternel symbolisé par une grotte, une niche, un berceau, par tout ce qui est étroit, accueillant et sûr.

C'est ainsi qu'on explique la phrase qui échappe à beaucoup d'entre nous à certains moments critiques de la vie : « Ah ! si j'avais pu ne pas naître ! »

Le dramatique rêve de Lily (qui rappelle un peu ceux qui troublent les nuits de Clara) vous oblige sans doute à vous poser une question au sujet des trois fonctions que nous avons attribuées aux songes. Le fait que le dieu Morphée emploie quelquefois des moyens déplaisants pour nous aider à comprendre nos angoisses et nos « complexes » n'est-il pas en contradiction avec le but recherché ?

Voici ce que dit à ce propos Werner Kemper : « Comment les rêves peuvent-ils protéger le sommeil s'il existe des cauchemars (assez fréquents) durant lesquels le dormeur se sent persécuté, poursuivi ou passant son temps à chercher ce qu'il ne peut trouver, ou courant derrière un train qu'il n'arrive pas à attraper, ou s'exhibant à contrecœur, nu en public ? Ce genre de rêves contredit-il la théorie de la satisfaction des désirs ou celle qui dit qu'ils nous protègent, comme on serait tenté de le croire en se réveillant angoissé et couvert de sueur ? Les cauchemars ne seraient-ils pas des expériences ratées qui n'ont rien à voir avec la théorie en question ? Disons tout de suite que, pour prouver leur raison d'exister, les choses n'ont pas besoin d'être absolument parfaites, ni d'atteindre à tous les coups un but assigné. Les avions, par exemple, ont été conçus pour voler, et non pas pour exploser, et les catastrophes aériennes qu'on enregistre malheureusement ne prouvent pas qu'il ne fallait pas les inventer ni s'en servir. »

Sans aller nous perdre dans les dédales de la psychanalyse, prenons une comparaison qui nous semble assez bonne.

Imaginons que notre mythique architecte décide de construire un édifice qui représente la satisfaction d'un désir. A un moment donné, il s'aperçoit que ce qu'il a voulu ensevelir sous cet édifice n'entre pas à l'endroit où il avait pensé le mettre. Alors, tout simplement, il renonce et laisse exploser ce « quelque chose ». Tout tombe en miettes brusquement... et c'est l'instant où le rêve cesse. On a remarqué que les dormeurs qui font ce qu'on appelle des cauchemars se réveillent de but en blanc et sans rime ni raison.

Tout naît en nous et se passe en nous, on l'a dit : il est donc complètement inutile de se laisser effrayer par des cauchemars plus ou moins horrifiants. On devrait même, lorsqu'ils viennent hanter nos nuits, s'en féliciter et les considérer comme des sonnettes d'alarme qui peuvent nous mettre en garde contre un conflit qui menace gravement notre personnalité. Vous vous dites, peut-être, que ce baiser accordé à son fiancé par la jeune Lily n'aurait pas dû susciter un rêve aussi rempli d'événements dramatiques. Laissez-moi vous répondre que ce n'est pas le nombre et la gravité des faits apparaissant dans les rêves qui comptent, mais l'importance que nous leur attribuons. Prenons, par exemple, une feuille d'arbre qui tombe : l'un n'y fera pas attention, un autre la suivra d'un regard mélancolique, un troisième s'en inspirera pour écrire un poème ou un traité de philosophie. N'oublions pas que Lily a donné, elle, beaucoup d'importance au fait (le baiser) puisque dans son rêve *elle sait* qu'elle a commis un crime sans pouvoir se rappeler lequel. En vérité, elle ne s'en souvient pas parce qu'elle ne le veut pas, parce qu'elle préfère se réfugier dans l'oubli. Elle fait comme beaucoup d'entre nous qui cherchons à écarter de nos pensées un acte que notre conscience nous reproche.

Nous reviendrons sur les rêves d'angoisses (il faut noter qu'ils sont souvent provoqués par la fièvre ou par une indigestion). Pour le moment, contentons-nous d'en donner les causes principales :

— Grave sentiment de culpabilité. Nous cherchons des justifications, mais nous n'arrivons pas à nous persuader que nous avons bien agi... Notre Moi se bat férocement pour écraser les mensonges que nous essayons d'inventer.

— Présence d'un désir très fort et mauvais. Le subconscient ne réussit pas à le désamorcer par la satisfaction imaginaire ; il faut faire face à l'horreur de ce désir.

— Désir masochiste de se punir soi-même.

IV

UN MONDE FAIT D'INSTINCTS
ET DE SOUVENIRS

Ce simple regard superficiel jeté sur les critères choisis par l'architecte du royaume de Morphée suffit à nous éclairer sur les rapports étroits qui existent entre les rêves et le Moi. Considérons maintenant les matériaux employés et nous arriverons à la constatation suivante : ce sont les mêmes avec lesquels notre caractère et notre personnalité ont été bâtis.

Il faut admettre tout de suite que nous nous trompons bien souvent sur ce que sont véritablement notre caractère et notre personnalité. Il est certain que les voir tels qu'ils sont n'est pas facile. Consciemment ou pas, nous les cachons sous des vernis, des ornements, pour apparaître, aux autres aussi bien qu'à nous-mêmes, aussi beaux que possible. Alors comment savoir ce qui cloche, quels défauts faut-il corriger, quelles qualités convient-il de mettre en valeur ? La réponse est simple, les rêves sont là pour nous aider puisque, lorsqu'il rêve, l'homme est vraiment ce qu'il est et qu'il lui est impossible de se réfugier dans la ruse.

Si vous vouliez, je comparerais volontiers les instincts à des ressorts qu'on aurait décidé de ficeler dans une étoffe tissée d'un peu de morale, de bonne éducation, de principes religieux, de convenances mondaines. Mais une étoffe ce n'est pas obligatoirement très solide et il faut penser de temps en temps à la renforcer lorsqu'on y a enfermé des objets aussi susceptibles de se tendre et de se détendre que les ressorts auxquels nous avons fait allusion.

Ces instincts que nous venons de comparer à des ressorts,

il faut donc aussi penser à les maîtriser. Tout le monde ne connaît pas la meilleure manière de le faire. S'ils ont été mal empaquetés — poursuivons la comparaison — ils peuvent déchirer et faire craquer le tissu. L'instinct sexuel par exemple, qui est particulièrement puissant, n'est pas facile à manœuvrer, à retenir et les êtres faibles peuvent le laisser facilement courir à sa guise ou souffrir très profondément en tentant de lutter avec lui.

Au cours des rêves, les instincts sont libres. On peut les observer, en évaluer la force, on se rend compte des dommages qu'ils pourraient causer ; on peut aussi étudier la façon de les rendre inoffensifs ou d'utiliser leur force.

Prenons le cas de Jeannette T. Il s'agit d'une jeune fille de dix-huit ans qui, à la fin de ses études, revint chez ses parents qui habitaient une petite ville du Midi de la France. Le lendemain de son retour, elle brûla l'uniforme du couvent durant une petite fête qu'elle a organisée avec des camarades. Pendant deux semaines elle ne sembla occupée qu'à se mettre « au goût du jour » et à faire tout ce qui lui avait été interdit pendant les années qu'elle avait passées dans son pensionnat religieux. Dans sa chambre, elle empilait des robes, des sacs, des fards, des crèmes, des livres, des disques à la mode.

Puis brusquement, un certain jour, après avoir participé à une grande fête, Jeannette changea complètement de vie. Elle enferma dans une armoire toutes ses nouvelles emplettes et ses vêtements élégants pour reprendre une vieille jupe, un chandail déformé, ses souliers du couvent. Ses parents pensèrent qu'elle s'est laissé séduire par les théories d'un hippie quelconque et son père sourit de cette transformation : « Elle veut goûter à tout ce qui est nouveau. Aucune importance. Sa personnalité est formée et tout ça passera... »

Rien ne passa. Elle se mit à refuser toutes les invitations, et à ne plus sortir de chez elle. Elle n'acceptait plus auprès d'elle qu'une jeune étudiante en philosophie qui devint rapidement son inséparable. Sa journée se passait en conversations ou en méditations solitaires. Elle ne faisait qu'apparaître à la table familiale. Elle ne souriait plus, ne parlait plus et devenait même agressive vis-à-vis de ses parents et de ses frères.

Un après-midi le père profita de l'absence de Jeannette pour fouiller sa chambre et tenter d'y chercher la clef de l'énigme. Quel ne fut pas son étonnement en trouvant sur le matelas une corde autour de laquelle étaient enfilées de petites branches de plantes épineuses. Lorsque sa fille rentra dans sa chambre pour se déshabiller, il regarda à travers le trou de la serrure et vit qu'elle portait autour de la taille une ceinture de corde.

Le lendemain, il décida d'emmener Jeannette chez un psychothérapeute qu'il connaissait. Très passivement, elle accepta en se contentant de dire qu'elle n'était ni malade ni folle et qu'en vivant comme elle avait choisi de le faire elle ne faisait de mal à personne.

Le médecin n'obtint rien tout de suite. C'était prévisible. Cependant il lui suffit de dire ces quelques mots dont les psychiatres devraient user plus souvent pour mettre en confiance ceux qu'on confie à leurs soins : « Chère mademoiselle, je ne vous donne pas tort par principe. Je veux me rendre compte si le genre de vie que vous avez choisi correspond à vos besoins profonds. S'il en est ainsi, c'est moi qui vous encouragerai à continuer pour ne pas créer en vous un grave déséquilibre. Sinon je chercherai avec vous à expliquer pourquoi vous agissez comme vous le faites depuis quelque temps. »

C'est après cette introduction qu'il commença à l'interroger sur ses rêves et elle parla tout de suite de celui qui l'avait le plus impressionnée : « Je venais de m'acheter une robe du soir très décolletée. J'étais à la fois contente et un peu honteuse lorsque je vis entrer dans ma chambre la fondatrice du couvent où j'ai été élevée qui me dit que je serais damnée si je ne conservais pas les sentiments de pudeur qui m'avaient été inculqués. »

Ce rêve avait été suivi d'autres du même genre où la religieuse continuait à la menacer des pires malheurs et châtiments en raison de quoi elle avait décidé d'abandonner la vie mondaine.

Un soir, avant sa « conversion », elle avait rencontré chez des amis un jeune ingénieur qui lui avait beaucoup plu mais qui avait essayé de l'embrasser. Horrifiée, elle s'était enfuie chez ses parents et elle avait passé sa nuit à faire des rêves où le plaisir se mêlait à des visions infernales. Dès le lendemain une obsession s'était ancrée en elle : le « monde » était horrible et elle ne devait penser qu'à faire pénitence.

A partir de ce jour, les cauchemars cessèrent et aucune mère supérieure ne vint lui reprocher de s'intéresser un peu trop à cette amie qui semblait apprécier beaucoup plus la compagnie des filles que celle des garçons.

Le psychothérapeute ne tarda pas à débrouiller les fils de l'écheveau. Il se rendit compte très vite que Jeannette avait eu dès son entrée au pensionnat une véritable horreur de la fondatrice du couvent et qu'elle en avait si peur qu'elle n'osait même pas lever les yeux sur son portrait. Il arriva à faire parler la jeune fille d'un très sévère sermon que la directrice avait lu cinq ans auparavant en se tenant debout sous le portrait en question. Elle avait réuni les élèves qui partaient en vacances pour les mettre en garde, avec des phrases ridiculement exagérées, contre les modes indécentes et le comportement de la jeunesse dévoyée. Ces religieuses considéraient le mot baiser comme un passeport pour l'enfer, ainsi que le prouve la colère qui s'était déchaînée contre une petite fille de quatorze ans qui avait écrit dans une rédaction que son papa et sa maman s'étaient embrassés devant elle, un jour, à la campagne, au moment où ils fêtaient l'anniversaires de leurs fiançailles.

Il ne faut pas s'étonner si Jeannette ne s'inquiéta pas de son amitié « particulière » pour son amie étudiante. On ne lui avait jamais signalé que les dangers que les filles courent auprès des hommes ; elle n'avait aucune idée de l'homosexualité ni du masochisme vers lequel elle était en train de foncer à cent à l'heure, grâce à son invention de cordes et de cilices.

Elle était heureusement intelligente et à partir du moment où elle comprit les explications de son médecin, elle apprit à se mouvoir dans le monde du subconscient, à dominer ses difficultés et à en diriger l'énergie vers des objectifs qui en valaient la peine.

Jamais on ne pourra rêver la réalité.

Vous est-il arrivé une seule fois de revivre en songe, mais absolument identique, un événement ou une situation où vous vous êtes trouvé dans la réalité ? Nous sommes certains de pouvoir répondre à votre place : non. A très peu d'exceptions près, nous croyons ne pas nous tromper. Les Américains ont fait des tests et ils ont obtenu un oui, pour trois mille six cents non. C'est la confirmation de ce que nous vous avons dit à propos des fonctions du rêve en même temps que la preuve que tout être humain porte en lui, inconsciemment, de l'insatisfaction, des désirs, des peurs, des oppositions, des tiraillements, des antagonismes.

Mais vous êtes très probablement curieux de savoir qui est l'unique personnage qui fait exception à la règle et ce qu'il pense ?

Ecoutons ce que Mr. Smith, un industriel de quarante-cinq ans, très heureux homme et dont les affaires ne cessaient d'être en expansion, confia un jour à un psychanalyste : « Il y a environ une semaine j'ai signé avec Mr. Brown un excellent contrat me donnant toute satisfaction. Deux nuits après, j'ai revu en rêve tout ce qui s'était passé le jour de cette signature dans mon bureau. Rien ne manquait : les meubles, les objets étaient à leur place et moi-même ai refait exactement les mêmes gestes, les mêmes sourires... »

Le psychanalyste, qui s'intéressait particulièrement à la question, demanda à Smith de revenir le voir pour approfondir la chose et lui permettre de l'interroger. Smith accepta. Une première conversation ne donna rien d'intéressant mais la deuxième fut plus fructueuse car l'industriel se rappela que dans son rêve sa table de travail était recouverte d'une légère couche de poussière, que sa secrétaire portait des lunettes (elle en met quelquefois, mais jamais devant les visiteurs) et que l'électricité n'était pas allumée.

Il est probable qu'après ces révélations (qui ne sont basées que sur d'infimes détails) le psychanalyste aura écrit sur la fiche de Smith : C'est un menteur, ou il a été menteur autrefois, ou il se sent menteur.

Pourquoi ? L'électricité qui n'a pas été allumée et les lunettes de la secrétaire ont un sens facile à interpréter : dans son subconscient, l'industriel ne désirait pas qu'on voie très clair dans son affaire et il craignait aussi que son employée ne comprenne trop bien des choses qu'il préférait lui laisser ignorer. Et la poussière que signifie-t-elle ? Pour répondre, il faut plonger plus loin dans le passé de Smith (nous tenons à dire qu'il ne faut pas le regarder comme un truand et que rien de malhonnête n'était dissimulé dans son contrat avec Brown).

Seulement... seulement voilà : au début de sa carrière, Smith, pour évincer un concurrent, avait eu l'idée, on ne peut plus regrettable, d'écrire une lettre anonyme de dénonciation. Peu de temps après l'avoir expédiée, il avait été saisi, non pas de remords, mais de la crainte d'avoir laissé ses empreintes digitales sur le papier. La poussière qu'il a vue dans son rêve recouvrant sa table de travail et sur laquelle toutes les traces de doigts sont immédiatement repérables doit être interprétée comme le rappel du souci qu'il porte en lui que quelqu'un n'apprenne un jour l'acte déshonorant qui a été à la naissance de sa réussite en affaires.

Smith a confié d'autres rêves à son médecin et, dans chacun d'eux, le trouble de sa conscience se dévoile très clairement. Nous allons en raconter trois qui nous serviront aussi à illustrer ce que nous dirons par la suite.

1. Smith, complètement nu, la nuit, au milieu de la nature, a la sensation d'être suivi par une bête féroce. Terrorisé, il s'enfuit vers la montagne, pénètre dans une caverne habitée. Il demande du secours, mais on le chasse. Il finit par trouver un sentier qui le conduit à l'entrée d'une grotte où brûle un feu. Il se réchauffe et se rassure.

2. Smith est couché dans un lit. Il fait sombre et il a peur. Il entend tout d'un coup un drôle de bruit de ferraille, il voit un rayon lumineux qui court sur le plafond et il se tranquillise d'un seul coup.

3. Smith est assis à son bureau. Il parle avec plusieurs messieurs qu'il abandonne pour aller regarder par la fenêtre. Lorsqu'il revient à sa place, il aperçoit sur son sous-main une enveloppe qui n'y était pas auparavant. Il ouvre l'enveloppe et découvre un faire-part de décès.

Tous ces rêves dévoilent le remords. On peut les interpréter ainsi :

1. Smith se sent menacé à cause de la lettre anonyme qu'il a écrite autrefois. Il se voit tout nu, sans défense et honteux. Il aimerait expliquer son acte à des amis (les habitants des cavernes) mais il craint d'être repoussé. Il ne trouve la paix que dans la chaleur et la sécurité de la vie intra-intérine (la grotte représente le ventre maternel et le désir dont nous avons déjà parlé « de n'être jamais né »).

2. Smith craint l'apparition de fantômes suscitée par sa mauvaise action. Il revient encore ici vers le temps de son enfance. Avec l'aide du psychanalyste, il se souvient que lorsqu'il était petit il avait peur de l'obscurité seul dans sa chambre mais que le bruit de ferraille d'un tramway passant dans la rue et les reflets des phares des automobiles le réconfortaient et lui permettaient de s'endormir.

3. Le souvenir de sa mauvaise action et du tort qu'il a fait à un homme l'obsède continuellement. L'avis de décès qu'il trouve sur son bureau représente *l'assassinat moral* qu'il a accompli en envoyant sa lettre anonyme, en même temps que la peur qu'il a qu'on finisse par apprendre ce qu'il a fait.

Revenons, si vous le voulez bien, à ces « matières premières » que l'architecte de nos rêves emploie pour bâtir sa cité fantastique et entrons dans l'immense magasin d'accessoires de la mémoire. Vous n'avez pas oublié ce que nous avons raconté des souvenirs presque antédiluviens qui nous sont parvenus par héritage, pourrait-on dire.

Le premier rêve de Mr. Smith pourrait bien se rattacher, en passant par son subconscient, aux expériences des premiers hommes, à leur peur de l'obscurité, du froid, de la solitude où l'ennemi (la bête féroce) se meut normalement, à leur plaisir de retrouver un feu allumé, à cause du sentiment de sécurité qu'il procure. Mais peut-être suis-je en train de m'inventer de toutes pièces une belle histoire sans penser que notre dormeur s'était tout simplement souvenu, en rêvant, d'un film ou d'un livre dont la lecture l'avait frappé. Pourtant je n'écarte pas *a priori* ma première supposition puisque ce qu'on appelle « le choc de l'insuline » peut la rendre plausible.

Revenons en arrière dans la vie.

Ses soucis, des menaces vaguement entrevues ramènent Mr. Smith, au moment de son deuxième rêve, dans sa chambre d'enfant où un rayon de lumière et un bruit familier le tranquillisaient autrefois, et dans la réalité. Que lui serait-il arrivé si la pièce où il dormait n'avait pas eu de fenêtre ou si ses parents (pour l'obliger à vaincre sa peur) avaient bouché toutes les fissures laissant pénétrer de temps à autre un peu de lumière ? On ne pourrait répondre catégoriquement qu'en sachant l'importance et la gravité du choc que l'obscurité totale aurait eu sur l'enfant. Peut-être que les conséquences n'auraient été que minimes. A notre avis, elles auraient été désastreuses car on sait l'influence néfaste de l'obscurité totale sur la plupart des gens qui souffrent d'angoisses nocturnes.

Le comportement d'autrui, sa façon de juger votre conduite, comptent toujours énormément, mais les enfants ressentent encore plus que les adultes ces prises de position et ils peuvent en être marqués pour toute la vie. Un bébé, qui ne comprend pas les mots qu'on lui dit, est impressionné par les gestes. Il est déjà d'une extrême sensibilité et une déviation ou une perversion sexuelles naissent parfois d'une gifle et de menaces muettes mais explicites, parce qu'elles marquent profondément son subconscient.

L'éminent psychologue Eustache Chesser écrit : « Les impressions reçues par l'enfant peuvent parfois n'avoir rien de grave mais elles sont souvent la source de sérieux ennuis qui ne se manifestent que plus tard, de la même manière qu'une simple crise d'appendicite peut se transformer en péritonite. On verra, par exemple, un homme souffrir de troubles intestinaux, de migraines, de vertiges, un autre manifester de l'agoraphobie, la peur de l'obscurité, des chats, etc. Un troisième aura des manies ridicules comme toucher du bois, se laver les mains mille fois par jour, etc. C'est ce qu'on appelle des *complexes*. Lorsque les complexes s'aggravent, ils deviennent des *névroses.* »

En étudiant les rêves des gens qui se plaignent de ces déséquilibres, on découvre complexes, névroses et leurs origines qu'on identifie en les ramenant vers les souvenirs d'enfance.

Si en dormant vous retournez à la période de votre enfance ou de votre adolescence, ne vous inquiétez pas. Tous les hommes ont la nostalgie de leur passé, généralement sans souci et heureux, et ils y pensent souvent même sans fermer les yeux. Ce qui intéresse le psychanalyste, c'est la fréquence, dans le cours de ces rêves, de détails bizarres ou désagréables ou s'ils sont particulièrement altérés par rapport à la réalité et s'ils sont particulièrement altérés par rapport à la réalité et totalement travestis. Ces cas deviennent très inquiétants lorsque leur trame est particulièrement difficile à déchiffrer.

Voici deux rêves faits par deux sœurs, âgées de dix-sept et de dix-neuf ans, que le professeur Berger a rapportés. Ces jeunes filles avaient passé leur enfance à la campagne dans une très jolie maison entourée d'un parc où l'on accédait en passant sur un petit pont. La première jeune fille rêvait souvent de ce parc et au réveil elle se sentait calme et heureuse. La seconde, au contraire, ne faisait que des cauchemars. Dans ce même jardin, elle était persécutée par d'affreux nains qui l'entraînaient vers un arc-en-ciel qui, se transformant en crocodile, l'envoyait voler d'un coup de queue dans une forêt dont les arbres étaient faits d'épées enfoncées dans le sol.

Ces deux rêves, si différents, sont, en fait, identiques. La première jeune fille considère que les années qu'elle a passées dans la villa de ses parents ont été très heureuses, tandis que sa sœur ne se souvient que d'un certain jour où, traversant le pont, elle s'est trouvée en face d'un exhibitionniste dont la vue lui a fait une impression abominable.

En connaissant ces détails, on interprète très facilement le cauchemar : les affreux nains sont nés du souvenir de ces gnomes en terre cuite peinte qu'en Europe centrale on place dans les parcs ; l'arc-en-ciel, c'est le pont, le crocodile c'est l'homme caché et terrifiant, et la forêt d'épées est facile à expliquer lorsque l'on sait que les couteaux, les sabres, les épées symbolisent les organes sexuels masculins. On les interprète d'autant mieux si l'on sait que les jeunes filles en question disaient, lorsqu'elles étaient petites, que leur pont devait être un arc-en-ciel pétrifié et qu'une grosse pierre, à moitié cachée dans l'eau, était sûrement un immonde crocodile.

Tous nos souvenirs — pas seulement ceux de l'enfance — servent à élaborer les rêves. Parfois de façon très inattendue.

Les souvenirs peuvent, par exemple, constituer :

— « L'essence » même de la vision (Jean a eu une déception amoureuse. L'histoire remonte à des années en arrière, mais il n'a pas oublié et, en rêve, il revoit l'hôtel Excelsior où habitait sa fiancée, qui, elle, n'apparaît jamais).

— « Le prétexte » (Nora ne s'entend pas bien avec ses collègues de bureau. Ce bureau se trouve près de l'hôtel Excelsior, devant lequel se tient généralement une bonne femme qui demande la charité. En rêve, elle se trouve dans l'Excelsior en flammes dont des mégères l'empêchent de s'échapper ; symbole de son bureau et de ses collègues).

— « Le fond du tableau ou le décor » (Dino en se promenant remarque la façade particulière de l'hôtel Excelsior. En rêve, il participe à une bagarre qui se passe devant l'Excelsior. L'hôtel n'est qu'une toile de fond sans importance.)

Ce classement est, nous l'avouons, assez arbitraire. En fait, dans les rêves, les choses sont beaucoup plus compliquées : essence, prétexte et décor se mêlent, s'entrelacent, se bousculent, se rejoignent en mille combinaisons qui se recomposeront encore de nombreuses fois en une infinité de scènes où tous les souvenirs, ceux d'avant la naissance, ceux de l'époque du berceau, ceux qui nous viennent après avoir traversé des millénaires, auront une place.

L'architecte des rêves, moi, je l'imagine un peu comme un de ces garçons très doués qui décident de faire un film de cinéma en n'ayant aucun moyen financier, qui font tout eux-mêmes en s'improvisant auteur, adaptateur, chorégraphe, maquilleur, metteur en scène, etc. Quant aux « accessoires », ils emploieront toujours les mêmes. Voici, par exemple, une armoire acquise il y a plusieurs années pour figurer dans un scénario se passant en 1900 ; il suffira de la gratter, de lui donner un coup de pinceau de couleur claire et elle trouvera sa place dans un décor contemporain. S'il s'agit d'un film policier, toujours la même armoire, noircie cette fois, sera installée dans la salle basse d'un vieux manoir, toute prête à accueillir un cadavre. Pour un film de science-fiction, l'armoire sera revêtue d'une couche d'aluminium qu'on fleurira d'interrupteurs, de cadrans, d'ampoules, etc.

On résoudra de la même façon le problème des acteurs. C'est-à-dire qu'à grand renfort de perruques, de costumes, de fards, « le jeune premier » se transformera en roi de Babylone, en Grand Inquisiteur, en esclave, en policier, en meurtrier, en peintre de génie...

Malheureusement, malgré tout son esprit inventif, ce cinéaste ne trompera personne, ni surtout pas les critiques professionnels et il aura en vain dépensé tout son argent en pots de peinture inutiles.

Remplaçons le cinéaste par notre ami l'architecte de la « Cité des Songes » et le critique du journal par le psychanalyste et nous serons obligés de constater que le monde des rêves est très semblable à celui de la réalité.

V

LES CISEAUX DE L'AUTOCENSURE

Vous ne savez peut-être pas que les firmes américaines de production cinématographiques appliquaient jusqu'à ces dernières années un système « d'autocensure volontaire » dans le but de ne mettre en circulation que des rouleaux de pellicule où rien ne pouvait choquer les bonnes mœurs, la morale, la pudeur, etc. Ces firmes avaient même écrit une sorte de convention dont nous croyons intéressant de reproduire ici quelques paragraphes.

Art. 1. — L'adultère et les relations sexuelles illicites, parfois indispensables pour le développement d'un sujet, ne doivent jamais être légitimés, ou présentés de manière à les faire apparaître comme normaux.

Art. 2. — Scènes d'amour et de passion : a) elles ne doivent jamais être présentées à moins qu'elles ne soient absolument indispensables. b) les baisers donnés et reçus, les lèvres ouvertes, les attitudes voluptueuses, les gestes indécents, sont interdits. c) en général, les scènes d'amour doivent être réglées de telle façon qu'elles ne puissent provoquer aucun réflexe sexuel.

Art. 3. — Séduction et enlèvement : a) on doit procéder par allusion et uniquement si cela s'avère indispensable. Ne rien montrer de manière formelle ; b) ils ne doivent jamais constituer le fond de l'histoire ; c) ils ne doivent jamais être présentés comme légitimes et justifiés.

Art. 5. — Les méthodes et les habitudes des prostituées... ne doivent jamais être montrées en détail. Les bordels ne doivent jamais être représentés d'une manière reconnaissable.

Art. 6. — Les perversions sexuelles, et tout ce qui s'y rapporte, sont interdites (sic !).

Art. 7. — Les organes sexuels des enfants ne doivent jamais être photographiés. Cette interdiction ne s'applique pas à ceux des nouveau-nés (il existe une loi qui, pour des raisons d'hygiène, interdit l'entrée des studios de cinéma aux très jeunes enfants *).

L'autocensure de Hollywood a toujours fait l'objet de violentes critiques. On lui reproche de n'être qu'une manifestation d'hypocrisie, inspirée non par des convictions morales, mais par des considérations purement commerciales et d'être un filet aux mailles assez larges... Un critique scandinave a écrit à ce propos : « Il s'agit d'une production " intelligemment pornographique " qui sort des studios d'Hollywood soigneusement camouflée pour ne pas tomber sous les interdictions de la censure officielle. Les sujets obscènes y sont transformés et travestis si habilement qu'ils en deviennent encore plus dangereux. »

L'architecte de nos rêves se comporte un peu de la même façon que les producteurs hollywoodiens. Lui aussi a recours à l'autocensure pour contourner les lois. Les lois que les hommes se sont données à eux-mêmes.

« Tout le monde sait, note le psychologue Pierre Réal, que beaucoup de nos instincts sont vulgaires et primitifs. Pensez aux pulsions de haine, d'agressivité, à certaines tornades sexuelles, bestiales et violentes, aux désirs de vengeance ou de possession. Si un individu veut s'adapter à la vie sociale, il est obligé de juguler un certain nombre de cris qui s'élèvent dans son inconscient. La majeure partie de ses pulsions doit être immobilisée par des interdits. Le reste sera canalisé ou transformé pour être compatible avec la vie sociale. C'est l'éducation qui interdit, autorise, ou transforme les pulsions enfantines. Elle fait office de censure.

« Supposons que nous ayons un désir violent qui soit en contradiction avec la censure ; supposons que nous nous

---

* *Note de l'auteur.*

rendions compte que nous possédons un instinct parmi d'autres, inacceptable. Qu'arrivera-t-il ? Prenons le cas d'un homme d'une haute moralité qui, subitement, poussé par son instinct, éprouve un désir érotique insensé. Dès qu'il s'aperçoit de l'existence de ce sentiment auquel il ne veut pas céder, il le rejette au plus profond de lui-même. Il réprime une pulsion... il se censure lui-même...

Durant le sommeil la volonté est moins puissante et elle ne s'élève que faiblement pour lutter contre des désirs secrets, rejetés en état de veille. Pourtant, le cerveau n'est qu'en léthargie et il conserve de ce fait une certaine possibilité de refus. On voit alors des idées, des pensées, des envies emprunter des travestissements pour essayer de vivre impunément dans les rêves, tout en faisant éclater des conflits. Les plus graves sont du domaine sexuel. C'est alors que l'éducation dresse ses barrages moraux, religieux, conformistes.

Prenons un exemple. M. X., qui a disons un grand faible pour les maisons de prostitution, pourra rêver qu'au cours d'une réception il joue du piano à quatre mains avec une ravissante personne très admirée, aussi bien par les hommes que par les femmes. La musique symbolise l'amour, le public représente les prostituées et leurs clients, la réception, un lieu « hospitalier ».

L'élégance de l'ambiance où il se trouve exprime le désir qu'il a d'être entouré de luxe et de beauté lorsqu'il se livre à ses plaisirs préférés.

Ce rêve ne vous rappelle-t-il pas l'article 5 du code d'autocensure d'Hollywood ? (... les bordels ne doivent jamais être représentés d'une manière reconnaissable.)

Le rêve typique de beaucoup d'adolescents qui n'ont pas encore fait d'expérience sexuelle mais qui la désirent vivement se rapporte à l'article 8. Leurs rêves consistent généralement à se voir lancés à la recherche de quelque chose. Il peut s'agir d'un trésor, d'une personne chère, d'un animal ou d'un objet, mais l'interprétation de ce genre de rêves est toujours la même.

La sévérité avec laquelle la censure s'exerce dépend, naturellement, du milieu dans lequel vit le sujet, des lois qui le dominent, de son éducation, de ses principes. Un indigène des forêts d'Amazonie qui désire une femme rêvera tout simplement qu'il fait l'amour avec elle (à moins bien entendu que les mœurs de sa tribu ou que sa religion le lui interdisent). Le civilisé, au contraire, rêvera quelque chose qui symbolisera l'acte en question. Nous verrons plus loin qu'à propos de l'amour il y a quelque chose à ajouter au sujet de l'âge.

Pour le moment contentons-nous d'examiner deux rêves, très différents l'un de l'autre, proposés par le professeur Gagey. Le premier est intéressant si on le rapproche de ceux qui sont influencés par des souvenirs immémoriaux.

Un garçon de treize ans, sain, équilibré, plutôt précoce, habite près de la maison d'une fille de son âge. Il la connaît à peine, mais elle lui plaît beaucoup. Il n'y a jamais eu entre les enfants le moindre geste, la moindre parole qu'on puisse réprouver.

Une nuit, le garçon, qui commence à s'endormir, sent tout d'un coup un parfum de cheveux de femme. Il se retourne sur le côté et *voit* près de lui la petite fille. Il la prend dans ses bras, la caresse, l'embrasse, fait les gestes qui précèdent l'amour, puis s'unit à elle. Il n'avait pas la moindre idée de ce qui se passait dans la réalité et il ne comprit que plus tard ce qu'il avait fait en rêve.

La nature avait éveillé ses sens, et les avait guidés. Disons plutôt qu'elle les avait réveillés, en rendant conscient un souvenir qui dormait en lui et qui venait du fond des âges. Ce rêve prouvait aussi que ce garçon de treize ans ne considérait pas l'amour physique comme quelque chose d'indigne ou de honteux, qu'il en acceptait l'idée sans « complexes » et qu'il avait envie de le prouver à sa petite voisine de la façon la plus naturelle et la plus honnête du monde.

Voici le deuxième rêve. Il s'agit d'une jeune fille de seize ans, de très bonne famille bourgeoise, sérieuse, ne connaissant des gestes de l'amour que ce que lui en ont raconté ses compagnes de classe, parce que malheureusement elle a des parents exagérément scrupuleux.

Elle rêve qu'elle est dans une forêt, toute nue (mais cela ne l'étonne pas). Tout d'un coup apparaît un homme habillé, armé d'un énorme gourdin. Elle s'enfuit et l'homme la suit. Devant elle les arbres, les arbustes, les haies se referment. L'homme se rapproche et étend le bras pour la saisir. Elle se réveille en hurlant, couverte de sueur.

Le symbolisme est évident comme l'est le mécanisme de la censure. Dans son rêve la jeune fille est nue, l'homme habillé : elle ne voit rien de répréhensible à se montrer nue tandis que la nudité de l'homme lui fait peur, car elle est en relation avec le péché. C'est pourquoi l'homme du rêve est habillé. Il court pour l'attraper. Elle fuit, elle ne veut rien savoir de ce sexe différent du sien. Elle veut fuir, mais la végétation qui pousse l'en empêche : il faut voir là le symbole des instincts naturels qui veulent qu'elle ne se soustraie pas au destin auquel elle est destinée.

Mais pourquoi cette jeune fille a-t-elle rêvé précisément ces choses ? N'aurait-elle pas pu se voir ailleurs, agissant différemment ? Un autre rêve n'aurait-il pas pu avoir la même signification ? Non, car voici ce qui a provoqué celui que nous venons de raconter. Un certain jour d'été, notre jeune fille se fait expliquer par une amie l'anatomie masculine. En quittant sa compagne elle voit un homme qui se cache derrière un des arbres d'une grande avenue pour la regarder et elle en a très peur. Dans son rêve le bois dont elle ne peut sortir est tout simplement né des arbres de l'avenue et le gourdin, du souvenir d'un bâton que son petit frère avait abandonné dans un coin de la cuisine.

C'est, du reste, ce bâton qui a été le prétexte du rêve, mais aussi son essence (symbole du membre viril), une essence reflétée aussi, mais sous d'autres aspects, par l'après-midi ; et par le décor, sortis de souvenirs provenant de diverses époques, pour composer la scène que nous avons décrite.

En fait ici la censure n'a pas été méchante. Elle peut être plus sévère. Alors le dormeur se mettra à recourir à des expédients plus étrangers au fur et à mesure que ses désirs se feront plus forts et plus scabreux. C'est-à-dire, comme le dit Freud, « lorsqu'il s'agira de pensées indécentes du point de vue éthique, esthétique et social auxquelles on n'ose s'arrêter, sinon avec horreur. Ces désirs censurés qui prennent dans le sommeil un visage complètement déformé sont une manifestation d'égoïsme sans limite et sans scrupule. Il n'existe pas de rêve dans lequel le Moi de celui qui rêve n'ait la part principale, bien que ce Moi sache fort bien se dissimuler dans le contenu du rêve lui-même ; il se libère de tout obstacle moral, cède à toutes les exigences de l'instinct sexuel, à celles que l'éducation a depuis longtemps condamnées et à celles qui sont en opposition avec toutes les règles morales. La recherche du plaisir, la *libido*, choisit ses sujets, sans rencontrer de résistance, et choisit aussi de préférence parmi ceux qui sont défendus. Elle choisit non seulement la femme mariée avec un autre, mais aussi les objets auxquels d'un accord unanime l'humanité a conféré un caractère sacré.

« Mais il ne faut pas mettre sur le même plan *libido* et rêve, car, lui, il remplit une fonction qui non seulement ne nuit à personne mais qui est à notre avis parfaitement utile. Les manifestations de désirs exaspérés durant le sommeil révèlent une pudeur protégée par une censure impitoyable. »

Une censure à laquelle on peut échapper de toutes sortes de façons, comme nous l'avons vu et le verrons encore.

Charlie Chan et l'aiguille de la grand-mère.

Cette histoire s'est passée à Mestre, près de Venise, il y a quelques années.

M. Francesco, soixante et onze ans et encore vert, marche dans la rue lorsqu'il s'entend interpeller par un inconnu à l'air distingué qui lui demande, avec un accent étranger, s'il pourrait lui indiquer la demeure du docteur Rossi. M. Francesco ne connaît pas le docteur Rossi. Un passant, qui a entendu par hasard la question, ne le connaît pas non plus. Après s'être présenté comme un ingénieur de passage dans la ville, ce passant dit qu'on pourrait sans doute avoir l'adresse du docteur Rossi en allant consulter l'annuaire du téléphone au bureau de poste tout proche et il propose aimablement d'aller lui-même chercher ce renseignement si ces messieurs veulent bien l'attendre quelques minutes.

M. Francesco remercie, accepte et, tandis qu'ils font les cent pas dans la rue, l'étranger lui raconte qu'il arrive de Hollande où il est né, mais que son père, grand industriel, était d'origine italienne. Malheureusement la fortune de ce père a débuté par ce qu'il faut bien appeler une action malhonnête, en somme par un vol. Eh oui, durant la guerre ce père était assistant du docteur Rossi et il avait profité de sa situation pour dérober douze mille dollars restés dans la poche d'un soldat américain qui venait de mourir sous ses yeux. C'est grâce à cet argent qu'il avait pu aller s'installer aux Pays-Bas et devenir un des profiteurs du boom économique hollandais. Se voyant malade et proche de la mort, il avait été saisi de remords et pour apaiser sa conscience il avait raconté son passé à son fils en lui ordonnant d'aller à Mestre, de retrouver le docteur Rossi et de lui remettre l'équivalent de la somme dérobée pour la distribuer aux œuvres charitables de la ville.

L'ingénieur de passage à Mestre sort à ce moment de la poste en rapportant une triste nouvelle : le docteur Rossi est décédé. Comment alors obéir aux dernières volontés du riche industriel défunt ? Le monsieur à l'accent étranger réfléchit quelques minutes et en arrive à la conclusion qu'il repartirait le cœur en paix en Hollande si quelqu'un voulait bien se charger de distribuer aux pauvres les douze mille dollars de son père. Est-ce que, par hasard, les deux aimables messieurs qui sont là ne pourraient pas lui rendre ce service ?

En deux mots on met l'ingénieur de passage au courant et c'est avec enthousiasme qu'il unit ses exhortations à celles du monsieur à l'accent étranger pour convaincre M. Francesco d'accepter de rendre ce service. M. Francesco se laisse faire et accepte. Alors le monsieur à l'accent étranger remercie et ajoute qu'il ne reste qu'une petite formalité à régler. Très simple du reste. Le futur dispensateur de dollars déposera entre les mains du monsieur à l'accent étranger une certaine somme pour garantir sa bonne foi. L'ingénieur de passage dans la ville dit que c'est tout naturel et M. Francesco demande si ses économies (un million 500 000 lires) seraient une somme suffisante. Oui, oui, bien sûr. M. Francesco se dit tout heureux d'avoir l'honneur de participer à cet acte généreux et demande à ses nouveaux amis de le laisser aller chercher chez lui la somme en question. Il grimpe dans un autobus s'assied et, fatigué par tant d'émotions, il s'endort.

Quelques minutes après le voici qui se réveille brusquement. Il jette un regard à travers la vitre, se lève en toute hâte et descend au premier arrêt, suivi du regard ironique du receveur qui pense, sans doute, qu'il vaut mieux ne pas s'endormir durant de courts trajets car on risque de manquer sa station. M. Francesco n'a rien manqué du tout. Il est même encore très loin de chez lui. En revanche, ici, il est à deux pas du commissariat de police.

Le commissaire écoute le récit de M. Francesco mais soupire en se demandant comment il peut encore exister des naïfs de cette sorte. « Vous n'avez jamais entendu parler du vol à l'américaine, monsieur ? » M. Francesco n'en a jamais entendu parler. C'était pourtant exactement ce que venaient d'organiser en son honneur le monsieur à l'air distingué et à l'accent étranger, et l'ingénieur de passage dans la ville. Alors qui avait donc tiré la sonnette d'alarme puisqu'il était monté dans l'autobus bien décidé à confier sans aucune hésitation ses économies à ces individus qu'il croyait si honnêtes ? Un rêve, tout simplement.

Un rêve ? Oui. En s'endormant M. Francesco avait vu en songe quelque chose qui lui avait ordonné de se méfier des gens qu'il venait de rencontrer et de courir en parler à la police. Il n'avait entendu aucune voix, il n'y avait eu aucune apparition. Si cela s'était produit qui aurait-il vu ? Lui-même.

Comme la plupart des « rêves prémonitoires », celui-ci s'explique très bien sans aller chercher midi à quatorze heures, les saints du Paradis ou les parents défunts qui ne s'occupent jamais de ce genre d'affaires.

M. Francesco avait certainement lu ou entendu parler

autrefois d'un vol à l'américaine. Il avait oublié ce fait divers quelconque et il était trop naïf, trop convaincu de l'honnêteté de son prochain, pour penser que quelqu'un pourrait avoir un jour l'intention de le voler d'une façon ou d'une autre. De temps en temps une voix lui disait : « Tu es trop confiant... tout le monde n'est pas comme toi... une fois ou l'autre, on te jouera un mauvais tour... » Mais lui, il répondait à cette voix : « Mais voyons, quelle idée est-ce là ? Comment oses-tu penser tant de mal de tes amis ? Tes soupçons sont indignes ! »

Alors arriva la rencontre avec les deux compères, le voyage en autobus, le bref petit sommeil où son Moi conscient s'était endormi tandis que son inconscient se réveillait (cela se passe ainsi : lorsque l'un dort, l'autre se réveille, exactement comme le faisaient la Lune et le Soleil dans les légendes anciennes) pour donner naissance à des réflexions inquiètes : « Mais voyons ces deux types... Sapristi, est-ce qu'ils ne me rappellent pas... ? »

Les archives de la mémoire ouvrent parfois les portes de leurs placards. Vite, vite M. Francesco s'y plonge. « Oui... c'était en 1924... Une escroquerie énorme... la même approche... la même histoire d'argent à distribuer aux pauvres... le même complice se trouvant là, par hasard. » Alors l'inconscient décide d'avertir le Moi, de le mettre en garde, de l'empêcher d'aller chercher son million et demi pour le donner à ces salopards. Mais comment faire ? Le Moi va peut-être se réveiller et l'autre (l'inconscient) redeviendra muet.

Mais la sonnette d'alarme fonctionne bien. Quelque chose apparaît à M. Francesco et il comprend. Un symbole qui ressemble probablement un peu au fameux « Dites-le avec des fleurs. » Vous savez bien la rose rouge qui signifie : « Je t'aime passionnément » ; ou l'œillet jaune qui dit : « Tu es très beau, mais attention, n'oublie pas que je suis jalouse. »

Nous ne savons pas ce que M. Francesco vit en rêve mais son aventure nous rappelle celle qui arriva à Werner Oland, le célèbre acteur de cinéma qui créa le personnage de Charlie Chan, détective chinois.

Oland étant, à l'époque, en vacances dans une petite ville

3

de Californie s'étonnait de rencontrer presque à chaque coin de rue un client de l'hôtel où lui-même était descendu. Cet homme avait on ne savait trop quoi de bizarre. Oland n'arrivant pas à dire ce que c'était décida de ne plus y penser. Pour ne pas avoir l'air de le soupçonner il en arrivait à exagérer sa sympathie pour lui. Et voilà qu'une nuit il voit en rêve sa grand-mère qui le menace, à la fois grave et souriante, avec une aiguille à tricoter. Curieux rêve se dit-il le matin en descendant l'escalier de l'hôtel. Au même moment il aperçoit dans le hall l'individu qu'il avait remarqué dès son arrivée en Californie et son cœur s'arrête de battre. Il sait maintenant, il est certain, que l'homme qui est là est un gangster recherché par la police depuis des années.

On arrête l'homme et la police félicite Oland qui vient d'égaler dans la réalité le grand détective chinois. Oland explique alors qu'il n'a jamais eu les moindres dispositions indispensables pour découvrir les malfaiteurs mais qu'il a identifié ce criminel grâce à un rêve qu'il venait de faire.

Il raconta qu'étant (il y avait plusieurs années) chez ses grands-parents en Suède, il avait vu par hasard un journal qui donnait la photographie d'un type qui venait d'être grièvement blessé par sa maîtresse et que l'arme dont elle s'était servie était une grosse aiguille.

En descendant de sa chambre, il avait reconnu dans l'homme qui l'inquiétait depuis plusieurs jours et qui portait une grosse perruque dissimulant son front, le gars de mauvaise réputation dont les journaux avaient reproduit la photographie.

La présence de la grand-mère de Oland dans son rêve ne s'expliquait pas par des souvenirs de menaces ou de gronderies, mais simplement parce qu'il habitait chez elle au moment où on avait parlé de l'individu peu recommandable. Une synthèse, réunissant diverses circonstances, s'était faite tout naturellement dans son subconscient.

Profonds comme la mer, froids comme la glace.

Freud dit, et nous sommes d'accord avec lui, que c'est la censure inconsciente qui nous empêche le plus souvent de comprendre le sens des rêves parce qu'elle s'exerce contre tout ce qu'on appelle scabreux, mais on ne peut pas affirmer qu'elle soit l'unique facteur déterminant de l'incompréhension car, si elle n'existait pas, le problème resterait à peu près le même.

Pourquoi ? La réponse est donnée par Havelock Ellis : « Normalement, dans les rêves, l'émotivité s'amplifie. Les impressions rejoignent la conscience du dormeur à travers une atmosphère émotionnelle qui les rend peut-être moins précises, mais sûrement plus fortes. Durant le sommeil le cerveau n'enregistre pas les sensations telles qu'elles seraient en état de veille. Elles subissent une déformation. Il n'existe plus de liaison directe entre la mémoire du dormeur et ses sentiments. Ce qu'il ressent en dormant semble se séparer de ses souvenirs. Il n'est pas tout à fait exact de dire que la liaison n'existe plus. En réalité, elle subsiste, mais les rêves ne suivent plus les chemins tracés par l'éducation. Ils suivent des voies plus primitives mais plus authentiques qu'on a abandonnées par force ou dont on a toujours ignoré l'existence. »

Ce processus est-il naturel, c'est-à-dire non provoqué par la censure ? Le problème a été posé par les psychanalystes et il ne se réduit en somme qu'à une question de définition de mots (*naturel* et *censure*) qui revient à se demander jusqu'où on peut aller dans la folie sans être jugé passible d'un séjour dans un hôpital psychiatrique. Laissons les théoriciens se disputer pour savoir quelle est la bonne réponse. Ils auront ainsi l'occasion de se charger à leur tour de... « complexes ».

En résumé, nous dirons que les déformations de la réalité qui apparaissent dans les rêves sont dues à la nécessité que ressent le subconscient d'échapper à la censure, au sens le plus large du mot, c'est-à-dire non seulement à une censure gardienne des principes éthiques, sociaux et religieux, mais aussi à une entité de notre personnalité telle que nous la connaissons, la désirons ou l'imaginons.

Nous avons déjà dit, n'est-ce pas, que les angoisses et les peurs ne sont, au fond, que les contraires des désirs. Si nous admettons cette assertion, il nous sera facile d'arriver à constater logiquement que la censure peut s'attaquer aux unes comme aux autres ; le subconscient faisant à sa guise flotter les unes et s'enfoncer les autres. Angoisse et désir ressemblent aux côtés pile et face d'une monnaie.

Reprenons l'histoire de Werner Oland. Et rappelons-nous qu'il disait qu'il avait « senti » quelque chose de louche dans l'inconnu de l'hôtel mais que pour ne pas avoir l'air de le soupçonner de quoi que ce soit il n'en avait rien laissé voir. Nous aussi nous sommes souvent très différents de ce que nous voudrions être. « Une partie de nous ne sait pas ce que l'autre sent, pense et fait » (Kemper). Cette *ignorance* est la maladie qui mine, affaiblit et même annihile parfois une personnalité.

Pour la soigner il faut en quelque sorte organiser une confrontation entre le conscient et l'inconscient, entre le Moi que nous affichons et le Moi que nous cachons. Il est indispensable de très bien connaître ce dernier, d'avoir une idée très nette des trucs dont il se sert pour échapper à toute identification et de comprendre son langage. Bizarre langage chiffré, plein de symboles, qui de prime abord paraît aussi difficile à lire que du chinois.

Le moyen d'expression du dieu Morphée n'est pas un langage parlé, mais visuel. On pourrait le comparer aux écritures hiéroglyphiques qui dessinent, par exemple, un oiseau pour signifier le mot « intelligence ». Vous trouvez la chose étonnante ? Pourtant ne dites-vous pas quelquefois : « C'est un aigle en fait d'intelligence... c'est un esprit capable de s'envoler à des hauteurs prodigieuses » ?

Havelock Ellis a écrit : « Des termes employés pour désigner des choses concrètes peuvent se transformer en mots prenant un sens symbolique. Nos conversations en sont pleines. On dit que « des pensées sont profondes comme la mer », que « des cœurs sont froids comme de la glace », « qu'une femme aimée est douce comme le miel » que « les remords sont amers comme le fiel ». Nos adjectifs, nos substantifs, nos verbes sont symboliques. Nos phrases sont pleines de métaphores, d'images qui ont une signification propre que l'usage courant est arrivé à déformer complètement. Le langage est l'utilisation des symboles. »

Les symboles, c'est vrai, font partie de notre vie et à tous les âges. Regardez les enfants qui transforment un bout de bois en épée, qui, d'une vieille chaise font un fougueux destrier de cow-boy, qui baptisent des cailloux pour les faire évoluer comme des êtres vivants dans des décors dessinés dans la poussière. On sait que l'imagination des petits n'a pas de bornes et on pourrait en donner des exemples sans fin. Que dire de celle des poètes, des peintres, des artistes en général. Les simples mortels n'en sont sans doute pas dépourvus non plus.

« Le symbolisme, ajoute Ellis, est présent partout en assumant les formes les plus diverses. Il nous a été donné en héritage, en même temps que les traditions civiques, par des ancêtres si lointains qu'on ne peut fixer leur âge...

« Et lorsque l'esprit se laisse entraîner par la folie ou les hallucinations, par l'enfance, par l'état sauvage, par le folklore, par la légende, par la poésie, par la religion, il s'enfonce brusquement dans un océan infini où le symbolisme règne en maître : le monde des songes. »

VI

LES SYMBOLES DE NOS DESIRS SECRETS

La forêt était pleine de murmures, de soupirs, de rires légers. John Brown s'arrêta pour écouter, fasciné et inquiet. Il ne se souvenait pas avoir jamais entendu chose pareille et pourtant il acceptait tout très naturellement et avec grand plaisir. Comment était-il arrivé dans cet endroit singulier ?

La seule chose qui lui paraissait sûre était d'avoir entendu un long sifflement suivi d'une sensation de repos total. Il devait s'être trouvé à bord d'un avion, d'un réacteur, bien qu'en se réveillant dans le désert il n'ait vu aucune trace de roues sur le sable. Avait-il été anesthésié et transporté dans cette région désolée ? Mais pourquoi ? Qu'avait-il fait pour mériter ce traitement. Ah, mais oui, il a commis... mais quoi ? Quelque chose de grave, c'est certain. Ce qu'il sait parfaitement c'est qu'il a marché longtemps, qu'il était mort de fatigue et de peur et que des monstres se profilaient dans le lointain. Combien de temps a-t-il erré ainsi avant d'apercevoir une forêt à l'horizon ? Un jour peut-être ? Certainement plusieurs heures.

A présent tout cela n'a plus aucune importance. Il se dit même que cela valait la peine de payer cher le bonheur de se trouver dans ce lieu merveilleux. Une sorte de jardin tropical où rien ne le menace ni ne l'inquiète. Tout est harmonieux, l'herbe est douce, les taillis s'ouvrent sur son passage, les corolles des fleurs sont immenses et leurs couleurs fantastiques.

Il s'arrête pour en observer une de plus près. Elle a l'air

fragile et pourtant immortelle. Il va la cueillir mais il préfère ne pas le faire : il y en a tant et elles semblent être là pour lui.

Le chemin qu'il a pris monte. La végétation se raréfie et, brusquement, il se retrouve dans un désert... Il se retourne et à deux mètres derrière lui il y a toujours la merveilleuse forêt. Quelle joie ! Il va pouvoir tout de suite retrouver les arbres, la prairie, les fleurs. Il s'avance mais un obstacle se dresse entre lui et le paradis. Il ne l'avait pas vu. On dirait un mur de cristal. Il crie, il pleure, il supplie, il hurle. Il ne peut pas faire un pas de plus. Alors il s'assied par terre, désespéré, immobile.

Puis, résigné, il se lève et décide de reprendre sa marche dans le désert. Il marche, il marche. Voilà que subitement il aperçoit un avion posé sur le sable. Il se précipite, fou de joie. Il n'y a personne dans la cabine ni aux alentours. Tant pis. C'est mieux ainsi. Il n'a jamais piloté mais il sait que ce n'est pas difficile. Il monte, s'installe et remarque que les leviers de commandes sont extrêmement simples. Ravi, il les manœuvre. L'appareil roule aussi facilement que sur la piste d'un aérodrome. Le voilà qui décolle. Il faut braquer la direction sur la forêt. Le mur de cristal ne doit pas monter jusqu'au ciel et on redescendra sur le jardin paradisiaque.

Voici l'océan de verdure, les premières frondaisons. L'atterrissage est un problème, mais qu'importe. On va le réussir d'une manière ou d'une autre.

L'explosion est terrible. L'appareil éclate en mille morceaux. Le mur ! C'est ce maudit mur !

Et John Brown se réveille en criant. Les quatre garçons qui étaient réunis dans la petite pièce se retournent, ahuris :

« Qu'est-ce que tu as ?

— L'explosion !

— L'explosion ? Ah oui. Mais ce n'est rien, c'est le couvercle de la cafetière qui vient de sauter. Tu rêvais ou quoi ? »

John se redresse et s'assied sur le divan où il s'était étendu.

« Oui, je rêvais. Combien de temps ai-je dormi ?

— Je ne sais pas. On ne s'était même pas aperçu que tu dormais. »

Un autre garçon, étudiant en psychologie, affirme :

« A peine quelques secondes. Un instant avant que le couvercle ne saute, tu as répondu à Sam qui te demandait combien coûtait l'abonnement à ta revue d'aéronautique.

— C'est impossible. Je jurerais avoir dormi des heures.

— Tu as rêvé, n'est-ce pas ?

— Oui, et il me semble que mon rêve a duré très longtemps.

— Ce n'est pas étonnant. Raconte-moi ce que tu as rêvé. »

Et John Brown, encore tout ému, se mit à raconter ce qui venait de lui arriver.

Examinons ensemble, et aussi attentivement que possible, le rêve de John. D'après ce que nous savons, il est facile d'expliquer la part prise par le sifflement de la cafetière, le bruit du couvercle qui « saute », la revue d'aéronautique et le vague murmure des conversations des jeunes gens. Les images de la jungle, des fleurs gigantesques, du désert, sont sorties des tiroirs renfermant des souvenirs, des photographies, des dessins, des films : un aveugle de naissance n'aurait jamais pu faire ce genre de rêve.

C'est le subconscient de John qui, pour des motifs très précis, a ouvert ces tiroirs et a rassemblé ce qu'ils contenaient pour en faire un rêve où la sexualité tient la place la plus importante. Pourquoi cette affirmation alors que dans le récit rien ne faisait penser à des gestes ou à des pensées érotiques ?

Vous avez raison de poser la question mais nous restons, nous-mêmes, sur nos positions.

C'est le rêve érotique type dont le premier psychanalyste venu pourrait se servir pour faire le portrait de John, même sans l'avoir jamais vu. Le médecin le décrirait comme un timide, un onaniste, qui n'a jamais eu de rapports physiques avec une femme, et un angoissé. Le désert exprime son isolement et ses angoisses ; la forêt (qui s'élève à l'horizon) son désir de connaître l'amour. L'herbe, les arbustes, les fleurs sont des symboles du sexe féminin. La vague sensation d'avoir commis une faute grave qui mérite une sévère punition s'explique par ses habitudes de plaisir solitaire et le mur de cristal représente l'obstacle invisible, mais insurmontable, de la timidité. Il espère pouvoir le franchir et devenir un homme (la virilité est représentée par l'avion), mais il a encore peur de ne pas réussir et il va s'écraser contre l'infranchissable mur transparent.

Pour interpréter un rêve de ce genre il faut évidemment avoir quelques notions de symbolique et connaître les principaux mécanismes qui régissent les différentes visions oniriques. Nous tentons de vous y aider en écrivant cet ouvrage, mais disons tout de suite que les songes ne trouvent pas toujours des explications simples.

Nous n'avons pas la prétention de présenter ici un traité de psychanalyse, mais nous avons l'ambition d'aller aussi loin que possible pour aider le lecteur à conserver sa sérénité, même après ce qu'on appelle *un mauvais rêve,* puisqu'il saura que les actes qu'il accomplit dans son sommeil, les gens ou les objets qui y apparaissent, dévoilent toujours un côté de sa personnalité, un défaut, un point faible auquel personne ne l'empêchera de remédier.

L'anatomie revue et corrigée.

Déjà au IIe siècle après J.-C., l'écrivain grec Artémidore de Daldi s'était intéressé avec une étonnante lucidité au *symbolisme onirique,* mais il fallut attendre jusqu'en 1861 pour que le philosophe K. A Scherner y revînt. Quelque temps après, Sigmund Freud prit la suite mais en allant beaucoup plus loin et en soutenant que ce symbolisme reflète un désir de caractère sexuel plus ou moins marqué.

Cèdons la parole à celui qu'on a appelé le père de la psychanalyse, et écoutons Freud s'adresser à ses étudiants, durant un de ces fameux cours à l'Université de Vienne.

« La plupart des symboles qu'on trouve dans les rêves se rapportent à la sexualité. Cependant on trouve à ce sujet des disproportions notables : d'une part les objets désignés sont peu nombreux tandis que leurs symboles existent en grande quantité ; c'est-à-dire que chaque objet peut être représenté par plusieurs symboles qui ont tous, à peu près, la même valeur...

« L'appareil génital masculin et sa partie la plus visible (pour les deux sexes la plus importante) trouve sa représentation symbolique dans les objets dont la forme lui ressemble : bâton, cannes, hampes, lances, arbres, etc., comme dans ceux dont la fonction est de pénétrer à l'intérieur d'un corps en le blessant : toutes les armes blanches (couteaux, poignards, épées, sabres), les armes à feu. (Fusils, pistolets mais surtout celle qui par sa forme se prête le mieux à la comparaison, le revolver.)

« Dans les cauchemars des petites et des jeunes filles ce sont les scènes de poursuite par un homme armé d'un couteau ou d'une arme à feu qui prédominent. L'interprétation de ce genre de rêves ne présente aucune difficulté...

« Tout aussi compréhensible est la représentation du membre viril par des objets dont coule un liquide : sources, robinets, brocs, ainsi que par ceux qui s'allongent mécaniquement : lampes électriques de bureau, stylos automatiques, etc. Le fait que les crayons, les porte-plume, les limes à ongle, les marteaux et autres outils sont incontestablement des représentations de l'organe sexuel masculin dérive d'un concept facile à comprendre...

« La faculté que cet organe a de changer de forme trouve sa représentation symbolique dans les ballons, les avions, les dirigeables. Mais le rêve possède des moyens encore plus expressifs pour symboliser l'érection... Vous serez peut-être étonnés si je vous dis que les rêves merveilleux que nous connaissons tous, où le fait de s'envoler tient la place la plus importante, doivent être interprétés en pensant qu'ils sont basés sur l'excitation sexuelle... Un psychanalyste, Federn, a pu établir l'exactitude de ce que je vous dis grâce à des preuves irréfutables et un homme comme Mourly-

Vold, esprit impartial et très loin de mes recherches personnelles, est arrivé aux mêmes conclusions en plaçant les jambes et les bras des dormeurs dans des positions fort peu naturelles.

« Ne me dites pas que les femmes rêvent aussi qu'elles s'envolent. Ce ne serait pas une objection valable. Rappelez-vous que nos songes sont faits pour réaliser nos désirs profonds et que l'envie consciente ou inconsciente d'être un mâle se rencontre fréquemment chez les femmes. J'ajoute que ceux qui, parmi vous, ont fait des études d'anatomie ne seront pas surpris d'apprendre que la femme peut atteindre la jouissance à l'aide des mêmes sensations éprouvées par l'homme...

« Parmi les symboles de la sexualité moins faciles à comprendre, nous citerons les reptiles, les poissons, le fameux serpent, les chapeaux et les manteaux. Pourquoi ces deux derniers ? Il n'est pas aisé de répondre...

« Le sexe féminin est représenté par tous les objets de formes concaves pouvant contenir un autre objet : trous, cavernes, vases, bouteilles, boîtes, écrins, caisses, poches, etc. Les bateaux aussi. Certaines choses comme les armoires, les fours et surtout les chambres symbolisent l'utérus...., les chambres ont à peu près la même signification que les maisons, les portes d'entrée des maisons, tout ce qui donne accès à quelque chose.... Comme symbole de l'utérus, on peut aussi citer le bois et le papier ainsi que tous les objets fabriqués avec ces matériaux, comme les tables, les livres. Parmi les animaux, les escargots et les coquillages sont incontestablement des symboles du sexe de la femme..., les pommes, les pêches et, en général, tous les fruits sont les symboles des seins tandis que les forêts et les bosquets sont ceux du système pileux. L'ensemble compliqué formant l'appareil sexuel féminin est toujours figuré par un paysage avec des rochers, des arbres, de l'eau, tandis que celui de l'homme l'est souvent par une automobile.

« Un autre symbole de la féminité apparaît dans les rêves sous la forme d'un coffret à bijoux. On s'adresse, du reste, souvent à la femme aimée en l'appelant " mon trésor " ou

" mon bijou ". Les bonbons symbolisent le plaisir, les jeux de toutes sortes (jouer du piano aussi), l'auto-érotisme. On interprète aussi dans le même sens les glissades, les descentes rapides et une certaine manière d'arracher une branche d'arbre. Perdre une dent ou se la faire arracher symbolise l'onanisme en même temps que le sentiment de remords qu'éprouve la personne qui le pratique...

« Les symboles qui représentent les rapports sexuels sont moins nombreux qu'on ne pourrait le croire. On peut citer comme appartenant à cette catégorie les activités rythmiques comme la danse, l'équitation, l'alpinisme, mais aussi les accidents (ceux de voiture, en particulier), naturellement, certaines activités manuelles comme le maniement des armes. L'interprétation de ces symboles n'est pas toujours très simple. Les escaliers, les rampes, les échelles qu'on gravit sont aussi des symboles indiquant les rapports sexuels. En examinant ces représentations de plus près, on peut dire qu'elles ont en commun le rythme de la montée, le crescendo de l'excitation en même temps que l'oppression que ressent celui qui monte.

« Nous avons déjà mentionné le paysage comme symbole de la féminité bien que souvent les montagnes et les rochers soient plutôt des symboles masculins. Le jardin concerne plus particulièrement la femme. Un fruit ne désigne pas un enfant, mais la semence. Les animaux sauvages (ou féroces) symbolisent les hommes passionnés ou les mauvais instincts. Les fleurs et leurs boutons symbolisent les organes sexuels féminins, spécialement ceux des vierges...

« Je viens de citer seulement quelques éléments qui composent la symbolique des songes et mon exposition est loin d'être complète. Elle devrait être beaucoup plus vaste et beaucoup plus profonde. Je pense pourtant qu'elle est suffisante pour illustrer aujourd'hui mon propos. »

Sommes-nous tous esclaves du sexe ?

A la fin du cours demeuré historique dont nous venons de donner des extraits, Freud ajouta : « Il se peut que vous soyez très irrités par mon exposé et que vous vous disiez : d'après ce que ce professeur nous dit nous vivrions dans un monde de symboles sexuels. Tous les objets qui nous entourent, tous les vêtements que nous portons, toutes les choses que nous prenons en main ne seraient donc que des symboles du sexe ? »

On peut vraiment se poser la question et lui trouver sa justification en sachant que pour « le Père de la psychanalyse » la symbolique onirique en dehors de ce qui se rapporte au sexe, se résume à quelques types ; la maison constitue pour lui le seul symbole de la personne humaine. Les maisons aux murs lisses sont des hommes, celles qui ont des balcons ou des ornements sont des femmes. Les empereurs, impératrice, rois, reines, les personnages éminents symbolisent les parents. Les petits animaux, les insectes, les parasites, symbolisent les enfants. La naissance est presque toujours représentée par l'eau (on se jette à l'eau, ou on en sort ; on retire quelqu'un de l'eau ou on est retiré de l'eau par quelqu'un). La peur de mourir est révélée par un rêve de départ, de voyage, et la mort de quelqu'un par la rencontre de personnages sinistres ou par la vue d'un pont (très souvent rompu).

Havelock Ellis, tout en reconnaissant la très grande valeur des travaux du savant autrichien, pense que celui-ci est allé trop loin dans l'interprétation des rêves en les « sexualisant » exagérément. Beaucoup de médecins sont de l'avis de Ellis. C'est une critique que nous ferons volontiers nôtre en y ajoutant un grain de sel, c'est-à-dire en cherchant à rectifier les positions sans pour autant vouloir les renverser comme l'ont fait certains réformateurs pleins d'imagination que nous verrions plutôt comme rédacteurs « d'une nouvelle clef des songes » que comme des chercheurs à la découverte des mystères de la psyché.

Nous avons sous les yeux « un chef-d'œuvre » produit par un de ces écrivains qui se croient du génie et nous y lisons, par exemple, que « si l'on voit en rêve un jardin cela signifie pureté d'âme, poésie, nobles intentions, tandis qu'un marécage signifie qu'on a un esprit faible se laissant facilement entraîner vers des passions indignes ». Si nous voulions le croire nous arriverions à penser qu'on lit dans un rêve comme dans un livre ouvert, qu'il faut repousser en bloc la psychanalyse, nier ses vastes conquêtes, jeter l'évidence aux ordures.

On doit arriver à donner une juste dimension aux théories de Freud en s'appuyant sur deux considérations qui ont fait leurs preuves.

La première est celle qui reconnaît aux symboles une signification non pas absolue mais dépendant de certaines conditions. Pour mieux nous faire comprendre, nous allons emprunter un dossier à un psychanalyste allemand.

Il s'agit d'un même rêve, mais de trois dormeurs différents.

L'histoire est très simple : le dormeur se trouve à bord d'un avion de tourisme. Il est assis à côté d'une jolie femme mais il n'ose pas lui adresser la parole. Lorsqu'il va arriver enfin à surmonter sa timidité un accident technique survient et l'appareil va s'écraser sur le sol.

L'interprétation de ce rêve sera différente selon la personnalité du dormeur.

Le sujet numéro 1 est un jeune homme de dix-huit ans, amoureux d'une de ses camarades de lycée (la jolie femme). Il désirerait l'épouser (l'envie de parler), mais il ne se déclare pas à cause de son jeune âge et en redoutant de grandes complications (l'accident).

Le sujet numéro 2 est un commerçant qui vend des appareils électro-ménagers (l'avion est le symbole de ces objets). Son métier ne lui plaît pas (voyage = désir d'évasion). Il est en effet en rapport avec un marchand de « prêt à porter » et désire prendre sa succession (la jolie femme symbolise aussi bien le commerce que ses caractéristiques : élégance, mode, raffinement, etc.). Mais il n'est pas encore décidé (peur = accident technique).

Le sujet numéro 3 est un homme de vingt-huit ans qui n'a pas encore eu d'expériences sexuelles.

C'est seulement dans ce troisième cas qu'on peut interpréter le rêve en suivant Freud à la lettre. Notons que le premier rêve pourrait bien avoir quelque chose à faire avec la sexualité. Quand au deuxième, l'amour et ses complications en sont tout à fait exclus.

Le psychanalyste qui nous a autorisés à lui emprunter les exemples ci-dessus précise que sur cent rêves de voyages aériens soixante-dix sont déclenchés par des désirs sexuels ou ont des rapports avec l'érotisme.

L'érotisme est un sujet important. Il touche à toutes sortes de problèmes vitaux et il est normal que sa place soit capitale dans le monde des songes.

Nous avions deux remarques à faire, voici la deuxième : tout ce qui intéresse la sexualité compte de manière essentielle mais un individu normal n'en est pas forcément obsédé. Freud, malgré son génie, est peut-être allé un peu trop loin en donnant à la légère des interprétations trop axées sur l'érotisme. Il a, sans aucun doute, accompli un travail extraordinaire mais aujourd'hui, en dépouillant son héritage, on est obligé d'avouer que le monde de l'inconscient est beaucoup moins simple que celui qu'il a dessiné.

Revenons au rêve du voyage en avion et voyons ce que notre petit dictionnaire onirique nous en dit, en tenant compte bien entendu de tous les détails circonstanciés : voir des appareils aériens dénote presque toujours un besoin d'évasion, des désirs souvent irréalisables, des ambitions absurdes. Si on se trouve à bord d'un avion et si on a peur, c'est signe d'indécision dans le caractère. Quelquefois s'y ajoute le désir de commettre l'adultère ou une tendance à l'infidélité, freinée par des considérations morales. Pour Freud, les avions, les dirigeables, les ballons symbolisent l'organe sexuel masculin.

L'homme qui rêve du voyage en avion est un indécis, et sa description est aussi parfaite que possible. Un indécis ne reste-t-il pas un indécis dans sa vie sexuelle ? Il est l'homme des ambitions paradoxales et stériles, des audaces qui se cachent derrière le bureau du comptable et le guichet du caissier de la banque, des besoins d'évasion qui s'évanouissent sous les hurlements du patron ou les reproches d'une épouse acariâtre.

Parfois un seul symbole, s'il se représente fréquemment et clairement, peut suffire à révéler le caractère, les tendances ou les faiblesses d'un individu, mais la prépondérance des symboles sexuels dénonce obligatoirement une situation anormale du côté des rapports amoureux. Ce genre d'interprétation facile comme celle-ci constitue une exception et non une règle.

Faire un diagnostic de valeur sur une personnalité demande de grands soins et de longues études où les symboles tiennent la première place. Il faut savoir qu'ils ne diront rien si on les étudie sans leur environnement habituel et comme s'ils ne pouvaient avoir qu'une unique signification. Comprendriez-vous ce que viendrait faire un acteur costumé en seigneur du Moyen Age qui se mettrait à chanter sur une scène nue où personne n'aurait planté de décor ?

C'est seulement en tenant compte de la multiple nature des symboles, de leur environnement et de leurs relations particulières avec le dormeur, qu'il est possible d'arriver à comprendre quelque chose à cette œuvre, à la fois dramatique et comique, que représente la personnalité d'un être humain.

VII

...ET SUR L'OREILLER,
UNE BAGUETTE MAGIQUE

Vous ouvrez votre journal, vous regardez les gros titres, vous lisez ce qu'on dit des événements importants, vous passez ensuite aux faits divers. Et voilà tout d'un coup, au bas d'une page, un petit article qui aurait tout aussi bien pu vous échapper.

BAGARRE DANS UN CAFE

Hier soir, quelques individus se sont attaqués dans une boîte de nuit au fameux homme-grenouille John W., cette espèce de géant qu'on suppose être le cerveau d'une bande de pilleurs de trésors sous-marins. La dispute a commencé sans doute à cause des compliments de mauvais goût que des don Juan de profession adressaient à une vedette de cinéma qui se trouvait dans la salle. Mais, plus vraisemblablement, la bagarre aurait éclaté parce que l'actrice porte le même nom qu'un bateau que John W. avait enlevé à la barbe d'une bande ennemie. Les clients du bar ont été très désagréablement surpris par ces coups échangés en leur présence.

L'incident concernant le bateau volé s'était passé il y avait trois ou quatre ans et presque tout le monde l'avait oublié. Cette bagarre dans ce bar n'a aucun intérêt. C'est ce qu'avait dû penser le rédacteur en chef du journal en répondant d'un air grognon au jeune reporter qui lui présentait plusieurs pages de notes prises à propos de cette rixe.

« Trois colonnes, dis-tu ? Mais non, ton histoire ne vaut même pas un titre sur deux colonnes. Et puis tu dois savoir qu'ici nous n'aimons pas dramatiser, et que surtout nous ne voulons jamais alarmer le public. Nous évitons toujours les détails trop crus. Raccourcir. Synthétiser. Une vingtaine de lignes suffiront. »

Alors le débutant a « synthétisé ». Et pourtant que de choses se cachaient derrière les quelques lignes qui racontaient ce drame aujourd'hui à peu près oublié : avidité, haines, désirs de vengeance, soupçons, peur, et qui sait quoi encore. Mais le jeune journaliste dut se soumettre et résumer comme son patron le lui demandait. Sans le savoir, il s'est comporté comme le fait le subconscient d'un homme endormi. Il s'est armé des mêmes « ciseaux » dont se sert l'invisible et tout-puissant rédacteur en chef d'une hypothétique *Gazette de Morphée,* préoccupé, comme il se doit, de jouer son rôle d'informateur, mais redoutant aussi de tomber sous le coup de la censure et de mettre en ébullition les passions de ses trop sensibles lecteurs.

Si nous osions employer un langage poétique et imagé, nous dirions que la vie de l'homme ressemble à un océan où voguent des barques lourdes de désirs non réalisés et d'angoisses inexprimées dont quelques-unes restent en surface tandis que d'autres flottent entre deux eaux, mais que les plus chargées, les plus pesantes, gisent au fond des abysses de *la Mer de la Psyché* et que leur contenu, qui n'accepte pas qu'on le mette au rebut, se réveille pour livrer de mystérieux combats. Ce sont de ces combats dont les rêves nous parlent, mais souvent de manière incomplète et déformée.

Pour en revenir à l'article paru en petits caractères au bas de la page du journal, on peut dire que nos rêves lui ressemblent (bien qu'ils soient généralement plus portés vers le fantastique) du point de vue technique. Nous y trouvons des mots qui rappellent les expédients dont nous nous servons pour composer nos aventures oniriques : c'est ce que nous appellerions des « associations simples » comme *pilleurs, vedette, bagarre,* ou un « condensé » comme *homme-gre-nouille,* ou une « partie d'un tout » comme *cerveau,* ou une « exagération » comme *géant.*

Nous vous demandons de ne pas négliger ce paragraphe et ces définitions si vous voulez que le monde des songes ne vous apparaisse pas comme un jeu incompréhensible de miroirs déformants.

« Association », mécanisme premier.

« L'association » est « le mécanisme premier » du rêve et les symboles sont les courroies de transmission qu'il fabrique et met en mouvement. Mais si quelques-uns de ces symboles sont pareils, ou presque pareils, pour tous, il en existe d'autres qui sont strictement liés aux circonstances particulières dans lesquelles quelqu'un se trouve, ou s'est trouvé.

Voyons comment opère le « mécanisme » en question.

C'est lui qu'emploient depuis longtemps les psychologues ou les psychiatres pour faire parler les patients dont ils ont besoin de connaître le caractère et de déceler les points faibles. Le médecin prononce des termes simples et le malade doit répondre immédiatement par les premiers mots qui lui passent par la tête.

« Hiver », dit le psychologue.

« Froid, neige, sapins, feu, ski, bulles, Bing Crosby * », répond le patient.

Rien de mystérieux. A l'hiver, on associe l'idée de neige, de froid, etc. L'idée de bulles et de Bing Crosby est reliée au champagne qu'on boit pour les fêtes, et à la célèbre

---

* La consultation a lieu aux Etats-Unis, où Bing Crosby, musicien d'orchestre de jazz, commença, dans les années 30, une longue carrière de chanteur et d'acteur de cinéma *(N. d. T.).*

chanson américaine *Noël blanc,* lancée par Bing Crosby. Le patient a donné inconsciemment les mots reflétant les images qu'il conserve dans sa tête.

« Epouse », dit le psychologue.

« Maison, famille, fer à repasser, œufs, caoutchouc, numéro, mer », répond le patient.

La maison, la famille, le fer à repasser, les œufs (mets de prédilection de ce malade), c'est normal. Le numéro, c'est celui du téléphone qui mettait en communication ce monsieur et sa femme au moment de leurs fiançailles qui eurent lieu un été au bord de la mer. Reste *caoutchouc* qui garde son mystère. Pourquoi a-t-il été suggéré par le substantif épouse ? Le patient en est lui-même très étonné. Il est de bonne foi. Le médecin lui demande de faire l'effort de rechercher très sérieusement et l'explication est trouvée : ce monsieur était plutôt mécontent du côté disons passif que sa femme jouait dans l'intimité des rapports conjugaux et plusieurs fois (mais, mentalement, car il était bien élevé) il l'avait comparée à un mannequin de caoutchouc gonflé. Il aurait aussi bien pu répondre au psychanalyste : balle, canot pneumatique ou n'importe quoi d'autre fabriqué à partir du caoutchouc. Son insatisfaction sexuelle se serait également révélée.

Chacun de vous peut s'amuser à ce petit jeu en acceptant de ne rien préparer à l'avance. Les réponses doivent être données sans réfléchir et pour poser la question le mieux est de prendre le premier mot qui saute aux yeux en ouvrant un dictionnaire ou n'importe quel livre.

Cet exercice amusant ne permet pas l'autopsychanalyse parce que le cerveau, en état de veille, cherchera tout naturellement l'association d'idées la plus logique. Le médecin qui s'en sert, comme nous l'avons dit, choisit ses mots avec précision pour arriver à ses fins. Mais pourtant en le pratiquant plusieurs fois et en transcrivant les mots (non pas, un après l'autre, au moment où ils sont énoncés, mais lorsque leur nomenclature est terminée), on peut dresser une liste de symboles strictement personnels au moyen de laquelle on arrivera à mieux comprendre ses propres rêves et à voir plus clair dans le monde mystérieux où l'on s'enfonce avec ses désirs et ses angoisses sans soupçonner la présence « d'une baguette magique » posée sur son oreiller.

Essayons à présent de faire connaissance avec les schématiques propres au mécanisme de l'association.

TRANSFORMATION D'INDIVIDUS EN D'AUTRES INDIVIDUS

Catherine rêve qu'elle est persécutée par un homme : il l'épie dans la rue, la suit lorsqu'elle quitte son bureau pour rentrer chez elle, tente de pénétrer dans sa chambre par la fenêtre. La jeune fille « sent » qu'il s'agit d'un mauvais garçon, d'un personnage qui, en même temps, la fascine et la terrorise, d'une sorte de Fantômas qui lui rappelle vaguement quelqu'un qu'elle connaît mais qu'elle n'arrive pas à identifier. Pourtant c'est tout simplement Gustave, un jeune homme qui flirte avec elle depuis quelques semaines et qui lui plaît beaucoup, mais dont elle se méfie, craignant qu'il ne soit pas vraiment sérieux.

Catherine ne pourra probablement jamais découvrir qu'il s'agit de Gustave. Si elle avait une idée de ce qu'est *l'association onirique* il ne lui serait pas difficile de le comprendre. Qui est ce mauvais garçon ? devrait-elle tout de suite se demander. Un homme qui veut me dérober quelque chose. Mais quelle chose ? Evidemment une chose à laquelle je tiens beaucoup puisqu'elle prend la forme dans mes rêves d'une obsession. Alors, voyons : je tiens à l'affection de mes parents... mais ils ne me menacent pas de me l'enlever. Je tiens à ma place au bureau... mais j'y suis solidement installée. Je tiens à ma virginité. Eh bien, voilà c'est à ma virginité que cet individu veut s'attaquer. Mais qui pourrait avoir une pareille idée ? Gustave. Oui, Gustave auquel certains jours je suis prête à céder. Mais alors pourquoi est-ce que je ne le reconnais pas dans mon rêve ? Parce que *je ne veux pas* le reconnaître : Gustave me plaît, je suis très amoureuse de lui et je me refuse à voir en lui un mauvais garçon.

Ce genre de rêves est très fréquent chez les jeunes filles. Il est suscité non seulement par la peur de perdre leur virginité, mais aussi par le manque de confiance qu'elles ont dans les promesses des hommes, leur jalousie, etc. Remarquons, entre parenthèses, qu'il est rare qu'un personnage mystérieux jouant un rôle dans un rêve soit réellement inconnu du dormeur. En analysant soigneusement ses caractéristiques, on arrive souvent à l'identifier. Par exemple, par association d'idées, un père sévère peut devenir un tyran ou un gardien de prison ; une collègue de bureau rivale se travestira en abominable reine de tragédie ou en voluptueuse victime de gangsters dans un film policier ou, plus simplement, elle prendra les traits d'une voisine dont tout le monde parle comme d'une intrigante, d'une envieuse, d'une femme à éviter.

TRANSFORMATION D'INDIVIDUS EN ANIMAUX OU EN OBJETS

Un idyllique paysage de campagne. Je me promène tranquillement. Je marche sur un sentier lorsque tout d'un coup je reçois un coup dans le dos. Je me retourne surpris et je me trouve en face d'un âne. Je fais semblant de ne pas le voir, je reprends ma promenade. L'âne me suit. Cela ne me plaît pas et je tente de chasser l'animal. J'allonge le pas, je me mets à courir, un peu inquiet de cette insistance.

Puis tout d'un coup je comprends. Cet aimable accompagnateur, c'est mon ami Thémistocle ! Je dis toujours que c'est un âne bâté, un casse-pieds, un vrai pot de colle dont on ne peut jamais se débarrasser... et le voilà qui entre dans mon rêve, grâce au mécanisme de l'association.

Les chats sont presque toujours le symbole de la féminité (la vôtre, mesdames, qui reflète le léger narcissisme propre à votre sexe en général, ou le désir de plaire et d'être admirée). Les chiens qui passent dans les rêves signifient que le dormeur ressent un très grand besoin d'amour, de protection, d'avoir auprès de lui une personne affectueuse et fidèle jusqu'au sacrifice. Les animaux représentent tous quelque chose de particulier qui dépend des sentiments que le dormeur éprouve vis-à-vis d'eux. Le lion peut symboliser une personne agressive, le serpent un individu malfaisant, etc., etc. Lorsque les animaux forment un groupe, ils représentent une communauté qu'on redoute : des membres de sa famille, des amis, ou l'opinion publique, en général.

Le mécanisme d'association peut transformer hommes et femmes en objets, mais leur choix dépend du propre langage symbolique de chacun. Par exemple si vous, mesdames, vous voyez en rêve un cours d'eau qui vous barre la route, cette rivière en crue pourrait bien représenter votre mari si vous pensez « qu'il est impétueux comme un torrent ». Et si vous vous voyez donnant de grands coups de poing contre une paroi rocheuse qui vous empêche de continuer votre route, pourquoi ne s'agirait-il pas de votre patron « au cœur dur comme une pierre » qui refuse de vous augmenter ?

Il arrive aussi qu'en rêve les animaux se transforment en individus ou en objets. Le chien Tom peut très bien apparaître habillé comme votre grand-père parce que vous aimez votre chien autant que le vieil homme ou simplement parce que les yeux de Tom vous ont fait penser au regard que vous aimez. La vache de la ferme pourrait — pourquoi pas ? — prendre la forme d'une bouteille. Il serait facile de citer de nombreux autres exemples.

Il est très rare de voir un animal devenir un animal d'une espèce différente. Lorsque cela arrive c'est à la suite d'une peur caractérisée. Si un gros lézard vous a fait vous enfuir en courant, vous pourriez rêver qu'une bête fauve vous menace.

TRANSFORMATION D'OBJETS EN PERSONNES OU ANIMAUX

Depuis une semaine Paule voit Janine dans ses rêves. Janine est une collègue de bureau — ni sympathique ni antipathique — à laquelle elle ne parle jamais, sauf pour lui dire bonjour et bonsoir. Alors pourquoi Paule la voit-elle si souvent en songe ?

Si Paule se contente de chercher une réponse en se fixant sur la personne de Janine, elle ne trouvera certainement pas le bout du fil de l'écheveau. Mais si elle essaye de se souvenir de ce qui est arrivé les jours qui ont précédé l'apparition de Janine dans ses rêves, le mécanisme d'association se mettra en marche. Il y a environ huit jours, Paule a perdu une bague et elle en est très ennuyée. Ici, attention ! Ces visions seraient-elles prophétiques et révèleraient-elles que Janine est une voleuse ?

Morphée peut quelquefois agir comme un plaisantin. Les rêves de Paule ne sont déterminés que par l'association *bague-Janine*. La bague est associée à l'idée de Janine peut-être parce que Janine est la voleuse, peut-être aussi parce que c'est la première personne que Paule a vue après avoir constaté la perte de sa bague ou peut-être encore parce que Janine porte une bague qui ressemble un peu à celle qui a disparu ?

A partir du moment où Paule a cherché à retrouver la filière, elle a cessé de rêver à Janine et le souvenir de sa bague perdue s'est évanoui... mais alors elle s'est mise à rêver de petits animaux, écureuils, grenouilles, sauterelles, qu'elle attrape et qui lui échappent toujours. Il s'agit encore, bien entendu, avec l'apparition de ces bêtes, de la bague dont elle ne sait toujours rien.

Renato, lui, rêve qu'il est en vacances, allongé béatement au soleil, et que brusquement un taureau furieux se précipite sur lui. Il se réveille couvert de sueur et tremblant de peur. Est-ce un souvenir d'enfance indiquant un complexe d'infériorité ? Le psychanalyste qui a interrogé Renato pense, après avoir écouté ses confidences, que cette aventure onirique a d'autres origines. Le « taureau » symboliserait une énorme armoire dans laquelle Renato range des fiches à longueur de journées. Il déteste ce travail, il y pense jour et nuit et même en vacances. Un matin, il a heurté violemment le gros meuble de fer qu'il hait par-dessus tout et que Morphée a transformé en taureau furieux probablement pour se moquer un peu du pauvre employé.

TRANSFORMATIONS D'IDÉES ABSTRAITES EN PERSONNES,
EN ANIMAUX, EN OBJETS, EN LIEUX

William Holden * règne sur tous les rêves d'Anna. Il s'y promène habillé comme dans ses films et les réveils de la jeune fille sont toujours agréables. Pourtant elle se demande pourquoi il en est ainsi. Holden lui plaît bien comme acteur mais ce n'est pas son préféré et ce n'est pas son type d'homme non plus. Son idéal masculin est très différent de lui.

Béatrice rêve de M. Rossi, le chef comptable qui habite au-dessus de chez elle. M. Rossi lui fait la cour, lui prend la main, lui parle tendrement : elle se sent émue jusqu'aux larmes. Dans la réalité, M. Rossi est gentil, c'est vrai, mais tout petit, chauve, marié. Et même s'il était célibataire, Béatrice n'en voudrait pas pour tout l'or du monde.

Coralie rêve qu'elle est debout à côté de *Coup de foudre,* le cheval de la ferme de ses grands-parents. Son père la met en selle et veille sur elle durant toute la promenade. Coralie avait quatorze ans lorsqu'elle montait ce cheval. Depuis, une dizaine d'années sont passées, mais en rêve *Coup de foudre* est toujours le même et elle se sent fondre de tendresse en le caressant.

Diane rêve qu'elle reçoit un paquet. Un cadeau. Elle ne sait pas qui le lui envoie, ni ce qu'il y a dedans. Le cœur battant de joie, elle défait le papier et découvre deux assiettes de faïence très ordinaires. Est-elle déçue ? Non, elle les pose sur sa table et les contemple comme si elle n'avait jamais rien vu de plus beau.

Emma rêve qu'elle est au bord de la mer sur une immense plage éclairée par la lune. Elle éprouve un sentiment de bonheur extraordinaire qu'elle n'explique pas, mais qui ne vient pas seulement de la contemplation du merveilleux paysage dans lequel elle se promène pour la première fois.

Ces cinq rêves très différents ont tous la même origine,

---

* Acteur de cinéma, très séduisant physiquement *(N. d. T.).*

et empruntent le même leitmotiv : le désir d'aimer et d'être aimée. Anna a été frappée par les scènes d'amour jouées par William Holden qui lui paraissent merveilleuses. Béatrice n'aime pas M. Rossi, mais l'existence tranquille qu'il mène avec sa femme l'attendrit. Coralie aspire à un avenir qui ressemblerait à l'époque de sa jeunesse, auprès d'un mari tendre et attentionné qui l'aiderait à se tenir en selle comme le faisait son père. Diane voit dans les deux assiettes les premiers éléments de quelque chose qu'elle appelle « un nid pour deux ». Pour Emma, l'amour c'est une chanson qui parle de plages, de vagues et de clair de lune.

Et voici comment le mécanisme d'association peut remplacer des abstractions par des personnages, des animaux, des objets, des paysages, symbolisant des désirs ou des craintes, des sentiments ou des impressions de toutes sortes.

Tous les exemples que nous venons de donner appartiennent à la série des associations simples, mais le « mécanisme premier » n'agit pas toujours sur des schématiques aussi rudimentaires. Ce serait même plutôt le contraire qui serait vrai, car dans la majeure partie des cas, le mécanisme en question déclenche d'autres mécanismes, en suivant des chemins tortueux et se nourrissant d'expédients dont nous décrirons bientôt les plus caractéristiques.

Avant de le faire, nous devons souligner l'importance particulière du dernier processus d'association cité. Il est, pour ainsi dire, l'âme même du songe. Nous savons que « notre monde nocturne » est un monde d'images, et que c'est Morphée qui se plaît à transformer en images tout ce que *nous sentons* et tout ce que *nous éprouvons*. Si vous croyez que la chose est facile, pensez au cinéma. Combien de mètres, de kilomètres de pellicule sont employés avant de réussir à exprimer véritablement des sentiments, un amour, des conflits passionnels ou intellectuels ? Finalement très peu de films nous contentent, mis à part les authentiques chefs-d'œuvre. Et si on interroge les créateurs de ces films, ils nous répondent (s'ils sont sincères) qu'ils ne sont jamais arrivés à réussir ce qu'ils se proposaient de faire ou ils se plaignent de ne pas avoir reçu les moyens qu'ils espéraient.

Plus les impressions, les sensations, les sentiments sont profonds, plus il est difficile de les concrétiser en images. Walt Disney, dans certains de ses inoubliables dessins animés, a essayé de transposer la musique en impressions visuelles mais, malgré tout son génie et sa sensibilité, il n'a produit aucun film indiscutablement parfait.

Le songe, au contraire, réussit le miracle. Cela dit, il ne faut pas s'étonner de la complexité des techniques et des mécanismes auxquels il doit avoir recours.

Bien que notre but soit d'arriver, dans ce livre, à donner aux lecteurs une conception simple du problème du rêve, nous nous rendons bien compte que nous lui offrons une collection faite d'une multitude de cas divers qui leur fait peut-être penser à ces cubes avec lesquels les enfants jouent, qui portent des dessins différents sur leurs six faces et qu'il faut regarder, tourner et retourner cent fois avant de les assembler pour réussir à présenter un tableau qui ressemble à quelque chose. Notez qu'il suffit d'avoir égaré un seul de ces cubes pour que le jeu ne vaille plus rien.

VIII

NOUS, PERSONNAGES DE SCIENCE-FICTION

Florence est allée vraiment un peu trop loin. Elle a accepté d'un de ses admirateurs un collier qu'il tenait à lui offrir. Elle n'a rien donné en contrepartie. Elle n'a rien promis non plus ; du reste, on ne lui a rien demandé. Ce « on » est un monsieur correct, très riche, qui peut se permettre ce geste tout en n'ayant derrière la tête qu'un très, très vague espoir. La jeune fille a été tellement ravie à la vue de ce bijou qu'elle n'a pas su dire non. Seulement, voilà, à présent elle vient de faire un rêve qui... que...

Elle se trouve dans une ruelle sombre et aperçoit par terre quelque chose qui brille. Elle se baisse, tend la main, mais, horreur, la chose est un serpent. Elle s'enfuit, épouvantée, lorsque par chance se dresse devant elle un agent de police. Cet homme ressemble à la fois à son propre père et à son fiancé, mais au lieu de lui parler gentiment il reste impassible devant ses pleurs.

L'interprétation est facile si on tient compte de ce que nous disions en commençant. Le serpent symbolise le collier, naturellement à cause de sa forme, mais aussi parce qu'il révèle le danger que le cadeau accepté fait courir à la jeune fille.

Et si l'impassible policier rappelle à la fois à Florence son père et son fiancé, c'est que ce sont les deux personnes que la jeune fille craint le plus. Deux visages se sont fondus en un seul et représentent l'autorité, la loi (morale). C'est du *mécanisme de condensation ou de concentration* qu'il s'agit cette fois. Les craintes et les angoisses de la jeune fille ont condensé en une seule image deux visages. Peut-être pense-t-elle sans se l'avouer : même si je manifestais mon regret d'avoir accepté ce cadeau je ne trouverais ni dans mon père ni dans mon fiancé la moindre compréhension car ils n'hésiteraient pas à me condamner.

CONDENSATION ET SUPERPOSITION

Nous avons déjà dit que dans la plupart des cas le rêve était une synthèse. Freud a souligné lui-même la chose : « La synthèse peut parfois sembler absente bien que généralement à mon avis elle existe toujours car il n'arrive presque jamais qu'un rêve qui semble ne figurer que le réel ne renferme pas un sens caché et que son contenu soit plus riche que ceux qui paraissent difficiles à expliquer. » Le grand psychanalyste autrichien a défini le phénomène *condensation* * et il a ajouté que le terme peut être employé dans son sens strict pour expliquer le processus qui fait que « certains éléments de la réalité qui présentent des traits communs se fondent les uns dans les autres au cours d'un rêve ». C'est le cas du cauchemar de Florence. Notez qu'il n'est pas toujours aussi facile d'identifier les composantes qui entrent dans la fabrication de ce genre de songes.

La tendance qui porte l'esprit à la « condensation » n'est pas propre qu'aux rêves, puisqu'on la retrouve partout. Il suffit de penser à tous les systèmes de classification, scientifiques ou non, pour s'en rendre compte. Si l'on prononce, par exemple, le mot « reptiles », l'esprit « condense » et voit ensemble tous les vertébrés qui se développent dans une enveloppe amniotique, jusqu'à leur naissance, qui ont une température variable, une peau généralement couverte

---

* La condensation fond plusieurs idées de la pensée du dormeur en une seule image qui devient *le contenu manifeste*. Un personnage pourra être interprété comme représentant deux ou même plusieurs individus *(N. d. T.)*.

d'écailles dures et un cœur divisé en quatre cavités mal séparées. Lézards, crocodiles, serpents, tortues : voilà ce qui se présente à l'esprit frappé par le mot « reptile ». En entendant ou en pensant « chien », on voit aussi bien des bassets que des bergers allemands, des pékinois que des saint-bernard.

Le rêve, lui, n'agit pas autrement, sauf qu'il condense souvent des éléments qui n'ont qu'une seule chose en commun. Le professeur Werner Kemper nous en propose un exemple typique : un homme d'affaires qui a un rendez-vous le lendemain avec son percepteur voit dans son rêve un géant qui ressemble à la fois à son père, au capitaine de gendarmerie de son village natal (il en avait très peur quand il était petit) et au sergent qui le commandait lorsqu'il faisait son service militaire.

Ces trois personnages ont en commun l'autorité et la sévérité. Ils reflètent l'inquiétude de l'homme d'affaires et son espoir d'être bien accueilli par l'agent du fisc.

« Les condensations classées par qualité », dans le genre de celle dont nous venons de parler ne semblent avoir rien de mystérieux mais il faut tout de même se tenir sur ses gardes avant de crier victoire, car Morphée, nous le savons, est un petit dieu plein de malice, un expert fabricant d'énigmes qui peut inventer les combinaisons les plus baroques.

Exemple : vous voyez apparaître en songe un certain M. Casagrande que vous ne voyez plus depuis des années. Il se peut que ce monsieur soit lié à un épisode important de votre vie passée, mais il se pourrait tout aussi bien qu'il « condense » sur son nom celui de deux autres de vos amis, Casati et Grandini. C'est amusant, non ?

Mais que penser des « condensations » dont un des éléments est parfaitement inconnu de vous ? Il arrive à tout le monde de voir en rêve un parent ou un ami « qui n'est pas exactement ce parent ou cet ami », qui a quelque chose d'étrange dans les traits ou le comportement. Il faudra dans ce cas examiner très à fond l'élément inconnu car il ne l'est qu'en apparence. Freud a écrit : « Rien n'est irréel dans les rêves. *L'imagination créatrice* est incapable d'évoquer quoi que ce soit dans le sommeil : elle doit se contenter de réunir des éléments par nature différents ou séparés. »

On connaît des « condensations » où des personnes qui n'ont aucun rapport entre elles ou qui ont des caractères diamétralement opposés se fondent les unes dans les autres, ou s'amalgament, si vous préférez. Ceci révèle clairement la présence d'un conflit moral chez le dormeur. Les jeunes rêvent souvent de l'objet de leurs désirs déformé par quelque chose qui leur rappelle soit un parent, soit un supérieur, soit quelqu'un détesté dans la réalité. Il est facile ici de comprendre qu'il s'agit alors d'une lutte entre l'amour et les principes familiaux, entre l'amour et la crainte des reproches, véritable terrain de culture propice aux petits comme aux grands complexes de culpabilité.

Lorsqu'on parle de « condensations » à propos des paysages, leur interprétation en devient malaisée car il peut s'agir de fonds de décor dus au hasard autant que de l'essence même du rêve. Un Italien habitant Turin se verra vagabondant dans les vieilles rues de Paris, tandis que sur la place Pigalle s'élèvera brusquement la *Mole Antonelliana* *. Ces lieux, l'un spécifiquement parisien et l'autre turinois sont peut-être liés à des souvenirs ayant eu leur importance dans la vie du dormeur, mais ils peuvent aussi avoir été réveillés par la rencontre d'une jolie femme passant sous les élégantes arcades de la ville qui aura ramené son esprit à un spectacle de strip-tease parisien au *Crazy Horse*. D'où la nécessité d'analyse très poussée dans les rêves de ce genre.

Un processus assez proche de celui de la « condensation » porte le nom de *mécanisme de superposition*. Il s'agit ici de visages ou de personnages qui se superposent, c'est-à-dire que l'un apparaît très rapidement au moment où l'autre disparaît. L'interprétation repose sur le fait même de ces sortes de prestidigitation.

Prenons un exemple. Rodolphe rêve qu'il se promène avec son actuelle fiancée qui, d'un seul coup, disparaît pour

---

* Enorme construction de 170 m de haut, bâtie en 1863 par l'architecte A. Antonelli, au centre de la ville de Turin *(N. d. T.)*.

laisser la place à la maîtresse qu'il a quittée il y a peu de temps. Deux interprétations : ou bien Rodolphe regrette sa maîtresse ou bien il craint que sa fiancée actuelle ne le lâche. Il n'y a que lui qui pourrait nous aider à résoudre l'énigme en analysant franchement ses sentiments.

UNE PARTIE DU TOUT

Linda est arrivée à ses fins, mais elle sait combien ses débuts ont été difficiles : les premiers jours dans la grande ville, le modeste emploi accepté pour pouvoir suivre des cours de comédie, l'unique repas quotidien, la petite chambre si peu chauffée que les doigts se gelaient pour tenir le manuscrit qu'on lui avait confié... puis enfin un tout petit rôle dans un film que tout le monde a oublié...

Aujourd'hui, c'est le succès. La jeune comédienne allongée sous ses couvertures regarde béatement le luxe de sa chambre d'hôtel. Elle entend encore l'écho des applaudissements qui, il y a quelques heures, viennent de faire d'elle une des étoiles du ciel du cinéma.

Elle se réveille (notez que c'est dans un rêve) et elle devine la présence d'un étrange objet près de son corps. Elle cherche du bout des doigts. Qu'est-ce que c'est ? Elle vient d'effleurer quelque chose de mou, assez désagréable au toucher. Elle soulève ses couvertures et découvre auprès d'elle un manchon de fourrure. C'est inattendu puisque personne ne porte plus de manchon. Et celui-ci a quelque chose de particulièrement dégoûtant. Puis elle se lève, s'habille et descend dans la rue où elle retrouve des admirateurs qui recommencent à l'acclamer et à lui demander des autographes. La voilà rassérénée. Elle ouvre son sac pour prendre son stylo et... (mais non, ce n'est pas possible...) elle plonge la main dans le manchon de fourrure qui l'a tant effrayée tout à l'heure.

Fin du rêve.

Linda se réveille, très mal à l'aise. Naturellement pas le moindre manchon de fourrure dans son lit.

Les nuits suivantes le rêve se répète et Linda, inquiète, se décide à aller consulter un psychanalyste.

Ensemble ils cherchent à expliquer la présence du manchon de fourrure. Alors Linda se souvient : lorsqu'elle était encore très jeune, elle avait manifesté l'intention de travailler pour devenir comédienne et sa vieille tante Gertrude, terriblement à cheval sur les principes, s'était élevée avec véhémence contre ce projet en dépeignant les milieux de théâtre et de cinéma à peu près comme un cercle de l'Enfer de Dante. Un lieu de perdition où une jeune fille ne pouvait que sombrer dans la débauche.

La tante Gertrude arborait en hiver un manchon de fourrure. Dans un coin du cerveau de Linda, la vieille dame et l'objet désuet s'étaient installés côte à côte et la comédienne devenue vedette continuait, dans son subconscient, à éprouver un certain remords en pensant qu'elle désobéissait aux abjurations de la vertueuse représentante des bonnes mœurs et des traditions familiales.

Ce type de rêves se définit grâce à l'expression latine *pars pro toto* qui signifie : partie remplaçant un tout. Nous connaissons fort bien leur mécanisme. Dans la vie nous y avons souvent recours sans avoir besoin de dormir et en puisant dans les plus banals lieux communs comme « la main criminelle », « le bras puissant », « l'intelligence sublime ». La main n'étant qu'une partie du corps et agissant, bien entendu, en même temps que tout le corps, le bras n'étant moralement puissant que parce que l'organisme qui le dirige est puissant et l'intelligence n'étant sublime que parce qu'elle appartient à un individu spécialement doué. Le petit dieu Morphée a, à sa disposition, une liste pratiquement illimitée d'accessoires. Il peut se servir aussi bien de la calvitie de papa que du collier préféré de maman, des moustaches de l'amateur de petites filles, des souliers de l'abbé qui faisait le catéchisme ou des boutons de sa soutane. Entre parenthèses, il n'est pas rare de se voir (en songe) boutonnant ou déboutonnant un vêtement. La part de notre subconscient imprégnée de morale religieuse formulera sèchement ses interdits.

Beaucoup de jeunes filles doivent faire des rêves qui rappellent (s'il leur est arrivé une aventure du même genre) celui que nous allons raconter.

Diane est amoureuse. Elle a vingt ans et après une enfance malheureuse, une adolescence difficile, elle vient de rencontrer l'amour. Elle n'a jamais été aussi heureuse ; elle voudrait faire partager sa joie au monde entier. Ses collègues qui l'ont toujours connue triste et maussade ne la reconnaissent plus. Mais ce bonheur passe vite ; après deux semaines, la voici plus renfermée et plus morose que jamais et ses rapports avec son fiancé se détériorent de jour en jour.

Quelle a été la cause de ce changement ?

Un rêve. La nuit qui suivit ses fiançailles, elle vit apparaître dans son rêve une main, une main gantée qui n'était rattachée à aucun corps. Elle ne fut pas vraiment troublée par cette vision. Lorsqu'elle se reproduisit deux, trois, quatre fois, elle commença à avoir peur. D'abord cette main était derrière une porte, immobile comme une main coupée de cadavre puis elle se posa sur la table au moment où la jeune fille écrivait à son fiancé. Ensuite, elle devint plus audacieuse : elle allait, elle venait, elle remuait les doigts comme si elle voulait saisir quelque chose pour le broyer.

Diane tombe malade. Dépression nerveuse. Un médecin, qui, heureusement, s'intéresse à la psychanalyse, s'occupe d'elle. Il comprend très vite que cette main représente une chose dont la jeune fille a inconsciemment grand-peur. Elle a peur de trouver cette chose derrière la porte de sa nouvelle vie de femme mariée qui va commencer, s'entremettant entre elle et son mari. Elle a peur de la voir s'animer pour l'étrangler comme ...

Comme quoi ? Cette main n'a pas été créée par l'imagination de Diane et ce n'est pas un symbole (dans le sens psychanalytique du terme, car rarement les symboles sont aussi nets et ils ne reviennent pas avec tant de persistance). Le docteur pense qu'elle a dû exister réellement et qu'elle a certainement joué un rôle néfaste dans la vie de sa cliente. Il faut l'identifier. D'abord pourquoi est-elle gantée ? Parce que ce gant doit cacher quelque chose. Qui parmi les gens

de la famille ou de l'entourage avait un signe particulier
sur une main ? Le subconscient de Diane est mis, en quelque sorte, au pied du mur. Sa mémoire livre son secret ;
son père portait au milieu de la paume de sa main une
cicatrice, suite de blessure de guerre. C'est donc le souvenir de son père qui terrorise la jeune fille. Le souvenir des
scènes de brutalité qui avaient fait de son existence un enfer.
Inconsciemment, elle a peur des hommes et elle craint en se
mariant de retrouver les jours affreux qu'elle a connus dans
son enfance.

Le problème est résolu et il ne reste plus qu'à laisser le
fiancé convaincre Diane que tous les hommes ne sont pas des
brutes et des monstres.

DÉPLACEMENT

Jack Roaring, la terreur du Minnesota, n'ayant pas réussi
à abattre son pire ennemi, a pris des mesures extrêmes :
il a fait enlever Shirley, la fille de son rival, et, à présent, il
menace de la torturer et de l'assassiner si l'autre n'abandonne pas.

Une chambre nue, une table, une chaise, un téléphone.
Jack Roaring boit et grimace. Shirley, artistiquement ficelée
pour qu'on puisse deviner sous sa robe des formes que le
public est avide de contempler, hurle de terreur tandis qu'un
bandit approche de sa poitrine une pointe de fer chauffée
à blanc.

Un spectateur nommé Corrado observe cette scène avec
indifférence et ennui. Vous avez compris que Roaring et
Cie étaient des acteurs de cinéma.

Sur l'écran le drame se poursuit. Entre les mouvements
d'effroi de Shirley et les grimaces de Roaring, la caméra s'arrête sur le mur où est accroché un calendrier. Sur ce calendrier on distingue très bien un bébé joufflu qui tend les mains
vers un paquet de farine W. W. *qui rend les enfants sains,
forts et joyeux.*

Corrado n'a pas spécialement remarqué ce calendrier

qui, peut-être, a été accroché à la paroi par hasard. D'autres spectateurs auraient pu se dire que le metteur en scène avait voulu le contraste entre le visage rieur et heureux du gosse et celui torturé de la pauvre Shirley, mais ils se seraient trompés.

Le lendemain Corrado sort pour acheter une bouteille d'apéritif. Il a certainement oublié le film stupide qu'il a vu. Mais à peine entré dans son supermarché, il prend automatiquement dans un rayon un paquet de farine W. W. en pensant à son bébé. Si on lui demandait pourquoi, il répondrait qu'il a fait ce geste instinctivement, ou qu'il voulait essayer cette nouvelle farine, ou qu'il a été attiré par la couleur de la boîte. Il ne sait pas que les agents de la publicité de la firme W. W. déclenchent à volonté, ou presque, les réflexes des acheteurs.

Mis en état d'hypnose, Corrado dirait facilement ce qui s'est passé avant la projection du film. Il a vu souvent sur son journal et sur des affiches le bébé joufflu et heureux tendant ses petites mains vers son aliment préféré. Il croyait n'y avoir jamais fait attention, mais lorsque est apparu sur l'écran le calendrier publicitaire, une voix lui a murmuré : « Regarde bien. Si ton enfant mange de la W. W., il deviendra grand et fort et il ne se trouvera jamais dans les tristes conditions de cette pauvre Shirley. »

C'est un des cent mille trucs auxquels ont recours les James Bond de la publicité pour assassiner le libre arbitre. Quelques-uns parmi ces spécialistes sont des as dans leur genre. Pourtant ils n'ont rien inventé. Ils n'ont fait que se servir des secrets de la *psychologie des profondeurs* et des techniques sur lesquelles se bâtissent les rêves.

Parlons maintenant d'un rêve beaucoup moins banal que ce film publicitaire dans lequel vient d'évoluer Jack Roaring.

Un soir M. Rossi découpe en tranches un petit ananas et le mange avant d'aller se coucher. Il s'endort et rêve que, muni d'un coutelas, il découpe en tranches un jeune garçon. Le fait ne le trouble pas du tout. Sans savoir pourquoi, il se retourne du côté d'une fenêtre munie de carreaux verdâtres et cette vue le fait éclater en sanglots.

Cet homme est-il un monstre ? Non, c'est un modeste employé de bureau (ce rêve fait partie des archives du professeur Kemper), persécuté la nuit par un rêve qui se répète et où il joue presque toujours le même rôle : il se voit accomplissant des crimes qui le laissent indifférent, tandis qu'il se met à pleurer devant des riens insignifiants.

Il vaudrait mieux dire *apparemment* insignifiants, parce que le « centre » du rêve de M. Rossi est la fenêtre aux carreaux verdâtres. C'est ce qui est ressorti du récit qu'il fit à son psychanalyste. Rossi a perdu depuis peu une sœur qu'il aimait beaucoup et qui lui avait servi de mère. Il avait adoré sa mère tyrannisée et maltraitée par un époux qui, durant une dispute (qui avait épouvanté Rossi dans son enfance), s'était mis à hurler : « Un de ces jours je te jetterai par la fenêtre ! »

Rossi raconte que le vert était la couleur préférée de sa sœur, ce qui nous aide à comprendre que son rêve provient du chagrin qu'il a éprouvé à la mort de sa sœur (représentée par la couleur verte des carreaux, la *pars pro toto* dont nous avons parlé plus haut), qu'il aimait autant que sa mère (représentée par la fenêtre à travers laquelle son mari menaçait de la jeter).

L'ananas a peut-être fourni à Rossi le *prétexte* de son rêve (on pourrait si l'on veut voir dans le petit garçon découpé en tranches Rossi lui-même dont l'enfance a été malheureuse). Ce n'est pas ici la scène principale qu'il faut retenir, mais un petit détail qui, logiquement, devrait apparaître comme sans importance.

Ce processus se nomme *déplacement*. Faites donc très attention « aux détails » qui apparaissent au cours d'un rêve car ils créent des sortes d'états d'âme. C'est en eux que se cache la bonne interprétation des images qui hantent nos nuits.

Pourquoi Rossi n'a-t-il pas tout simplement vu en rêve sa sœur et sa mère ? Sans doute parce qu'il avait honte de s'avouer qu'il se sentait un enfant abandonné ayant besoin de protection.

De même qu'une jeune fille qui a peur de voir la lune en

rêve ne voudra pas admettre qu'elle meurt d'envie de recommencer les gestes d'amour échangés dernièrement avec son fiancé ; une femme effrayée par une casserole en songe, pensera une fois réveillée qu'il est stupide d'avoir peur de perdre l'affection de son mari parce qu'elle n'a aucune disposition pour faire de la bonne cuisine.

Les nuits des hommes et des femmes sont peuplées de ce que nous appelons « des personnages occultes ». C'est sous ce nom que nous désignons nos désirs et nos angoisses. Il serait bon d'arriver à identifier les motifs dont nos perfides agents de publicité se servent afin de ne plus courir le risque d'acheter automatiquement la farine W. W. sans réfléchir et pour la seule raison d'obéir à leurs fallacieuses invitations.

Qu'arriverait-il à ce M. Rossi, si, pour satisfaire son besoin de protection, il épousait sans la connaître la première faible femme rencontrée sur son chemin ? A quoi s'exposerait la jeune fille qui désire être embrassée et caressée si elle accordait toutes libertés au premier passant venu ?

MIMÉTISME

Isabelle se trouve dans un magnifique palais rempli de tout ce qu'on peut désirer pour rendre l'existence agréable. Un vieux seigneur s'entretient avec elle et une dame l'invite à choisir ce qu'elle veut dans un coffret débordant de bijoux. Elle est heureuse et elle se sent d'autant mieux qu'en regardant par la fenêtre elle constate qu'un orage est en train d'éclater.

Elle entend au milieu du bruit une voix qui l'appelle par son nom. Va-t-elle courir vers cette voix en abandonnant le palais et les richesses qu'il contient ? Oui, car le mystère l'attire et elle décide de sortir dans la pluie et dans le vent.

La voici dans un lieu étrange, en bordure d'une forêt d'arbres en fleurs où l'on accède en passant sous le porche d'une église. Un voile blanc flotte devant cette entrée. Va-t-elle le soulever ? Elle hésite car elle a peur de ce qui se trouve derrière le tissu léger.

Un homme ? Une arme à feu ? Une bête féroce ? Un désert ? Elle ne peut pas répondre, mais elle est sûre que ce doit être horrible.

Beaucoup de gens s'affirmeraient capables d'expliquer facilement le rêve d'Isabelle en faisant appel soit à la cabale *, soit à leur propre imagination.

Nous savons que ni l'une ni l'autre ne sont qualifiées pour nous aider à pénétrer dans le secret des songes et qu'*il n'y a que l'examen approfondi des situations dans lesquelles se trouve le dormeur qui puisse permettre d'expliquer ce qui se passe dans le royaume de Morphée ou, moins poétiquement, durant le sommeil.*

D'abord et avant tout, il faut chercher (dans le rêve d'Isabelle comme dans ceux de n'importe qui) ce qu'on appelle en latin l'*ante factum* (la chose précédant un fait précis). Pour Isabelle *le fait* est qu'elle vient de se fiancer avec un jeune homme qu'elle aime, mais dont la situation financière n'est pas très brillante. Au fond d'elle-même, elle a peur et son rêve dévoile ce qu'elle porte en elle inconsciemment. En ce moment, elle mène une vie facile chez ses parents (le palais) qui la préservent des ennuis de la vie (l'ouragan). Elle peut compter sur son père (le vieux seigneur) et sur sa mère qui la comble de cadeaux (les bijoux). Mais l'amour l'appelle (la voix mystérieuse). Elle est arrivée à la veille de son mariage (le portail, le voile blanc). Elle hésite à sauter le pas parce qu'au-delà du seuil il y a quelque chose qui lui fait peur. Ce sont les mystères de la vie conjugale et tout ce qu'elle ignore des réalités de l'amour. Elle ne peut pas dire exactement ce qu'elle redoute parce qu'elle ne veut pas le savoir. Ce qu'elle sait, c'est qu'elle aime un garçon et qu'elle est prête à tout affronter avec lui. Ce qu'elle se cache, c'est qu'elle est effrayée par les difficultés qui doivent immanquablement surgir.

Son rêve se classe sous notre rubrique « processus de mimétisme ».

---

* Cabale ou Kabbale. 1) Tradition juive interprétant allégoriquement et mystiquement l'Ancien Testament. 2) Science occulte prétendant faire communiquer ses adeptes avec des êtres surnaturels (*N. d. T.*).

Lorsqu'en rêve on a l'impression que quelque chose se cache derrière un paravent ou un masque et qu'on ne peut le voir nettement (on se réveille très souvent juste au moment où le rideau va se lever), c'est parce que, inconsciemment, on craint un malheur ou un ennui. Lorsque, au contraire, on sait ce qui se trouve « derrière le rideau » et qu'on voit la chose, cela signifie qu'il existe un conflit qui tourmente l'âme du dormeur, une hésitation entre des choix opposés.

Voici un exemple donné par Berger pour illustrer ce dernier cas :

Mario rêve qu'il est invité chez un maharadjah et que ses journées s'écoulent entre des repas savoureux, des chasses au tigre, et des visites aux bayadères. Tout d'un coup, il se voit assis au milieu d'une prairie et il a l'impression qu'une haie d'arbustes lui masque quelque chose. Il ne veut pas se lever car il redoute une mauvaise surprise. Enfin, il se décide et découvre une statuette précieuse dont le visage grimaçant est horrible à voir.

Dans la réalité, Mario se trouve en ce moment placé devant l'alternative : ou rester dans la ville qu'il habite auprès d'une femme qu'il aime, ou accepter une situation ailleurs représentant pour lui une promotion et des émoluments bien supérieurs. La cour du maharadjah représente les avantages qu'on lui promet mais *le centre* du rêve est représenté par la haie d'arbustes (symbole de la féminité) et par la statuette précieuse (appointements augmentés, mais obligation de renoncer à son amie).

TRANSFERT

« Un tel », explique Freud durant un de ses cours à l'université de Vienne, « désire avoir des rapports sexuels avec sa propre sœur. Non seulement il ne peut réaliser ce projet à cause de ses principes moraux, mais il évite même de le formuler précisément. Disons qu'il refuse de s'avouer ce désir parce qu'avant même que l'idée n'en parvienne à

107

sa conscience quelque chose la bloque dans la partie obscure de son être où elle est née *.

« On " éloigne " le désir et on le fera chaque fois qu'il tentera de se montrer sous son véritable aspect... Dans les rêves le désir porte un masque, c'est-à-dire qu'il n'apparaît que par allusions innocentes destinées à tromper la censure la moins suspecte.

« Alors qu'advient-il ? Cet individu qui désire coucher avec sa sœur ne rêve jamais qu'il le fait, mais il voit des situations, ou des objets, qui, au cours de l'analyse, expliqueront clairement ses sentiments. Il rêvera, par exemple, qu'il se promène avec la sœur de son meilleur ami et qu'il lui fait une déclaration d'amour. Le dormeur s'identifie à ce moment à son meilleur ami. Car, entre parenthèses, notre meilleur ami n'est-ce pas réellement nous-même ? »

Cet exemple est un cas typique de transfert ou de transposition de personnes qui s'opère pour, inconsciemment, échapper à la redoutable censure. Un mécanisme d'associations (ne perdez pas de vue que tous les cas dont nous parlons ici dérivent d'associations diverses) engendré sous l'impulsion de désirs et d'angoisses se trouvant toujours à la base de conflits et de complexes très graves.

En somme, le subconscient se comporterait un peu comme ces braves gens qui écrivent au « Courrier du cœur » en n'osant pas dire leur nom et mettent sur le dos des voisins leurs propres problèmes : « Une de mes amies s'inquiète de l'étrange attirance qu'elle ressent pour une jeune fille qui... » « Ma sœur trouve bizarre l'indifférence manifestée par son fiancé à l'idée de s'en aller habiter ailleurs... » « Je voudrais aider un de mes amis trop timide pour... », etc.

Quels doivent être les rêves de cette dame qui pose le problème de l'amitié excessive entre femmes ? Peut-être voit-elle l'objet de sa flamme dans les bras d'un beau mâle sans en éprouver la moindre jalousie, et même le contraire de la jalousie ? Comment cela serait-il possible ? Tout simplement parce que le beau mâle, c'est elle-même, la dame en

---

* La censure (*N.d.A.*).

question. Son subconscient a donné à ses désirs contre nature une apparence de légalité et a permis la réalisation de ses goûts particuliers sans qu'elle ait besoin d'en éprouver de remords ni d'angoisses. Par quels moyens un psychanalyste pourra-t-il affirmer qu'il y a eu transfert entre Mme X. et le beau garçon ? Il est tout simplement parti de l'idée, exprimée par Mme X. elle-même, de l'indifférence avec laquelle elle contemplait sa jeune amie dans les bras d'un homme.

Le rêve d'une jeune fille qui craint que son fiancé ne s'en aille habiter ailleurs pourrait se passer dans une ville où une espèce de sadique couperait les oreilles des petites filles avec un coutelas bien aiguisé. Elle verrait l'affreux bonhomme se placer derrière les arbres et les porches en cachant toujours son visage sous une cagoule. (Au processus de transfert s'ajouterait, dans ce cas, celui de mimétisme.) La jeune fille ne verrait pas le visage de l'homme parce qu'elle craint d'y reconnaître celui de son fiancé et d'avoir la confirmation qu'elle est trompée. Le coutelas est le symbole de l'organe sexuel masculin. La mutilation représente la perte de la viriginité (l'activité érotique). La cagoule est un symbole qui apparaît souvent lorsqu'il s'agit d'amour physique.

Le transfert peut se faire aussi sur des objets. Cette constatation n'est pas étonnante si l'on se rappelle que beaucoup d'hommes, dans la vie quotidienne, transfèrent plus souvent qu'il ne faudrait leur colère ou leur mauvaise humeur sur une corbeille à papiers, une potiche ou une photographie.

Il existe aussi un transfert de situation dans le temps. Il arrive à des étudiants de rêver la veille de leurs examens de scènes idylliques, dans des paysages merveilleux. C'est le subconscient qui se charge de protéger leur sommeil en les faisant rêver d'une reposante atmosphère de vacances.

DÉFORMATION ET DÉDOUBLEMENT

La cabale prédit à ceux qui voient dans leurs rêves Dracula, ou un loup-garou, ou l'horrible docteur Frankenstein ou un dragon couvert d'écailles vomissant du feu, les plus grands malheurs.

Faut-il la croire ? Absolument pas, même si la rencontre dans votre sommeil avec un monstre vous impressionne, il ne faut y faire aucune attention. Les monstres ont le droit de se promener dans le monde des songes et ils peuvent poser le doigt (ou si vous préférez, la griffe) sur des plaies douloureuses. En fait, ils représentent notre second Moi, notre double dont nous n'admettons pas volontiers l'existence parce qu'elle ne nous fait aucun plaisir. La réalité doit se regarder en face. Il faut surtout se convaincre, pour faire disparaître les monstres nés de l'imagination, que nous avons tous des désirs inavoués et qu'il ne s'agit, selon les cas, que de les accepter ou de les mater.

Lorsqu'on voit des monstres en rêve, qu'on croit les aimer, leur obéir volontiers, c'est le subconscient qui suscite ces illusions pour nous permettre de dormir en paix.

Ces êtres fantastiques figurent quelquefois des gens que nous détestons ou que nous craignons sans le savoir. Mais sur ce point, il faut faire très attention car on risque de divaguer un peu trop loin. Si vous voyez un homme ou une femme que vous connaissez bien se transformer en monstre, cela signifie que vos rapports ont changé. Si vous rêvez que celui ou celle que vous aimez a le cou qui s'allonge démesurément, qu'il arbore des défenses d'éléphant ou une crête de chlamydosaure ou une douzaine de tentacules, savez-vous ce que cela signifie ? Qu'il faut se méfier de cette personne ou bien qu'elle a peur de vous et se tient sur la défensive.

Le processus de « déformation » peut nous transformer (toujours en rêve, bien entendu) soit en pygmées, soit en géants. Dans les deux cas, il faut les interpréter comme des signes certains de complexe d'infériorité. C'est clair dans le cas pygmée. Dans le cas géant, il se pourrait que le dormeur ait envie de renverser une situation tout en craignant de ne pas y parvenir.

Est-il possible de se rencontrer avec soi-même en rêve ? Ce serait amusant si un magique instrument réussissait à nous montrer dans le sommeil notre vrai double, non pas sous l'apparence d'un monstre hideux, mais sous les traits de quelqu'un de sympathique avec lequel on aurait envie d'engager la conversation. C'est une supposition, presque une utopie. Le cas ne se présente que très rarement et les conversations se transforment alors en disputes.

Et si dans l'état de veille nous arrivions à parler avec notre double, qu'arriverait-il ? Est-ce qu'en dormant nos deux Moi s'entendraient et finiraient par marcher bras dessus, bras dessous comme de bons petits copains ?

En aucune façon la chose ne peut être concevable. Dès l'instant que (en admettant l'hypothèse) la cathode et l'anode, l'électrode négative et l'électrode positive de notre personnalité se sépareraient, nous cesserions d'être hommes pour devenir des automates de chair et de sang.

DEUXIÈME PARTIE

Les rêves et la personnalité

I

NE VOUS TROUBLEZ SURTOUT PAS
SI VOUS ASSASSINEZ VOTRE PÈRE

L'Autriche n'était plus l'Autriche et Freud se préparait à fuir son pays natal lorsque, au début 1938 un jeune psychiatre, converti depuis peu à la psychanalyse, s'adressa à son maître pour lui soumettre le cas le plus bizarre qui lui avait été donné de connaître. Il s'agissait d'une famille bouleversée par les rêves qu'un enfant de six ans avait confiés à son frère aîné.

Au cours des deux premiers rêves, l'enfant s'était vu luttant avec un dragon (celui qui était dessiné dans son livre de contes de fées). La bataille s'était interrompue au moment où il commençait à enfoncer une épée dans la gueule du monstre. Dans le troisième, l'enfant tuait le dragon qui, brusquement, prenait l'apparence de son papa.

Dans le quatrième rêve, le dragon avait disparu et le petit garçon tuait son père. Pas du tout troublé par son exploit, l'enfant s'était vu devant un grand château donnant le bras à une dame qu'il venait d'épouser. Il avait remarqué dans son livre d'images une scène de ce genre, mais sa dame à lui avait le visage couvert d'un voile qu'elle avait ensuite levé : et il avait reconnu sa maman.

Le jeune psychanalyste n'en croyait pas ses oreilles, mais à la fin du récit Freud s'était écrié, ravi : « Magnifique ! C'est le plus étonnant complexe. C'est Eschyle lui-même ! »

— Mais, pas du tout, c'est horrible. Il faut faire tout de suite quelque chose pour soigner cet enfant anormal.

— Cet enfant est tout ce qu'il y a de plus normal. Lais-

115

sez-le tranquille, sans lui parler de quoi que ce soit. Vous verrez que, malheureusement, il aura bientôt des rêves beaucoup moins sains. »

Le disciple de Freud ajouta : « Je décidai alors d'abord de calmer les parents qui me demandèrent de faire suivre une cure à leur petit garçon. J'acceptai (Freud lui-même me le conseilla) surtout pour que l'enfant n'aille pas tomber dans les mains d'un médecin qui ne le comprendrait pas. Je commençai donc par lui faire raconter ses rêves pour m'expliquer son caractère. Très vite je vis que cet Œdipe en miniature avait une sensibilité peu commune. J'en informai ses parents qui voulurent bien écouter mes conseils ; ils eurent raison car leur fils est devenu aujourd'hui un grand musicien. »

Vous vous demandez maintenant si, sérieusement, les songes peuvent révéler les personnalités. Je réponds oui, à condition qu'on possède une clef pour les déchiffrer et qu'on accepte leurs messages, même s'ils disent des choses qu'on préférerait ne pas entendre ou ne pas vouloir admettre.

Les songes révèlent la personnalité *en négatif*. Ils mettent en évidence les défauts, les désirs secrets, les faiblesses et les angoisses de l'être humain.

Mais lorsqu'on décide d'entreprendre l'exploration du monde mystérieux du sommeil, il ne faut pas croire qu'on parviendra rapidement à des résultats probants.

Un psychanalyste lui-même admet qu'il doit connaître au moins une douzaine de rêves pour apporter une réponse au problème précis qui tourmente son client. Il est impossible de prétendre débroussailler le taillis touffu de la personnalité en écoutant parler de deux ou trois rêves. Patiemment, il faudra accepter de passer en revue les moindres détails pour éliminer ce qui est inutile et pour ne conserver que l'essentiel.

Il peut arriver à n'importe qui de rêver son patron sous les traits de King-Kong, et sa rivale sous ceux de la Gorgone. Mais si le processus de déformation se présente fréquemment (il est souvent mêlé à d'autres thèmes et un sujet psychiquement normal ne refait jamais le même rêve à intervalles très rapprochés), il faut ne pas craindre de penser qu'il y a derrière tout cela un « *complexe* ». Si l'on rêve qu'on vole dans les airs, cela veut dire : désir non accompli, mais si ce rêve se reproduit très souvent (même si la sensation est agréable), il avertit le dormeur que son équilibre est menacé par des troubles d'ordre sexuel. Bien entendu, une personnalité ne se forme pas dans la tranquillité et la quiétude, et il est logique que tout le monde garde les traces d'innombrables blessures, les unes vieilles, les autres récentes, quelques-unes cicatrisées pour toujours, d'autres encore béantes, d'autres suppurant depuis la prime jeunesse. Les songes nous parlent de ces blessures à partir du jour où elles commencent à exister. Ils en parlent de manière très éloquente et on regrette de ne pas les avoir écoutés à temps parce qu'à mesure que les jours passent ils deviennent moins faciles à comprendre.

Si vous prenez nos propos au sérieux vous n'aurez plus envie de sourire lorsque les psychanalystes vous diront qu'on peut définir le caractère de vos enfants en les faisant parler de leurs rêves. Il ne s'agit pas bien sûr d'appliquer la méthode à la lettre et de s'asseoir tous les matins au pied du lit des gosses un carnet et un crayon à la main pour jouer au *psycho-détective*. Mais si, par exemple, au petit déjeuner on met la conversation sur les rêves, les petits, spontanément, se mettront à raconter les leurs et à fournir à leur mère (c'est la meilleure des psychanalyses à ce moment-là) de très bonnes indications.

Il nous paraît intéressant et utile de parler ici assez longuement des rêves des enfants parce que chacun est une sorte d'étape qui a son importance dans la formation de leur caractère. Notez que si les rêves de l'enfant reviennent lorsqu'il aura atteint l'âge adulte ce sera la preuve que les étapes normales de la vie auront été mal franchies.

Une sarabande de lumières et de couleurs.

Jusqu'à l'âge de cinq ans, les rêves des enfants élevés dans une famille sans problèmes particuliers sont simples, cohérents et facilement compréhensibles. Freud dit : « Le songe de l'enfant est souvent une réaction à l'événement de la veille, une frayeur, un désir insatisfait. C'est en somme la réalisation sans histoire de leurs souhaits. »

Ceci provient de ce que la censure n'est pas entrée en fonction ou qu'elle n'exerce encore qu'un pouvoir assez mince étant donné que l'éducation, la morale, etc., n'ont pas sur l'enfant l'influence qu'elles auront plus tard sur l'adulte. Par exemple, si un petit garçon a eu envie de prendre en cachette un morceau de gâteau, la nuit il rêvera de gâteaux. Mais si un adulte a eu la même envie, il ne rêvera pas de petits fours, mais de choses bien différentes parce qu'il juge enfantin et peu viril de s'attarder sur des sujets semblables.

Bien que la chose paraisse impossible, la science est arrivée, aujourd'hui, à pouvoir en quelque sorte contrôler les rêves des tout-petits, soit en interrogeant les enfants ou les adultes qui ont une mémoire exceptionnelle, soit en ayant recours à l'hypnose. La concordance des informations recueillies avec les deux systèmes a été surprenante. Nous en donnons quelques traits essentiels.

A l'aube de la vie, le sommeil n'est jamais accompagné d'impressions visuelles ; les rêves se réduisent à une sensation de bien-être et de chaleur qui rappelle sans doute l'ambiance prénatale aussi bien que le contact avec le corps maternel au moment de la tétée. Certains psychologues affirment que les rêves des nourrissons sont les plus longs que l'homme connaîtra jamais et que leur durée coïncide pratiquement avec la durée du sommeil. Beaucoup de pédiatres sont d'accord pour dire que le nouveau-né est parfaitement heureux lorsqu'il dort. Dès qu'il se réveille, il se sent mal, il a peur, il a faim et se met à crier. La chaleur et le lait de sa mère le calment. Ses premiers jours se déroulent dans une sorte d'alternance d'attente de nourriture, de tétées et de sommeil. Si on ne lui donne pas ce qu'il demande il crie, puis il se fatigue de crier et finit par se réfugier dans le sommeil consolateur.

« C'est à cet âge que s'édifie la pierre de base de la personnalité », affirme un des plus éminents psychanalystes européens, le docteur anglais Chesser. « Si on n'arrive pas à faire comprendre dès les premiers jours à un enfant que ses désirs ne peuvent être satisfaits sur le champ, il deviendra un de ces individus qui prétendent être obéis aux premiers mots et que la moindre désillusion suffit à abattre ou à rendre furieux. »

Après ces *rêves de sensations,* le nouveau-né verra apparaître les lumières et les couleurs de la vie. Il sera comme un aveugle qui, brusquement, recouvre la vue. Comme l'aveugle, le bébé se sentira troublé. On dit que les premières semaines de vie sont l'unique moment où les rêves ne reflètent ni désirs ni angoisses.

Cette période ne dure pas longtemps car dès que le cerveau commence à coordonner les sensations qui lui parviennent des cinq sens, l'enfant se rend compte qu'il est entouré par un monde stable et cohérent. Les lumières et les couleurs disparaissent de ses rêves qui se peuplent de formes étranges et confuses qui lui rappellent un sein, un biberon, des mains, le visage, les vêtements de sa mère, les objets placés plus ou moins près de son berceau.

Beaucoup de malades ont révélé sous hypnose que dans les rêves de leur petite enfance apparaissaient des lueurs diffuses, des choses indéfinissables, des couleurs sur des fonds très éclairés : un peu ce qu'on voit lorsqu'on a fixé longuement un verre opaque violemment illuminé. Il est possible que toute cette lumière vienne compenser la peur des ténèbres. On a dit que cette peur naissait des souvenirs ataviques, de la terreur qui régnait dans les cavernes obscures, mais il est probable que la véritable explication soit beaucoup moins romanesque et que l'enfant se rende compte que lorsqu'il est dans le noir il est seul, loin de ses parents. Il est indéniable que les enfants détestent généralement être dans l'obscurité. Il faut surtout que leurs parents renoncent définitivement à la peupler de fantômes terrifiants, comme cela arrive encore trop souvent.

Dès l'instant que le cerveau du bébé commence à fonctionner, il comprend que le pôle de son monde c'est sa mère qui le nourrit, qui prend soin de lui, qui l'entoure de tendresse. Alors se forment ses premières associations mentales : *mère = satiété,* mère = chaleur, qui préludent à ses associations oniriques : *mère = satiété,* pouce sucé = illusion de *satiété,* c'est-à-dire que *mère =* pouce. Que mère = *chaleur,* que *couverture = chaleur,* donc que *couverture = mère.*

Les malades interrogés sur leurs premiers rêves (ceux qui sont capables de répondre) ont presque tous parlé d'associations liées aux objets qui tombaient sous leurs yeux de nourrisson. Ce sont des associations élémentaires, très simples, très claires, bien que quelques-unes pourraient, à la réflexion, ne pas être aussi claires qu'on le dit.

Beaucoup de lecteurs n'ont certainement pas oublié le personnage d'un des plus célèbres romans d'Hemingway, le pêcheur du *Vieil homme et la mer* qui rêvait de lions. Peu de gens savent qu'Hemingway avait rencontré un de ces lions dans ses propres rêves. Le grand romancier américain a en effet avoué à quelques amis (parmi eux deux psychanalystes) que lorsqu'il avait un problème difficile à résoudre il lui arrivait de voir un lion apparaître dans ses rêves. Ces amis pensèrent que ce lion était un souvenir de ses aventures dans la jungle mais les psychanalystes, connaissant la fonction compensatrice du rêve, cherchèrent une autre explication. Ils ne la trouvèrent pas et mirent, en attendant mieux, la présence du félin sur le compte des bouteilles de whisky. L'un des deux médecins finit un jour par obtenir la confiance de l'écrivain et comprit pourquoi un animal féroce surgissait dans les rêves de son patient dans ses périodes d'anxiété. Hemingway avait possédé dans son enfance un lion en peluche qu'il aimait particulièrement, et dans ses rêves d'adulte c'était un lion en chair et en os qui le replongeait dans l'atmosphère heureuse de ses premières années.

On pourrait citer d'autres exemples du même genre : un savant connu a dit que, dans les moments les plus difficiles de son existence, il rêvait toujours qu'il se trouvait dans une grande prairie bleue plongée dans une douce lumière verte et dominée par une blanche colline de flocons cotonneux dans lesquels il s'enfonçait avec volupté. La lumière verte c'était celle de la chambre où il était né, la prairie bleue le couvre-lit, et la colline, le sein de sa mère. Lorsqu'il était fatigué et soucieux, il revenait dans son sommeil s'anéantir dans cette magique atmosphère de paix.

C'est une vision qu'on pourrait qualifier de « régénératrice ». Il n'en est pas de même de la suivante qui a pourtant la même origine. Elle se présentait fréquemment à un acteur connu que nous appellerons, si vous voulez, Oscar V.

Un jour il déclara son amour à une de ses camarades et tout de suite après il se sentit, comme on dit, mal dans sa peau. La nuit suivante, il rêva qu'il rencontrait la jeune femme en question et que brusquement celle-ci, prenant le visage de sa mère, lui offrait un énorme bouton argenté sur lequel il se précipitait presque goulûment pour le couvrir de baisers.

En se réveillant après ces rêves, Oscar se sentait de moins en moins attiré par celle qu'il avait cru aimer. Et c'est pour cette raison qu'il se décida à aller parler avec un psychanalyste qui l'aida à se souvenir que des boutons d'argent ornaient la robe de chambre que sa mère portait lorsqu'elle était jeune. Les boutons d'argent étaient devenus, dans le subconscient d'Oscar V., les symboles de l'allaitement et chaque fois qu'il rencontrait une femme qui l'attirait, il la comparait à sa propre mère. Cette idée lui faisait si peur en évoquant le spectre de l'inceste, qu'il en était arrivé à trouver la pédérastie plus normale que l'hétérosexualité.

Mais revenons au bébé dans son berceau qui, lorsqu'il ne se sent pas à l'aise, qu'il souffre, qu'il a peur, ne peut faire autre chose que de pousser des hurlements parce qu'ils sont un moyen magique pour faire apparaître une fée — sa maman — qui va s'occuper de lui.

Les jours passant, le fait que nous avons signalé tout à l'heure devient de plus en plus patent. Lorsque la mère aura pris l'habitude d'accourir auprès du berceau dès la première manifestation de mauvaise humeur de son bébé celui-ci prendra aussi l'habitude de crier encore plus fort pour se faire plus sûrement entendre et la nuit il hurlera sans raison apparente, au milieu de son sommeil.

Pour les pédiatres attentifs, les cris poussés la nuit ne sont pas interprétés comme un signe d'équilibre. S'ils se répètent régulièrement, ils signifient peut-être que l'enfant a peur de quelque chose ou de quelqu'un (il est heureusement assez rare que les bébés vivent dans une ambiance terrifiante), ou bien qu'il est capricieux. Dans ce cas il faut souvent incriminer la sottise des parents prêts à faire n'importe quoi.

On a dit que Hitler était un hystérique et un lâche mais on a dit aussi qu'il hurlait souvent de peur en dormant. Nous ne serions pas étonné que cela fût vrai. Les gens qui se sont mal comportés étant enfants gardent leurs habitudes en grandissant, à moins qu'ils ne soient « redressés » grâce à ce qu'on appelle de « salutaires expériences ». On dit que l'école des *marines,* en Amérique, accomplit des miracles mais nous ne mettrions pas volontiers notre main au feu pour affirmer que des épreuves dans le genre de celles qu'on fait subir à ces jeunes hommes peuvent être efficaces également pour tous.

Rappelons que les rêves où le dormeur essaye de crier sans y parvenir sont fréquents. Ils reflètent une éducation mal conduite et « la maladie de la personnalité » qui en est la conséquence.

Ajoutons qu'il ne faut pas « toujours » faire la sourde oreille aux pleurs des petits enfants. Les extrêmes, dans un sens ou dans l'autre, sont toujours à éviter. Si les choses ne se déroulent pas normalement il vaut mieux consulter un spécialiste en psychologie enfantine qui ne peut que donner de bons et avisés conseils.

D'Œdipe à Buffalo Bill.

Les rêves deviennent plus complexes à partir du moment où le *Moi* * commence à se révéler. Le Moi est le centre de la personnalité, son noyau si l'on peut dire. Si vous voulez comprendre ce qu'est ce Moi, dites-vous que c'est la conscience d'accomplir des actes déterminés et ordonnés par sa propre volonté. Lorsqu'on demande à un enfant de faire quelque chose et qu'il répond *non,* c'est son Moi qui a ordonné ce refus.

C'est le Moi qui s'éveille chez l'enfant en instaurant de nouveaux rapports entre lui et son entourage parce qu'il sent qu'il ne dépend plus en tout et pour tout des adultes et qu'il peut leur opposer sa volonté. Une des premières manifestations de cette volonté est le sens de la propriété. *Ceci me plaît. Je le veux. C'est à moi...*

De là au célèbre complexe d'Œdipe (amour possessif et exclusif du fils pour sa mère) à celui d'Electre (amour possessif et exclusif de la fille pour son père), il n'y a qu'un pas à franchir. Beaucoup de parents refusent d'admettre ces concepts pour la seule raison qu'ils leur semblent monstrueux et contraires à l'idée que les enfants sont de petits anges envoyés par le Ciel. Il s'agit pourtant de manifestations naturelles et saines, parce qu'elles ne sont qu'un passage avant d'atteindre l'âge adulte et que si *la sexualité* y tient une part non négligeable ce mot n'a pas le sens que trop de gens lui prêtent.

Le fait que Freud ait défini comme le plus normal des enfants celui qui rêvait qu'il assassinait son père et qu'il épousait sa mère ne doit scandaliser personne. En regardant

---

* Ce qui, dans l'individu, adapte l'organisme à la réalité, contrôle les pulsions. (*N.d.T.*).

de plus près le contenu du rêve en question, on en arrive à dire :

1. Que pour ce petit garçon, n'ayant pas *a priori* une idée terrifiante de la mort, tuer n'était pas une chose horrible et signifiait tout simplement faire disparaître (comme il avait vu disparaître le dragon dans son livre d'images). Dire que les rêves de cet enfant sont ignobles parce qu'ils comportent l'assassinat de son père, c'est idiot. Comment ce garçon pourrait-il porter un jugement moral sur le parricide ? Quant à ceux qui prononcent les mots absurdes de *voix du sang,* il vaut mieux leur dire de les rejeter tout de suite dans le bric-à-brac de ce qu'on dénomme *la sagesse populaire et ses dictons.*

2. Qu'il pensait au mariage très innocemment, qu'il faisait de ce mot (toujours à cause de ses livres de contes de fées) un synonyme de conquête, de possession, d'habitation en commun. Ne lisait-il pas des histoires où de jeunes seigneurs tuaient des dragons pour sauver de belles princesses qu'ils épousaient pour vivre très longtemps heureux et avoir beaucoup d'enfants ?

On pourra peut-être reprocher à Freud — et à nous par la même occasion — d'avoir lu de manière arbitraire et gratuite dans la pensée du petit garçon mais nous pouvons immédiatement démontrer que non. Aucun individu adulte, sain d'esprit, élevé selon les systèmes courants dans les pays civilisés, même tenté par l'idée de l'inceste, même détestant profondément son père, ne se verra, en songe, se jeter sur sa mère ou poignarder l'auteur de ses jours. La censure onirique dresserait ses interdits et c'est tout autrement que ses désirs secrets se réaliseraient durant son sommeil.

Nous ajouterons que dans ce genre de rêves le dieu Morphée appelle souvent à son secours les processus « d'association », de « transfert » et de « pars pro toto ». Le rêve typique que Freud donne comme exemple des désirs incestueux d'un homme est celui où le dormeur se voit se promenant avec la sœur de son meilleur ami. Les jeunes filles rêvent qu'elles serrent dans leurs bras des troncs d'arbres (symbole à la fois du père et de la virilité), qu'elles tiennent dans leur main une arme avec laquelle elles vont se tuer, qu'elles vont prendre un bain (souvent elles voient leur propre baignoire ou un lac au bord duquel elles sont allées en compagnie de leur fiancé) en craignant que quelqu'un ne les épie. Les femmes peuvent avoir des rêves du même genre où surgissent des objets appartenant à leurs époux.

Il faut ajouter que l'imagination des femmes est beaucoup plus féconde que celle des hommes et qu'il ne faut pas se hâter de donner à leurs songes des explications dramatiques. De plus les rêves dont nous venons de parler — manifestations oniriques des complexes d'Œdipe et d'Electre — peuvent peupler les nuits de gens qui n'ont jamais eu la moindre envie de commettre l'inceste. Le désir existe, mais inconsciemment, et généralement (sauf de rares exceptions) il restera éternellement à ce stade. Ces rêves ne doivent retenir l'attention que s'ils se prolongent au-delà de l'adolescence parce qu'ils dénonceront alors une personnalité « pas finie », par certains côtés infantile, prête à subir toutes les influences.

Qu'un petit garçon proclame qu'il ne se mariera qu'avec une dame « comme maman » et qu'une petite fille dise qu'elle choisira un mari aussi beau et aussi intelligent « que papa », c'est normal et cela s'entend tous les jours. Mais si cet idéal se conserve tel quel tout au long des années, qu'il devient une sorte d'idée fixe, qu'il guide sur le choix d'un partenaire promu, en principe, pour toute la vie, ce n'est pas ce qu'il y a de mieux. Lorsqu'on cherche quelqu'un ressemblant exactement à une personne ayant vécu autrefois, on est soi-même une sorte de momie incapable de s'adapter au rythme de plus en plus accéléré du monde contemporain. On a été et on sera un succube du passé si on n'a pas la force de tourner le dos au modèle parfait qu'on s'est inventé ; les rapports entre deux époux ne sont en aucun cas les mêmes que ceux qui existent, ou ont existé, entre mère et fils et père et fille.

C'est vers la cinquième année que la domination des complexes d'Œdipe et d'Electre se termine, grâce au processus « d'identification ». C'est ce qu'affirme Chesser : « Il s'agit d'un recours de l'inconscient qui pousse l'enfant à jouer le rôle du père. La force d'imagination d'un gosse est telle qu'il arrive à faire que la fiction devienne réalité. En imitant les manières et la façon de parler de son père, il s'identifie complètement à lui. Ainsi le rapport négatif, basé sur la rivalité et la haine, est substitué en rapport positif, fondé sur l'identification. Le même processus existe chez la petite fille. »

Si le comportement des enfants peut souvent tromper les adultes (n'oubliez pas qu'ils ne sont pas conscients des grandes batailles qui se livrent au plus profond de leur Moi), leurs rêves reflètent très fidèlement ce qu'ils sont car ils sont réglés par un mécanisme encore très facile à comprendre. Chez eux dominent les processus de dédoublement et de condensation qui collaborent parfois pour inventer des scénarios très curieux qu'on oublie très vite mais qu'un mot suffit à remettre en mémoire.

Lisette rêve qu'elle dresse le couvert. Elle sait qu'un personnage important doit arriver d'un moment à l'autre et elle a peur d'être en retard. Tout d'un coup les pieds de la table s'allongent. Elle devient gigantesque. Les assiettes disparaissent. Puis tout redevient normal et c'est une belle dame qui continue à mettre le couvert. Mais cette dame est-ce Lisette ? Lisette ne sait pas. Elle la connaît bien, mais elle ne peut pas dire qui elle est.

Le petit Philippe rêve qu'il est poursuivi par des voleurs. Il a peur. Il se sauve. Il se réfugie dans un coin où se trouve un monsieur. Ce monsieur tient une carabine et tire sur les voleurs. Philippe le connaît, c'est Buffalo Bill. Mais un Buffalo Bill qui ressemble à papa. Philippe voudrait dire à Buffalo Bill qu'il est content de l'avoir rencontré, il voudrait aussi... mais non, il ne veut rien, puisque c'est lui, Philippe, qui est Buffalo Bill.

Lisette s'est identifiée à la belle dame qu'elle voudrait être et qui a la grâce et les gestes de sa mère et Philippe, de son côté, s'est identifié à Buffalo Bill brave et beau comme son père.

Ce genre de rêves est fréquent et se répète parfois toutes les nuits en y faisant entrer des épisodes de la veille. A cette série appartiennent aussi les rêves dits érotiques qui effrayent beaucoup les parents qui tremblent d'apprendre que leurs enfants sont des anormaux.

« J'ai rêvé que maman et moi avions un bébé » dit Philippe. « J'étais avec papa et ma poupée et ma poupée était notre petite fille », raconte Lisette. On pourrait supposer que ces rêves sont les manifestations des complexes d'Œdipe et d'Electre mais ce serait faux. Philippe et Lisette ne savent pas ce que veut dire « le fruit de l'amour » (Nous nous aimons et de notre amour naîtra un enfant). Dans leurs rêves il ne faut voir qu'une chose : le petit garçon s'est identifié à son père et la petite fille à sa mère.

Nue sur des rochers, elle hurlait de peur.

La façon de se conduire des parents peut avoir une grande influence sur le déroulement du « processus d'identification ». Le plus important facteur de déséquilibre chez un enfant est la mésentente de la famille ; elle lui procurera d'horribles visions nocturnes. A moins que la mère se désintéresse ouvertement de ses enfants, c'est le plus souvent le père qui suscite la crainte ou la haine et c'est assez logique étant donné ce qu'on sait de la violence des réactions masculines.

De ces déplorables situations familiales naissent des rêves qui retardent ou troublent la marche vers la maturité des enfants, ou, si vous voulez, la formation de leur personnalité. Les associations oniriques de ces pauvres petits sont imprévisibles parce que personne ne peut dire à l'avance quels faits, quels gestes, quels mots les frapperont particulièrement.

Berger cite en exemple une fille de dix-huit ans qui rêva, dans la nuit qui suivit sa rencontre avec un homme qui visiblement cherchait à se rendre sympathique, qu'elle était assise sur un rocher dont le contact lui était si désagréable qu'elle se réveilla en hurlant de terreur. Une autre nuit, elle était enterrée dans une carrière de pierre, une autre fois elle était étendue, nue, sur un rocher, une autre fois quelqu'un l'obligeait (mais elle ne savait pas qui) à caresser des pierres polies ce qui la dégoûtait beaucoup, une autre fois, enfin, elle se voyait enfoncée dans un bizarre fauteuil de marbre lisse.

Il fallut un certain temps au psychanalyste pour venir à bout de cette énigme. Des hypothèses logiques (chute douloureuse due à la méchanceté d'un compagnon de jeux, rencontre dans un endroit entouré de rochers avec un misérable exhibitionniste), aux plus insolites, le médecin passa tout en revue sans résultat, jusqu'au jour où il arriva à trouver l'origine de ces étranges visions. Il s'agissait d'une phrase lancée par la mère au moment d'une dispute avec son mari : « Tu es un monstre au cœur de pierre ! » La fille s'était immédiatement identifiée à sa mère et le père, qu'elle avait aimé jusqu'à ce jour, était devenu un monstre taillé dans le roc. Dans son inconscient, elle s'était mise à voir tous les hommes, qui, comme son père, cherchaient à lui plaire, changés en rochers.

Le cas de cette jeune fille n'est pas une rareté. « Les associations » qui sont créées par des circonstances du même genre ont des racines très profondes et peuvent empoisonner des existences entières. Attention donc aux rêves qui se reproduisent souvent et qui sont apparemment inexplicables. On pense généralement qu'ils dénoncent une dépression nerveuse. Il y a certainement là quelque chose de vrai et il ne faut pas oublier que les médicaments ne suffisent pas à guérir le moral et à chasser les fantasmes. Les pilules peuvent momentanément les obliger à battre en retraite mais il est à craindre qu'elles soient impuissantes lorsqu'ils sautent sur la première occasion venue pour venir hanter les jours et les nuits de leurs victimes.

Les rêves d'angoisses (les cauchemars) engendrés par les discussions entre les parents sont plus fréquents chez les filles que chez les garçons, bien que chez les uns comme chez les autres les blessures causées par une détestable atmosphère familiale sont longues à guérir. Les rêves qu'elles suscitent dans la prime jeunesse se compliquent de « processus de condensation, de superposition et de mimétisme ».

Voici trois exemples classiques cités par Freud et par Ellis, ayant eu pour protagonistes des jeunes gens dont l'enfance a été troublée.

Jusqu'à dix ans, H. rêvait souvent qu'il était suivi par un homme barbu qui avait l'intention de l'étrangler (dans la réalité ce barbu était un clochard dont H. et ses camarades se moquaient lorsqu'ils le rencontraient). A dix-huit ans, H. recommence ce même rêve qui se répète plusieurs nuits. Mais cette fois le barbu n'est plus le clochard d'autrefois, mais soit un policier avec lequel il a eu maille à partir, soit son père.

Dans son enfance, L. rêvait qu'il jouait sur la plage avec un gentil petit camarade. Ensemble, ils construisaient un château de sable. Brusquement. L. ne voyant plus que les pieds de son ami qui démolissaient leur construction, levait la tête et découvrait son père à la place de son petit camarade. De dix-sept à vingt et un ans, L. rêve qu'il se promène avec une jolie jeune fille. Un ami s'approche d'eux et L. est très fier et très heureux de le présenter à la jeune fille. Brusquement à la place de son ami se dresse son père en colère.

B. a vingt ans mais il n'a encore connu aucune femme, bien qu'il le désire secrètement. Lorsqu'il était enfant, il rêvait souvent qu'il chipait le livre d'anatomie de son père. Aujourd'hui il rêve qu'il est dans une grande bibliothèque où il pourrait satisfaire sa curiosité. Trois fois il prend un livre, l'ouvre, mais toutes les pages sont tachées, arrachées, illisibles. Une quatrième fois, il aperçoit un livre en bon état, il tend la main pour le saisir mais il arrête son geste car il a l'impression que derrière le livre se cache un être maléfique. Il ne sait pas ce que c'est, mais *il sent la présence de son père*.

Comme ces rêves nous l'apprennent, les dommages causés sur les caractères de ces jeunes gens par les mauvais rapports familiaux sont considérables. Les trois garçons sont indubitablement atteints de complexes d'infériorité.

5

H. est menacé par la manie de la persécution : sa terreur panique des hommes barbus le prouve. L. est très timide et il bégaie. B. a commencé à avoir des relations homosexuelles, il en a honte et se méfie de tout le monde.

Une trop grande sévérité de la part d'un père peut aussi donner lieu à des rêves et à des manifestations analogues aux précédentes. Lorsque les enfants sont soumis à de fréquentes punitions corporelles, leurs rêves peuvent prendre des caractères hallucinatoires qui reflètent les désordres auxquels leur psyché est fatalement condamnée.

II

L'ENFER ATTEND LES FILS DE L'ANGOISSE

Sidney Jones est ce qu'on appelle « un homme arrivé ». Parti de rien, il a fait lui-même sa situation. Il avait toujours été sûr qu'il s'assiérait un jour ou l'autre derrière un bureau de P.D.G. et qu'en fumant un gros cigare il écouterait béatement le ronflement ouaté des machines de son usine. Il en est là aujourd'hui. D'un appareil construit on pourrait presque dire de bric et de broc et qu'il n'avait jamais osé mettre en marche était né le *téléviseur* capable de capter (selon un procédé qu'Einstein seul aurait pu expliquer) les plus lointaines émissions.

Naturellement, il avait été très difficile à Sidney Jones de se faire connaître et il avait affronté les pires difficultés avant de remporter sa victoire qui renversait tout ce qu'on savait dans le monde des communications. Et pourtant, aujourd'hui, il n'est pas parfaitement heureux. Il pense à ses angoisses, aux humiliations qu'il a subies et ces souvenirs le remplissent d'une amertume que la constatation de son extraordinaire réussite n'arrive pas à dissiper. Il évoque avec nostalgie son enfance. Il n'a pas vécu ces années dans l'opulence, même pas dans le bien-être, mais pourtant elles sont pour lui comme un paradis perdu. Il revoit une jolie petite maison de paysans, la colline fleurie où il courait, la prairie qui s'étendait jusqu'au bord du lac dont les eaux étaient du plus beau bleu du monde.

Enfin, un jour, il ne peut plus résister. Il sort de son coffre-fort son mystérieux appareil, le met dans une valise et décide de retourner au pays de son enfance. Hélas il n'y retrouve plus rien de ce qu'il a connu. Une zone industrielle s'est édifiée là où la campagne s'étendait autrefois. Aucune importance. Sidney Jones va accomplir la plus sensationnelle expérience que le cerveau de l'homme puisse imaginer : un voyage en arrière dans le temps.

Il installe son appareil à côté de sa camionnette, règle d'un doigt tremblant les boutons et soulève une manette rouge. Il ressent un léger vertige et il voit l'univers de ciment armé qui s'étend devant lui se brouiller de plus en plus. Le soleil disparaît dans un voile de brume. Le paysage a rajeuni de cinquante ans. Sidney se lève et se dirige en pleurant de joie vers le sentier qu'il croyait connaître dans ses moindres détails... mais, qu'est-ce que ces trous, ces cailloux, ces tas d'immondices ? Est-ce que c'était comme ça à l'époque ? Oui, c'était comme ça. Sans le savoir il a dû embellir la réalité. Tant pis, puisque là-bas, après le tournant, derrière ce groupe d'arbustes, il va retrouver le paysage qu'il aimait tant et qui était si merveilleux.

Merveilleux, vraiment ? L'homme s'arrête d'abord incrédule, puis obligé de croire ce qu'il voit : la petite maison si jolie n'est qu'une espèce de bicoque en ruine, la colline fleurie un tas de détritus envahi par les orties, le lac enchanteur un marais malodorant, la prairie un champ de mauvaises herbes. Et au milieu de ces mauvaises herbes joue mélancoliquement avec deux bouts de bois un petit enfant qu'on a oublié depuis longtemps de débarbouiller.

Ce petit enfant c'est Sidney Jones à l'âge de cinq ans. Sidney Jones, l'inventeur, se trouve en face de lui-même mais les deux personnages dédoublés ne peuvent pas communiquer entre eux parce qu'ils existent sur des plans temporels différents. Pourtant Sidney adulte peut lire dans l'âme de Sidney enfant. Voit-il la fraîcheur et la joie dont elle devrait être pleine ? Non. Le Moi du petit n'est qu'un triste amas de peines, d'angoisses, d'humiliations.

Sidney Jones, atrocement déçu, reprend son appareil et brusquement le règle sur le futur, un futur si lointain que la Terre a cessé d'exister. Alors il décide de se suicider. Mais ce ne sera qu'une tentative manquée.

Le message des « ressuscités ».

Si Sidney Jones n'avait pas été aussi ignorant en matière de psychanalyse, il se serait épargné cet inutile et décevant voyage dans le temps. Il aurait su que l'idée d'avoir vécu une jeunesse heureuse et sans souci n'est en somme que ce qu'on nomme une « douce » illusion. Freud le disait et ses disciples et continuateurs l'ont encore affirmé. Des psychologues américains se sont penchés sur le problème et ils ont prouvé que sur 1 000 personnes il n'y en a pas plus de 180 qui se souviennent de leur enfance telle qu'elle fut en réalité. Les autres « embellissent » le passé à la manière de Sidney Jones.

Le docteur Eustache Chesser dit : « Nous nous souvenons généralement de notre enfance comme d'une époque idyllique et innocente, sans aucun souci. Nous ne voyons volontairement que la lumière et nous oublions les ombres. Les années qui précèdent immédiatement l'entrée à l'école sont loin d'être agréables ; elles représentent au contraire une période de grande tension. N'oublions pas que l'enfant est beaucoup plus vulnérable que l'adulte et qu'il est victime de craintes dont il ne peut se libérer puisqu'il n'a pas encore la possibilité de raisonner. » Chesser ajoute que ces angoisses et ces craintes préparent le terrain à celles dont l'homme souffrira plus tard. Si Sidney Jones n'avait pas été blessé et humilié dans son enfance, il aurait été très différent dans la vie. Il se passe sur le plan psychique le même phénomène que sur le plan physique. Un organisme, touché durant la période la plus délicate de la vie, restera toujours plus facilement vulnérable.

Le grand savant britannique a affirmé que les déséquilibres psychiques constatés chez les enfants, entre leur quatrième et sixième année, sont généralement dus aux causes suivantes :

— Carence d'affection des parents envers leur fils ou fille.

— Mauvaise prise de position des parents devant les premières manifestations de la sexualité de leur fils ou de leur fille.

— Application de systèmes de réformes ou de punitions non appropriées.

Ce sont les rêves qui informent les psychanalystes sur la puissance des divers facteurs entrant dans la formation de la personnalité des enfants. Ces experts spécialisés affirment qu'il faudrait accorder une particulière attention aux rêves du premier âge, d'abord à cause de leur importance et ensuite parce qu'ils sont encore relativement faciles à interpréter. Ceux qui viendront plus tard sont beaucoup plus compliqués car ils seront influencés à la fois par une quantité de sensations et d'émotions conséquentes à l'entrée dans un monde nouveau (celui de l'école, par exemple) et par la mise en branle de la censure onirique qui va commencer à dresser, presque brutalement, ses barrières de défense.

Chacun de nous a connu un bébé qui ne supporte pas d'être laissé seul, même un instant, qui suit d'un regard anxieux les va-et-vient de sa mère qu'il craint de voir sortir de la maison, qui hurle lorsqu'il sent que ses parents ne sont pas là en rendant inutiles les soins de la personne à laquelle ils l'auront confié.

Comment les parents jugent-ils ce genre de bébé ? Les uns disent qu'il est ridiculement attaché à eux, les autres qu'il a mauvais caractère et qu'il est capricieux. Aucune de ces réponses n'est acceptable. L'enfant crie parce qu'il a peur et si ses père et mère ne lui manifestent pas la tendresse dont il a besoin, il commencera à craindre d'être abandonné. Cette crainte se manifeste avec évidence dans ses rêves.

Il se sent isolé et, par conséquent, à la merci de tout ce qui l'épouvante. Ses rêves deviennent encore plus affreux si l'entourage le menace stupidement comme cela arrive trop souvent. « Si tu pleures, j'appellerai les gendarmes qui t'emmèneront en prison... Si tu n'es pas sage tu iras en enfer... Si tu cries l'homme noir viendra te prendre... etc. »

Les rêves du petit se peuplent alors de gendarmes, de diables, d'hommes noirs, d'ogres, de loups, de chiens méchants, de mendiants sales et en haillons. Dans ces cas-là, « les processus d'association et de déformation » se déroulent et se développent sur des thèmes variés et terrifiants.

Il existe des rêves enfantins en relation avec des événements où la présence des parents a été déterminante. Le docteur Baumgartner cite en exemple le cas de Paul D. âgé de six ans, se réveillant en hurlant au milieu de la nuit pour dire qu'il était en train de se noyer. Ce petit garçon ne connaît pas la mer, n'a jamais vu de lacs ni de fleuves et jamais il n'a couru de danger ayant un rapport avec l'eau. Ses parents cherchent dans leurs souvenirs tout ce qui pourrait aider le psychanalyste à expliquer ce cauchemar. A la fin le père se rappelle une promenade à la campagne qui avait eu lieu deux ans auparavant, lorsque sa femme et lui n'étaient pas encore totalement pris par l'affaire qu'ils dirigent actuellement ensemble. Le sentier que la famille connaissait bien se trouvait par hasard ce jour-là coupé par un ruisseau qui avait débordé. Pour éviter à Paul de mouiller ses chaussures, on l'avait pris par les poignets et tenu en l'air un moment puis le père avait dit à Paul en riant qu'il ressemblait à « Moïse sauvé des eaux ».

Le psychanalyste avait trouvé la clef de l'énigme : Paul « savait » que ses parents s'éloignaient de plus en plus de lui, trop occupés par leurs devoirs professionnels, et dans son rêve il avait senti que leurs mains ne le soutenaient plus et qu'il se noyait, dans une mer d'amertume que seul son subconscient avait pu lui permettre d'imaginer.

L'interprétation des rêves des petits enfants est souvent rendue très difficile à cause du jeune âge des dormeurs ainsi que par l'incapacité des parents d'indiquer des points de référence. De toute façon, les rêves où règnent l'angoisse de la solitude et la peur tirent un signal d'alarme qui ne doit en aucun cas être négligé, même si les parents sont convaincus qu'ils donnent à leur enfant le nécessaire et plus que le nécessaire. De nos jours, on confond volontiers les jouets très chers avec la tendresse.

Les rêves qui sont provoqués par le manque d'affection sont toujours angoissés parce que le subconscient de l'enfant ne sait pas encore trouver de compensation à la perte du bien le plus précieux au monde. Il pourra cependant parvenir « à compenser » dans ses rêves s'il a réussi à le faire dans la réalité, mais alors ses visions oniriques seront d'un genre dont malheureusement peu de parents peuvent comprendre la signification.

Généralement alors dominera la superstition à laquelle sacrifient trop de gens d'un niveau intellectuel assez élevé. Freud en donnait comme exemple le cas d'une femme intelligente et cultivée venue le consulter au sujet d'un garçon de cinq ans qui était brusquement devenu apathique, désagréable et méfiant, à laquelle il conseilla de suivre d'aussi près que possible les rêves de son fils. La dame en question prit, paraît-il, ce conseil tellement à cœur qu'elle se plongea immédiatement dans des ouvrages de psychanalyse pour être capable de répondre aux questions qu'on lui poserait.

Cette démonstration de zèle ne combla peut-être pas Freud de joie (les malades qui prétendent posséder toutes sortes de notions sur les symptômes des maladies n'enthousiasment jamais leur médecin), mais il fut obligé d'admettre, lorsque la mère revint le voir, qu'elle exposait le contenu des rêves de son fils avec une grande lucidité.

Ce ne fut qu'à la fin, quand il lui demanda si elle était sûre de n'avoir rien oublié, qu'il perçut une hésitation. « Non, non, répondit-elle, non rien d'important, professeur. Je ne vous ai pas dit qu'il avait vu deux fois apparaître sa grand-mère morte il y a peu de temps, mais cela c'était normal car la pauvre femme l'aimait tant qu'il n'était pas étonnant qu'elle vienne le visiter pendant son sommeil. »

Malgré son intelligence et sa culture, cette femme, on le voit, n'avait pu se libérer de la commune croyance que les morts viennent visiter durant leur sommeil ceux qu'ils ont aimés. Si elle avait complété ses lectures de Freud, elle aurait su que son petit garçon voyait sa grand-mère en rêve parce qu'il cherchait auprès d'elle une compensation à l'insuffisance d'affection que ses parents lui démontraient.

Ce genre de rêves est très fréquent et si des enfants vous les racontent n'oubliez pas de les interroger pour tenter de

136

savoir ce qui certainement leur manque dans leurs rapports familiaux.

Dangers des jeux interdits.

Lorsque Laurette avait quatorze ans, il y avait dans la maison qu'elle habitait un certain placard mystérieux qui la fascinait. Alors un jour elle s'était décidée à demander : « Papa, qu'est-ce qu'il y a dans cette armoire ? — Rien d'intéressant, et surtout ne cherche pas à l'ouvrir. Tu t'en repentirais », avait répondu sèchement son père. Mais la curiosité de la petite fille ne s'était pas apaisée et un jour elle profita d'un moment où la porte interdite avait été ouverte par son père lui-même, qui y était venu chercher un papier puis qui s'était absenté de la pièce, pour jeter un coup d'œil à l'intérieur. Les rayonnages étaient pleins de boîtes, de dossiers, de livres et sur la couverture de l'un de ceux-ci une photographie représentant un homme et une femme nus et enlacés.

Laurette n'avait jamais entendu parler du sculpteur Rodin ni de son célèbre groupe qu'on appelle « Le baiser », mais elle comprit tout de suite que cette armoire devait contenir des livres qui lui dévoileraient des secrets qu'elle mourait d'envie de connaître.

Trois ans plus tard, son père fut nommé pour accomplir une mission dans un pays lointain et décida d'envoyer sa femme et sa fille dans une ville où se trouvaient des lycées ou des facultés afin que Laurette pût continuer ses études.

C'est à cette époque qu'elle eut un rêve bizarre : elle est couchée dans un lit qui est placé à côté du mystérieux placard. La clef est dans la serrure. Elle se lève, tourne la clef et se trouve en face d'un véritable mur formé de livres. Elle en prend un, puis deux, puis trois. Elle les feuillette, anxieuse, partagée entre la peur et la curiosité. Mais à présent il y a un vide au milieu du mur. Elle regarde au travers et voit une ville et des rues où marchent des couples enlacés.

Elle a envie de rejoindre ces gens mais subitement elle découvre avec horreur que les doigts de leurs mains sont coupés.

Quelques années après, Laurette a raconté ce rêve à A. Lang qui donnait des cours de psychologie à l'université où elle faisait ses études. Lang écouta ce récit avec beaucoup d'intérêt et le classa parmi ses dossiers concernant l'enfance et l'adolescence en disant que le rêve de Laurette était, en somme, banal mais qu'il prouvait que les parents devraient s'occuper davantage de ce qui se passe durant le sommeil de leur progéniture.

Vers l'âge de quatre ans, Laurette découvre sur elle-même ce que sa vieille bonne femme de tante appelle « des parties honteuses ». On la menace alors de « lui couper les doigts » si on la surprend encore à s'y intéresser. La petite oublie sans doute la menace idiote que son subconscient a enregistrée.

Très longtemps après, Laurette jeune fille pense beaucoup à l'amour dont, physiquement, elle ignore tout. Et c'est en songe que la porte du placard interdit s'ouvre. La ville inconnue, les couples d'amoureux, c'est la matérialisation de ce dont elle a besoin. Malheureusement elle n'est pas encore libérée de la peur des horribles châtiments qui lui avaient été promis dans sa petite enfance.

Il n'est pas rare d'apprendre que beaucoup de femmes sont torturées par de semblables souvenirs qui, sans qu'elles sachent pourquoi, les rendent méfiantes, craintives, exagérément pudiques et très souvent frigides avec leur mari.

Les parents qui surprennent leur petit garçon ou leur petite fille en train de « découvrir » leur sexe ne savent pas que la chose n'a aucune importance, puisqu'ils s'écrient presque toujours : « Il faut tout de suite le, ou la, corriger, sinon il, ou elle prendra " de mauvaises habitudes ". »

Cette opinion ne repose sur rien car à l'âge dont nous parlons les glandes sexuelles ne fonctionnent à peu près pas. Dans 98 pour cent des cas, il n'existe aucune relation entre « les découvertes » et la masturbation proprement dite. Dans les deux pour cent restants, il s'agit sans doute d'enfants atteints d'anomalies hormonales.

Qu'arrivera-t-il si on décide de « corriger » l'enfant ? Tout simplement que du fait de l'interdiction il se posera des questions, il continuera son « exploration » en cachette et qu'il découvrira beaucoup trop tôt le plaisir de la masturbation. Il apprendra aussi à mentir, ce qui est beaucoup plus grave. Devant ses parents il prendra un air d'innocence tandis que le remords s'intallera pour longtemps au fond de lui.

Il ne faut jamais oublier que plus on dit à un jeune enfant : « On ne doit pas faire ceci ou cela » ou bien « Ce sont les enfants méchants qui agissent ainsi », plus il aura envie de continuer à faire ce qu'on lui défend. Qui peut prétendre qu'un gosse ait un sens moral assez développé pour comprendre la signification de « On ne doit pas faire cette chose-là ? » Il va chercher lui-même à expliquer la phrase qu'on lui répète chaque fois qu'on le surprend en train de manipuler une certaine partie de son petit corps et il arrivera à la conclusion suivante : papa et maman défendent de faire quelque chose qui est agréable ; ils disent que ce sont les enfants méchants qui la font, moi, je ne suis pas méchant, donc papa et maman mentent. »

Les enfants auxquels se posent ces problèmes font « des rêves de transfert » qui peuvent paraître bizarres si l'on n'en connaît pas l'origine.

Carletto rêve qu'il est seul dans une grange et qu'il est très heureux de jouer dans le foin. En réalité ce n'est pas le jeu qui le rend heureux ; mais le fait d'être seul et de pouvoir toucher ce qui lui plaît en étant sûr de n'être pas surpris. Il sait que ses parents lui ont défendu de faire certaines choses, aussi dans son sommeil « il a transféré » son plaisir.

Louisette rêve qu'elle caresse un coussin très doux ou qu'elle enfile la main entre le siège et le dossier d'un fauteuil. Inutile, n'est-ce pas, d'expliquer longuement la signification de « ce transfert ».

Il est intéressant de noter que lorsqu'il s'agit de sujets particulièrement sensibles, les rêves peuvent influencer la réalité. Nous savons, par exemple, que Carletto est encore troublé, bien qu'il ait atteint l'âge adulte, par la vue d'une grange à foin et qu'il se demande toujours pourquoi.

Les menaces de punitions ont peut-être l'avantage de distraire quelque temps l'enfant de ses jeux interdits mais les conséquences de cet arrêt sont souvent dangereuses pour l'équilibre de son système nerveux et toujours très sérieuses pour celui de sa personnalité.

Lorsque l'impression laissée par ces menaces ridicules est très profonde, on dit qu'elle se retrouve encore dans les rêves des adultes. Parmi les plus idiotes de ces phrases qu'on jette inconsidérément sur les enfants des deux sexes, c'est celle où il est question « de couper les doigts » des coupables et il en résulte des rêves enfantins qui pourraient faire concurrence « aux films d'horreur ». Les pauvres petits voient leurs mains se transformer en doigts de squelette ou se piquer à un fuseau qui fait se dessécher leur chair qui tombe en poussière.

Des psychoses naissent aussi de ce genre de rêves. Elles peuvent accompagner un homme tout au long de sa vie en lui faisant éprouver une répulsion inexplicable pour tous les objets en os, pour la poussière, pour la sciure. Elles peuvent aller jusqu'à le rendre impuissant.

Berger cite le cas de Hugo G., un homme de vingt-cinq ans persécuté par un rêve qui lui rend la vie impossible. Chaque fois qu'il rencontre une jeune fille qui lui plaît, il rêve la nuit suivante qu'au moment où il va l'accoster pour lui déclarer son amour, il se transforme en statue. Il a fini par ne plus pouvoir parler à une jeune fille dans la réalité. Il suffit qu'il pense à déclarer son amour pour se mettre à transpirer, pour n'être plus capable de faire un pas ni d'ouvrir la bouche pour prononcer un mot.

Après plusieurs séances et après avoir passé au peigne fin les souvenirs de Hugo G., son psychanalyste est arrivé à trouver où se nichait le problème. Vers l'âge de quatre ou cinq ans sa mère l'ayant surpris en train de tâter avec insistance une petite partie de son individu lui avait dit que s'il continuait « ses doigts se dessécheraient ». Il croyait avoir oublié les paroles maternelles. Mais voilà qu'à seize ans il se sent attiré par une fille de son âge et qu'immédiatement les menaces lui reviennent à l'esprit et qu'il se met à trembler de peur. Il oublie de nouveau. Ou plutôt il croit avoir oublié. Son subconscient a tout enregistré (sur un disque) et chaque fois qu'il tombe amoureux d'une femme le disque se remet en mouvement, de la même façon que si le disque en question avait enregistré ces concerts d'ultrasons qui sont faits pour étudier les phénomènes de paralysie sur les souris.

L'exemple d'Hugo G. rapporté par Berger est, bien entendu, un cas extrême mais il ne faudrait pas croire qu'il soit rare : tous les rêves où le dormeur se sent « devenir une statue ou un rocher », ceux où l'on n'arrive pas à saisir un objet proche, ceux où l'on a les mains liées ou paralysées, tirent fréquemment leur origine de menaces ou de punitions subies dans l'enfance.

Par désespoir on peut changer de sexe.

Certains parents n'hésitent pas à menacer leurs petits garçons de leur couper les organes génitaux, ce qui inévitablement donne naissance « au complexe de castration ». Les enfants trop jeunes pour comprendre le sens de cette menace n'en sont pas moins inconsciemment angoissés.

Ils se mettent alors à faire des rêves de dents arrachées, d'hémorragies (les enfants, comme les adultes, sont très impressionnés par les dentistes et ce qui les entoure). Ils entendent trop souvent raconter en détail des opérations chirurgicales, peu appétissantes (c'est le moins qu'on puisse en dire) et c'est pourquoi leurs nuits se peuplent de scènes de mutilations sanguinolentes.

Ces sortes de cauchemars peuvent hanter toute sa vie durant un individu qui a eu le malheur d'avoir été perturbé dès son enfance. Il n'est pas indispensable qu'intervienne un fait sentimental ou sexuel, non, il suffit qu'existe la crainte inconsciente d'avoir commis un acte répréhensible pour que dans les rêves se dresse l'épouvantail qui finalement a été pour lui le pire des châtiments.

La menace suspendue peut avoir des effets encore plus néfastes lorsque le petit garçon (ignorant en fait d'anatomie) prend connaissance, à l'insu de ses parents, de la conformation des filles.

Voici ce que dit Chesser à ce propos : « Que pense un petit garçon lorsqu'il voit pour la première fois sa petite sœur nue dans la baignoire ? Il remarque certainement tout de suite qu'il lui manque l'appendice qu'il croyait que tout le monde possédait aussi bien qu'un nez, que des doigts... Il va apprendre ce jour-là la différence qu'il y a entre un *garçon* et une *fille*. Pour lui une fille sera un garçon en négatif. Après avoir constaté qu'il manque à la fille quelque chose qu'il possède lui-même, le petit mâle s'installera dans sa supériorité. Généralement il pense que la fille a été mutilée et il a peur que la même chose ne puisse lui arriver un jour en l'obligeant à devenir pareil à sa sœur. »

Ceci n'a aucun rapport avec la masturbation, mais plutôt avec la stupide prise de position des grandes personnes vis-à-vis du sexe faible. Des lieux communs comme « Tu n'as pas honte de te comporter comme une femme... », font le reste, avec toutes les conséquences qu'ils ont sur le caractère d'un enfant qui, plus tard, sera maladivement timide ou inquiet, ou sur sa mentalité, si on lui a inculqué « le dogme » de la supériorité des hommes sur les femmes.

Entre ces deux pôles, timidité et supériorité, éclate en quelque sorte un des plus douloureux conflits de certains hommes. Persuadés que leur sexe leur confère la toute-puissance, ils tombent dans la plus sombre neurasthénie lorsqu'ils s'aperçoivent qu'il n'en est rien. Il s'ensuit que les rêves qui troublaient leurs nuits d'enfant reviennent les hanter. Des rêves où l'homme se voyait marchant dans la rue tout nu ou vêtu d'une robe de femme beaucoup trop courte.

Cet homme se voit en rêve dans cette situation parce qu'il craint, inconsciemment, que les gens ne s'aperçoivent de ses goûts particuliers et de ses tendances à se comporter « comme une femme ». Généralement les passants qui se promènent dans ses rêves n'ont pas l'air de remarquer son accoutrement et ceci s'explique par l'envie qu'il a — en réalité — de ne pas laisser deviner ses amitiés particulières. Habituellement dans les rêves de ce genre, la préoccupation du dormeur est d'être regardé de dos. Il ne pense pas du tout à son bas-ventre. Ce détail est symptomatique : supprimant les détails anatomiques, le héros du scénario se prémunit inconsciemment contre ce qui constituerait pour lui le comble de la honte : la constatation que le changement de sexe est devenu une réalité.

Cette tendance absurde à dévaluer la femme touche beaucoup les petites filles, surtout celles qui ont la malchance d'appartenir à une famille où les garçons sont considérés comme des génies, des dieux auxquels tout est permis.

Les psychologues de l'ancienne école jettent de l'huile sur le feu en affirmant que la petite fille ressent *malgré tout* un certain orgueil en pensant qu'elle est appelée à tenir le plus grand rôle dans la continuation de l'espèce. A notre avis, cette affirmation ne préserve en aucune façon les petites filles de traumatismes et de complexes.

On en a la preuve en les écoutant raconter leurs rêves où les maris prennent souvent l'aspect de géants ou de personnages terrifiants. Entre cinq et sept ans, apparaît un individu qui tient l'enfant en son pouvoir et qui ressemble soit à son père soit à son frère. Souvent ces personnages évoluent sur un fond de prison, de lieux sinistres, dont on ne peut sortir et, malheureusement, il faut bien avouer que ces tristes décors ont beaucoup de rapports avec le foyer familial.

La petite fille se voit souvent dans ses rêves blessée, isolée, affamée. (On constate alors que dans la réalité elle a un appétit anormal qui, inconsciemment, « compense » ses déceptions et ses regrets de ne pas être un garçon.) Si elle n'a jamais vu de petit garçon nu, elle rêvera qu'elle se promène sans vêtements et qu'elle en a honte. Ce genre de rêve pourra prendre la forme d'un cauchemar à l'époque de la puberté.

Si la petite fille a très envie d'être un garçon, elle peut rêver qu'elle l'est devenue. L'évolution de ce genre de rêve est caractéristique. Lorsque l'enfant commencera à penser au sexe opposé comme à quelque chose d'obscène, l'image deviendra moins nette et les faits se dérouleront en suivant « le processus du dédoublement ».

Anna rêve qu'elle parle avec un jeune homme qui lui inspire à la fois de la sympathie et de la crainte. Elle croit le connaître, mais en réalité elle ne l'a jamais vu. Le psychanalyste explique qu'Anna aimerait changer de sexe et « qu'elle s'est créé un frère jumeau » qui logiquement lui est sympathique (puisque c'est elle), mais qui éveille en elle de la crainte (puisque c'est un homme).

« Lorsqu'en rêve on a honte de sa propre nudité ou qu'on en a peur, c'est un signe de désordres psychiques graves et difficiles à soigner » dit Henry Havelock Ellis. Qu'on ait honte de sa propre nudité parce qu'on est ridiculement prude, ou obsédé par l'idée de pudeur, cela n'est pas impossible, mais comment peut-on avoir vraiment peur de son propre corps ? Les gens qui, dans leur enfance, ont subi des corrections corporelles répondent qu'ils trouvent que c'est tout naturel. Pour ces malheureux (obligés à se dévêtir pour recevoir le châtiment décrété par les parents ou par les maîtres) la nudité est synonyme d'humiliation, de honte et de souffrance.

Cet état d'âme se reflète dans les rêves des enfants et persiste dans ceux des adultes. Un psychothérapeute allemand en signale quelques cas :

Helga, 18 ans : « Je cours le long d'un sentier de montagne poursuivie par d'affreux serpents... Ma robe s'accroche à un rocher et je ne peux plus bouger... Je cherche à me libérer, mais ma jupe se déchire du haut en bas et les serpents me rattrapent... »

Arnold, 24 ans : « Je me trouve dans une chambrée, à la caserne. Je n'ai sur moi qu'un caleçon dans l'attente de la visite réglementaire du matin. Un officier m'ordonne d'enlever mon caleçon. Je refuse, je m'enfuis, je suis pris, emprisonné, condamné à mort... »

Ilse, 24 ans : « Il suffit que je me découvre un peu en dormant pour que je me mette à rêver qu'un homme en cagoule s'approche de mon lit pour me brûler avec une torche. Je me réveille en criant... »

Nous savons que Helga tentait de se soustraire à la colère paternelle en grimpant sur un tas de décombres qui se trouvait derrière leur maison (le sentier de montagne) et que son père la fouettait avec sa ceinture de cuir (les serpents). Que Arnold a accompli son service militaire sous les ordres d'un sous-officier intransigeant qui ressemblait beaucoup à son père qui l'avait autrefois battu comme une brute. Que Ilse recevait toujours ses corrections devant la cheminée où flambaient des bûches. Les associations d'idées sont ici évidentes.

Il faut noter que dans les rêves des individus qui ont subi des châtiments corporels la nudité joue un rôle important. Nous ne pouvons pas en parler longuement mais ils sont innombrables et ne dépendent que de la situation particulière de chaque dormeur. Il n'est, en général, pas difficile de savoir sur quoi reposent, dans la réalité, ces rêves qu'il faudrait étudier avec la plus grande attention car on y découvre les symptômes d'une maladie psychique qui peut anéantir la personnalité, en laissant se développer une timidité morbide, l'empoisonner en se servant de diverses névroses, la détruire par le sadisme, le masochisme, l'homosexualité.

Ajoutons qu'il existe des rêves plus mystérieux qui ont une origine analogue. Une simple paire de gifles donnée à un petit enfant peut avoir des suites funestes qui gâcheront toute sa vie.

Mais il n'en est pas toujours ainsi. Il y a des hommes qui ont oublié les gifles reçues et qui voient l'époque de leur enfance toute rose et tout heureuse. Est-ce par bienveillance que la nature a voulu que nous conservions au fond du cœur l'image d'une oasis verdoyante et d'une source d'eau limpide pour que nous puissions venir nous y rafraîchir et nous y débarrasser des pollutions de la vie quotidienne ?

Si comme Sidney Jones nous pouvions voyager en arrière dans le temps et retourner à une source d'eau limpide, nous découvririons qu'elle n'était qu'un marécage puant entouré d'herbes desséchées. Et nous nous apercevrions aussi que nos premières boues et nos premières poussières nous les avons connues dès l'enfance. Et qu'il est très difficile de tenter d'oublier ces tristes souvenirs en nous précipitant avec eux dans l'avenir.

MANDRAKE FABRIQUE LUI AUSSI
DES COMPLEXES

Le petit Guy vient d'attraper la manche du pyjama de son père et tire dessus de toutes ses forces.

« Papa ! Papa ! Papa ! »

Il est trois heures du matin et ce père, qui est un écrivain très connu, pousse un ou deux grognements en se retournant sur le ventre.

« Papa, réveille-toi ! Dans l'armoire du vestibule il y a un homme avec un capuchon !

— Eh bien, dis-lui que... » Le père brusquement se rend compte du sens des mots qu'il vient d'entendre et se dresse sur son lit.

« Il y a quoi ?

— Un homme dans l'armoire, au rez-de-chaussée. Il a un capuchon noir et une longue robe noire. »

Le père cette fois se lève, va prendre un revolver, parle calmement à sa femme qui vient d'ouvrir un œil, l'adjure de ne pas se jeter par la fenêtre, dissuade Guy de prendre sa lance de Peau-Rouge pour transpercer le méchant homme, ouvre la porte et descend l'escalier sur la pointe des pieds en risquant de dégringoler dans l'obscurité. Finalement, il est arrivé dans le hall, en face de la grande armoire dont il ouvre brusquement les battants en criant :

« Sortez ou je tire ! »

Rien ne bouge. Le papa de Guy répète l'ordre. Toujours rien. Il se saisit d'un parapluie et fouille fébrilement dans les imperméables et les manteaux suspendus.

Pas le moindre personnage, effrayant ou pas.

Il remonte au premier étage. Guy, interrogé, confirme ses dires. Alors il va faire le tour de la maison, la parcourt de la cave au grenier. L'inspection dure une heure et demie. Il ne lui reste qu'à se recoucher auprès de sa femme.

Trois jours passent. Tout le monde a oublié l'incident nocturne mais voilà que Guy revoit l'effrayant bonhomme. Ou plutôt il ne revoit que ses yeux qui le fixent à travers la fenêtre de sa chambre.

La chambre de Guy est au premier étage et on ne pourrait atteindre la fenêtre qu'en étant doté d'une solide paire d'ailes. Les parents respirent de soulagement et la mère conclut : « Il faudra que Guy mange très légèrement le soir. »

Malheureusement, cette bonne idée ne suffit pas à calmer l'enfant et le jour où il annonça à ses parents que la nuit un cobra s'est glissé dans son lit, ils décidèrent de l'emmener chez un psychanalyste.

Le docteur Blabber (le nom est inventé, mais le docteur existe) interrogea le petit garçon (huit ans) et essaya de l'aider à raconter ses rêves en détail. Le médecin trouva l'un d'eux très intéressant.

« J'ai rêvé que j'étais enfermé dans un souterrain avec une très jolie dame en bikini et que tout d'un coup sortait d'une boîte une momie qui avait l'air très méchant. Alors j'ai pris la dame par la main et nous nous sommes sauvés. »

Le psychanalyste suppose que Guy aura été frappé par la vue de sa maman en bikini, mais il se rend compte que l'enfant ne sait pas ce qu'est une momie. Son père cependant avait eu le bras bandé à la suite d'un accident de voiture.

Tout était clair : le classique complexe d'Œdipe. Guy avait rêvé qu'il enlevait sa mère à son père (l'ennemi) et il avait mêlé à son histoire une expression populaire *to beat to a mummy* *.

---

* Notre histoire se passe en Amérique et cette phrase se traduit en français par : battre quelqu'un jusqu'à en faire une momie, mais il y a un

Les séances chez le psychanalyste se poursuivirent et Guy semblait y prendre un grand plaisir. Le père, étonné, s'entendit dire par le docteur Blabber que l'enfant éprouvait un vrai soulagement « de ces interviews avec son subconscient ». Lorsque les séances de cure devinrent quotidiennes, le docteur fut obligé d'avouer qu'il trouvait les rêves de Guy si passionnants qu'il lui avait demandé de venir tous les jours en lui promettant de lui donner chaque fois un dollar.

Intrigué, le père demanda au docteur de lui dire en quoi consistaient ces rêves si « passionnants » de son fils et lorsqu'il les entendit résumer, il éclata de rire au nez du grand psychothérapeute vexé.

« Ah, elle est bien bonne votre histoire de complexe d'Œdipe ! L'homme à la cagoule, le cobra, la femme en bikini, la momie... j'ai lu tout cela dans les bandes dessinées ! Mon garnement de fils est en train de vous vendre les aventures de Mandrake ! »

Ils se sentent seuls sur les bancs de l'école.

Cette histoire rapportée par le professeur Berger est authentique et révèle, outre le sens commercial un peu prématuré du petit Guy, l'ingénuité de certains psychanalystes. Mais aussi, ce qui est beaucoup plus important, l'extrême difficulté qu'on a à interpréter les rêves des enfants dont l'âge correspond à celui de l'école primaire.

Il arrive que les parents paraissent très surpris de certaines prises de position de leur progéniture. Pourtant, s'ils possédaient quelques notions de psychologie, ils s'étonneraient beaucoup moins. Ils sauraient qu'il est tout naturel que l'enfant soit troublé, quittant pour la première fois l'ambiance familiale, par le brouhaha des classes, la présence

jeu de mots intraduisible sur *mum* (petite maman) et *mummy* (momie) *(N. d. T.)*.

des instituteurs, la turbulence des camarades. Les interdictions, qui n'existaient à peu près pas à la maison, sont ici sévères. Son imagination est brutalement refrénée, la discipline règne partout. Il doit assimiler des notions nouvelles et, par la lecture, il entre dans un monde qui lui était jusque-là inconnu.

C'est à cette époque que le dieu Morphée joue le mieux son rôle de metteur en scène. Il plonge à pleines mains dans les livres pour construire des « films » en apparence tellement cohérents et tellement significatifs qu'ils impressionnent les parents et leur donnent souvent une idée assez peu exacte de la personnalité du gosse en train de se former.

Le fait que le petit Pierre cavalcade toutes les nuits à la tête du 7e régiment de cavalerie pourrait révéler, ou bien qu'il a le goût du commandement, ou bien que pour combattre son réel complexe d'infériorité il fait des rêves où il tient le premier rang.

Le fait que Mariette rêve qu'elle est prise dans les griffes d'une méchante sorcière ne veut pas dire qu'elle reste sous l'emprise des contes de fées. Il est plus probable qu'elle souffre d'un complexe d'infériorité devant une institutrice sévère.

Il existe aussi des rêves « négatifs », propres au début de la scolarité. Ils sont faciles à interpréter et on les classe sous la dénomination de *séquence d'isolement, d'encerclement et de fugue*. Le terme *séquence* indique qu'ils ont pour fond le même sujet, mais qu'ils jouent sur des variations.

Nous en donnons queques exemples :

Séquence d'isolement : le dormeur se trouve dans une plaine déserte et nue. Il cherche à s'orienter et il a de plus en plus peur. Il marche sans arriver nulle part. Souvent la scène se passe au crépuscule. Le dormeur peut aussi être debout sur un étroit rocher entouré par la mer. Il appelle au secours sans recevoir de réponse. Le ciel est sombre. Le rêve se déroule parfois dans une ville où ne circule personne. Les magasins sont pleins de bonnes choses mais le dormeur n'a envie de rien.

Séquence d'encerclement : le dormeur est entouré d'une

foule immobile, silencieuse et hostile. Il sait qu'il court un grand danger mais il ne cherche pas à rompre le barrage parce qu'il est convaincu de l'inutilité de ce geste. Il peut aussi être surpris dehors par la nuit et sentir autour de lui des présences mystérieuses et menaçantes. Il peut encore se trouver dans une chambre au sommet d'une tour, dans l'impossibilité de s'évader à cause des gardiens qui le surveillent.

Séquence de fuite : le dormeur est projeté dans le passé ou dans le futur, à une époque où il était heureux et rassuré, ou bien dans un avenir paisible. Les petits garçons rêvent qu'ils sont installés à la place de leur professeur ou dans le bureau de leur père et les petites filles se voient remplaçant leur mère avec toutes les prérogatives du rôle.

Ces séquences révèlent un fait grave, c'est-à-dire l'incapacité d'établir des rapports normaux avec les camarades ou d'entrer dans une collectivité. Peu de parents savent attribuer à ce comportement l'importance énorme qu'il a. On les entend même quelquefois dire avec une certaine complaisance : « Mon petit garçon n'aime pas la compagnie de tous ces petits voyous... Oh, Charles, vous savez, aime tellement son papa et sa maman... Gisèle est si douce, si réservée... j'en suis enchantée pour ma part. Lorsqu'elle sera grande, elle saura éviter de se lier avec n'importe qui. »

Ils n'éviteront, hélas, aucun ennui, ces enfants qui font les difficiles et toute leur vie ils souffriront de leur caractère. Leur soi-disant réserve, leur soi-disant attachement à leurs parents se transformeront en absurde timidité ou en complexes d'infériorité aux conséquences déplorables, parfois catastrophiques.

N'enviez pas les gens qui voient tout en rose.

Les années passées à l'école changent quelque peu la mentalité des enfants, leurs comportements, leurs habitudes, mais ne modifient presque pas leurs rêves, même si les psychanalystes les jugent moins chaotiques et plus intelligibles. Les rêves ne changent pas tant que le garçon n'atteint pas la puberté parce qu'il reste le même physiquement, le même dans ses rapports, ses goûts, ses distractions (jeux, lectures, etc.).

Pour la petite fille il n'en va pas de même. Ses relations avec le sexe opposé ne sont pas toujours idylliques, ses lectures changent, elle commence à s'intéresser aux histoires romanesques et sentimentales et son physique se modifie. Certaines parties de son corps et ses seins commencent à se dessiner sous ses blouses.

C'est une période qui n'est pas toujours facile pour les fille. Il faudrait leur apprendre à répondre en riant aux garçons et même aux adultes qui leur lancent des plaisanteries stupides. Lorsqu'elles ne savent que dire elles sont mal à l'aise devant la supériorité du mâle et cet état peut s'aggraver jusqu'à leur causer de véritables traumatismes.

L'adolescente considère avec gêne sa poitrine qui gonfle. Pour elle, c'est le signe extérieur de sa soi-disant infériorité féminine. Et même si plus tard elle se montre particulièrement orgueilleuse de la beauté de ses seins, son angoisse enfantine reparaîtra dans ses rêves d'adulte : comme, par exemple, dans ceux d'Eva qui cherche à cacher son buste en croisant les bras. Il ne s'agit pas de pudeur. La dormeuse n'a pas honte de sa nudité, mais elle a peur de montrer ses seins et elle ne se préoccupe que de cette partie de son corps.

Il est fréquent qu'une jeune fille rêve qu'elle est devant son miroir et qu'elle ne possède plus cette poitrine dont, dans la réalité, elle est plutôt fière. Dans son film nocturne, elle découvre cette disparition avec grand plaisir. Il s'agit ici de ce que Baumgartner nomme « le complexe du sein en bouton ».

D'autres filles rêvent qu'elles arrachent le bouquet de fleurs qu'elles portent dans l'encolure de leur robe, ou qu'elles essaient de vider les poches de leur blouse sans pouvoir arriver à les rendre plates, ou qu'elles se mettent à vouloir casser, sans savoir pourquoi, tous les objets de forme ronde.

Les cas semblables à celui que vous allez lire ne sont pas rares non plus. C'est le docteur L. Müller qui le cite.

Liliane, une étudiante de dix-neuf ans, a horreur des papillons. Vus de loin, elle trouve leurs couleurs ravissantes mais si l'un d'eux s'approche d'elle elle se met à courir dans tous les sens et à hurler comme une folle. C'est d'autant plus regrettable qu'elle fait des études pour devenir entomologiste. Il ne lui reste donc qu'à aller consulter un psychanalyste pour résoudre son problème.

Le médecin pense d'abord à un choc reçu durant l'enfance mais la supposition ne donne rien de positif. Il se rejette alors sur les rêves qui lui apportent la réponse désirée. Liliane voit en rêve des papillons gigantesques dont quelques-uns ont des ailes qui ressemblent à de la dentelle.

Ici l'association est évidente et simple à comprendre. Liliane déteste les papillons parce que dans son subconscient elle trouve qu'ils ressemblent à des soutiens-gorge (les ailes en dentelle) et elle déteste les soutiens-gorge parce que ses frères se moquèrent d'elle lorsqu'elle en acheta un pour la première fois.

Pour les garçons, les années précédant la puberté sont pleines d'autres préoccupations. Lisons ensemble ce qu'en pense Chesser : « Les petits garçons considèrent les filles comme des êtres inférieurs. Elles sont moins fortes qu'eux et elles le restent à l'époque où eux-mêmes deviennent musclés. Du reste, en écoutant parler les adultes, ils sont renforcés dans leur conviction que tout ce qui est mâle a de la valeur : une petite fille a le droit de pleurer si elle tombe, mais pour un garçon les larmes sont honteuses. Une petite fille peut être coquette, mais si un garçon fait trop attention à sa coiffure et à ses vêtements on se moque de lui. »

Les parents devraient naturellement s'abstenir de renforcer chez les adolescents l'idée de supériorité masculine et d'infériorité féminine. D'autre part, il est indispensable aussi qu'ils ne s'opposent pas trop arbitrairement à des inclinations dont leurs enfants ne sont pas responsables, en évitant de les blesser, de les humilier, surtout devant des camarades toujours prêts à se moquer. Ils feront très attention afin que

153

leurs vêtements, leurs coiffures n'aient rien d'extravagant ou de suspect. Ils ne devront pas avoir l'air de s'occuper de leurs jeux, ni reprocher des façons d'être typiques chez les enfants des deux sexes à une certaine période de leur vie. Généralement les interventions de la famille ont des répercussions très regrettables sur la formation de la personnalité comme le prouvent les rêves, miroirs du subconscient ultra-sensibles et très fidèles.

Walter Walt serait aujourd'hui un grand violoniste si lors d'un de ses concerts il n'avait pas eu près de lui une belle jeune fille blonde. A six ans, il était ce qu'on appelle un enfant prodige, extrêmement doué pour la musique, mais à huit ans il déclara vouloir tout abandonner et ne plus toucher son instrument.

A l'époque il fit crise sur crise et dit à ses parents qu'il avait rêvé deux fois des choses qui le terrifiaient. Il avait vu les cordes de son violon se transformer en espèce de longs vers de terre qui sautaient sur ses épaules, s'enroulaient autour de son cou et glissaient le long de son dos. Malheureusement, la psychanalyse n'était pas encore à la mode et M. et Mme Walt répondirent à leur fils qu'il ne fallait pas renoncer à un avenir de concertiste à cause d'un cauchemar. Le médecin de famille ordonna un bon reconstituant et le petit reprit — mais sans aucun enthousiasme — son archet.

Walter alla au Conservatoire, obtint tous les prix et, aux dires de tous, commençait à marcher vers la célébrité. La première fois qu'il donna un concert se trouva à côté de lui une accompagnatrice aux cheveux blonds qui lui déplut immédiatement. Il joua très mal, s'arrêta avant la fin pour aller briser son violon dans les coulisses. A partir de ce jour, plus personne ne parla de lui.

Trois ans après, on le retrouva à la tête d'un petit orchestre de musique légère. Il continua, du reste, avec succès dans cette voie et si nous n'avons pas donné son vrai nom, c'est uniquement par discrétion.

Actuellement Walter Walt sait très bien ce qui s'est passé. Il connaît les origines de son rêve et les causes de son inex-

154

plicable comportement. A l'époque où ses parents s'aperçurent qu'ils avaient un fils tellement doué pour la musique qu'on pouvait parler de génie, ils eurent la mauvaise idée de l'obliger à se faire couper les cheveux « à la Mozart », coiffure que de petits camarades trouvèrent ridicule et dont ils se moquèrent méchamment. Walter ne dit rien à la maison mais il se mit à rêver beaucoup de violon en relation avec ses cheveux longs tombant presque sur ses épaules qui faisaient dire aux autres gamins qu'il avait « l'air d'une fille ».

Finalement, on raccourcit la chevelure mais les rêves demeuraient les mêmes. Walter n'en parlait pas, ne semblait pas s'en préoccuper. Ce ne fut qu'à la vue de la jeune femme qu'il rencontra le soir de son concert, et qui était coiffée comme lui l'avait été quelque temps auparavant, que se déclencha la crise à cause de tout ce que son subconscient avait enregistré.

Cheveux blonds — longs — accompagnatrice — tu as l'air d'une fille — violon — dégoût... la carrière d'enfant prodige était terminée. Il sut heureusement en reconstruire une autre où il se retrouva véritablement « un homme » en s'imposant et en en dirigeant d'autres.

Parfois, il suffit de beaucoup moins que de longs cheveux pour engendrer des catastrophes. Dans certains rêves prédomine une couleur qui déplaît profondément au dormeur, qui l'angoisse (même s'il ne s'agit pas d'une teinte désagréable en soi) parce qu'elle lui rappelle quelque chose qu'on lui a imposé dans son enfance.

En général, « voir tout en rose » signifie plutôt qu'on vit dans une certaine euphorie. Ce n'était pourtant pas le cas pour un jeune Français que nous désignerons par les initiales de son nom A. B., si tourmenté par certains rêves qu'il fut obligé de se faire soigner.

Ses rêves se déroulaient normalement jusqu'au moment où il entrait lui-même en scène pour accomplir un geste ou un acte qu'il désirait réussir. A ce moment-là, tout se colorait en rose et il se réveillait brusquement avec une sensation de malaise insupportable. Notez que dans la réalité il avait

155

une telle horreur de la couleur rose qu'il ne pouvait rien manger sur une nappe rose et qu'il était révulsé par la vue de sa fiancée lorsque la pauvre innocente portait un très joli tailleur rose. Il n'osait pas avouer qu'il était atteint de cette phobie car il craignait de passer pour un fou.

Son psychanalyste finit par découvrir que son dégoût provenait de ce que sa mère l'avait autrefois affublé d'un tablier taillé dans une de ses vieilles robes et qu'à l'école les petits copains l'avaient ridiculisé à cause de cette couleur rose à laquelle ils n'étaient pas habitués.

Beaucoup de parents s'inquiètent des jeux violents de leurs enfants, en particulier de ceux où il est question de « chasse à l'Indien », et ils voudraient bannir tous les jouets qui ont un rapport quelconque avec la guerre.

Il faut avant tout faire remarquer que n'importe quel gosse sait transformer, grâce à son inépuisable imagination, le moindre bout de bois en carabine ou en revolver, mais il faut aussi ajouter que les jouets « guerriers » sont non seulement inoffensifs mais utiles (la chose a été démontrée aux Etats-Unis et en Union soviétique car ils aident les enfants à se décharger de leur agressivité, à développer leur esprit d'entreprise, à vaincre leur timidité, parfois à les prédisposer à la compréhension et, peut-être, à un certain sentiment de l'honneur et de l'amitié). Ceci paraîtra à certaines grandes personnes paradoxal, mais il suffit d'observer comment les petits garçons échangent sans difficulté les rôles du bon et du méchant, du victorieux et du battu, pour comprendre ce que nous voulons dire.

Ce qui importe, c'est de ne pas formuler des interdits et d'abord parce que les enfants qui ne peuvent pas jouer à leur jeu préféré dans la réalité prennent leur revanche en rêve où souvent ils font jouer le rôle « du méchant ou de l'ennemi » soit à leurs parents, soit à leurs éducateurs. C'est normal lorsque ce sont les grandes personnes qui les rendent quelquefois ridicules vis-à-vis de leurs petits camarades.

On peut dire la même chose au sujet des petites filles qui aimeraient se mêler aux « bagarres » de leurs frères ou cousins et auxquelles on refuse cette permission. Nous disons même qu'il serait bon d'encourager la tendance des filles à jouer « au cow-boy » car elle donne des résultats très positifs dans la formation de leur personnalité. Il est très fréquent d'apprendre que les petites filles (et même les jeunes filles) rêvent qu'elles sont des garçons. Ceci révèle un complexe d'infériorité qui n'existerait pas si elles n'avaient pas été obligées de s'adapter à la notion trop répandue de la fillette réservée « agissant déjà comme une petite femme accomplie ».

Les vêtements qu'on les « oblige » à porter, s'ils sont mal taillés, pas à la mode, ou pas de leur âge, ont une très mauvaise influence sur le développement et la formation du caractère des petites filles. La mode compte pour elles beaucoup plus qu'on ne croit et leurs rêves se peuplent de chaussettes mal tirées, de combinaisons qui dépassent, de jupes froissées. Ce n'est pas grave, mais cela prouve tout de même que quelques-unes ont des craintes qui les font souffrir.

Ce qu'elle voudrait cacher.

Jusqu'à présent les filles nous sont apparues moins vulnérables que les garçons et cela restera vrai jusqu'au moment où un événement qui impressionne toujours énormément se déclenchera. Nous voulons parler de l'apparition du cycle des menstruations.

Il n'est pas difficile d'imaginer ce qu'elles ressentent si personne ne leur en avait parlé. Les explications maternelles données devant le fait accompli ne servent certainement pas à grand-chose comme le récit des rêves nous le confirme. Nous ajoutons que « préparer » l'adolescente ne signifie pas murmurer quelques banalités en restant dans les généralités : il faut surtout insister sur le fait que la menstruation est chose normale, une fonction physiologique

157

qui fait partie de la vie de toutes les femmes, de la puberté à la ménopause.

Le « choc » reçu se traduit dans les rêves par la vision d'accidents dangereux, de maladies, d'imperfections physiques. Il est impossible d'en dresser ici une liste. Les lecteurs curieux pourront se reporter au petit dictionnaire que nous donnons à la fin de cet ouvrage. Il est toutefois important de faire remarquer que les mécanismes de transfert, au fur et à mesure que l'adolescente avance dans la vie, modifient leurs rêves au point de les rendre très difficiles à interpréter.

Nous allons donner quelques exemples pris dans les dossiers des plus éminents psychanalystes contemporains.

Lidia a été si effrayée par l'apparition de ses « règles » qu'elle s'est vue longtemps baignant subitement dans du sang alors qu'elle se livrait aux plus banales occupations. Elle a maintenant vingt ans et ce rêve revient quelquefois durant son sommeil en alternant avec un autre plus angoissant. Elle se promène dans une rue pleine de gens et s'aperçoit tout d'un coup que tout le monde la regarde parce que sa jupe et ses bas sont souillés. Elle cherche à les nettoyer, mais en vain. Elle essaye de se cacher, mais partout les gens la fixent en se moquant d'elle.

Julie n'a pas été convaincue par les vagues explications maternelles et longtemps elle s'est crue atteinte d'une maladie grave (d'autant plus que des douleurs accompagnaient l'arrivée du flux menstruel). Elle a rêvé que son ventre était plein de vers (les germes de la maladie) jusqu'au jour où des conversations avec ses amies sont venues la rassurer. Pourtant, huit ans après, elle rêve encore (à une date précise du mois) que son corps se couvre de taches pareilles à celles formées par la moisissure.

Claire, « initiée » par d'autres petites filles, a considéré l'apparition des « règles » comme quelque chose d'obscène et a essayé de dissimuler l'événement à son entourage. Après plusieurs années, elle rêve encore souvent qu'elle est obligée de cacher quelque chose et elle est terrorisée à l'idée qu'elle pourrait être découverte.

Ces exemples font tous bien comprendre que le mystère

passe, mais que la mauvaise impression demeure, et qu'elle resurgit surtout dans les moments où l'intéressée se trouve dans des situations difficiles où elle sent le besoin de se sentir forte et sûre d'elle-même. C'est le complexe d'infériorité qui réapparaît sans aucune raison d'être puisqu'il n'est, hélas, que le résultat d'une éducation enfantine manquée.

IV

LES MYTHES QUI BOULEVERSENT LA VIE

« La nuit était la plus sombre qui puisse exister. Il pleuvait sans arrêt. On aurait dit que la mer avait pris la place du ciel et qu'elle déversait ses eaux sur la terre. L'atmosphère était hallucinante, l'air résonnant d'un immense cri d'angoisse et de terreur. Je marchais en trébuchant dans l'eau, enfoncé jusqu'aux genoux, tremblant de froid. Pourquoi cette obscurité ? Pourquoi n'y avait-il plus de lumière ? Que se passait-il ? C'était le déluge... »

« Tout d'un coup " je sentis " devant moi une masse énorme. Je ne la voyais pas mais " je savais " qu'elle était là. Comme un aveugle " sent " la présence d'un objet. Je me rappelais que j'avais sur moi une lampe de poche. Peut-être que la pile ne valait plus rien ? Allait-elle s'allumer ?

« Elle marchait et lança à ma grande surprise un faisceau de lumière, qui me parut très brillant. Il n'en était sans doute pas ainsi car dans le noir où j'étais plongé la lueur d'une allumette m'aurait paru être un feu d'artifice. C'est alors que je vis " la chose " posée devant moi : une énorme et très vieille masse de bois qui faisait penser à une barque. Une barque ? Mais d'où serait-elle venue ? Impossible de me souvenir quand la pluie avait commencé à tomber et ce qui m'était arrivé... Certainement un truc qui devait ressembler beaucoup à une catastrophe...

« Je pensais à l'arche de Noé...

« Il y avait dans cette masse de bois une ouverture. J'en approchai ma petite lampe de poche. J'avais envie de voir s'il y avait quelque chose à l'intérieur... Je reconnus une immense salle dont le sol était fait de quelque chose de très doux... pourquoi de très doux ? J'en étais absolument certain. Eh bien, oui, parce que je regardais par la fenêtre et qu'en même temps je marchais sur ce sol souple. Celui qui marchait et qui était moi était minuscule.

« Cet autre Moi était attiré par une force mystérieuse. Je ne comprenais rien et me mis à pleurer. »

De l'arche de Noé aux jardins d'Allah.

Comment interpréter ce rêve tout à fait extraordinaire qu'un malade raconta un jour au professeur Kemper ?

Il n'est pas facile de répondre, car chaque école de psychanalyse pourrait en donner des explications différentes et souvent opposées les unes aux autres : désirs incestueux vis-à-vis de la mère, tendances érotiques, désirs de possession, besoin de protection, complexes de Ahasvérus, plus connu sous le nom de Juif errant, complexes de culpabilité, craintes des contacts, égocentrisme, régression, transfert, recherche de Dieu, crises spirituelles, désir de suicide ou de résurrection, etc., etc.

Personne n'a tenté d'en donner une interprétation exacte. Pour le faire il faudrait connaître le dormeur, ses problèmes, ses tendances profondes, et un certain nombre de ses autres rêves.

On peut dire, en étant sûr de ne pas se tromper, qu'il révèle un grave conflit intérieur (le classique procédé de dédoublement) et qu'il est la manifestation d'une grande faiblesse, d'une immaturité (le Moi et le macrocosme, c'est-à-dire le monde ou l'Univers, ne sont pas encore séparés. Comme chez les tout-petits, ils se confondent. L'enfance et l'âge adulte sont restés sur le même plan) dues probablement à un malaise (obscurité, pluie) dont le dormeur espère sortir grâce à une intervention presque miraculeuse (la lumière qui jaillit d'une lampe qu'on croyait inutilisable), ou grâce à l'oubli et au retour dans les entrailles maternelles (l'intérieur de l'Arche). On peut voir aussi dans ce rêve un besoin de résurrection mêlé à des problèmes d'ordre sexuel qui se devinent à cause de la forme de la lampe, l'idée de l'électricité, l'ouverture dans la paroi de bois.

A quels souvenirs le dieu Morphée a-t-il fait appel pour monter cet étrange scénario ? Nous aurions envie de répondre : aux souvenirs d'avant la naissance à cause de certaines images et certaines impressions (l'intérieur de l'Arche, le sol mou, et chaud, la toute petite taille du héros) et à ceux du moment même de la naissance (la sensation d'être attiré irrésistiblement vers l'orifice lumineux, la peur, les pleurs et peut-être l'humidité de l'atmosphère).

Mais ce qui domine dans ce récit fait au psychanalyste c'est le thème même du rêve. Le Déluge et l'Arche de Noé sont là et il est impossible de les ignorer.

Mais, dites-vous, pourquoi justement le Déluge et l'Arche de Noé ? Ce monsieur n'aurait-il pas pu trouver dans son subconscient des situations tout aussi dramatiques mais plus proches de lui ? Faut-il croire que la légende de la Bible l'avait tant impressionné ? Nous répondons non, car tout le monde, une fois ou l'autre, a vu, ou verra, quelque chose qui ressemble au Déluge. C'est logique, si on croit aux souvenirs ancestraux accumulés dans toutes les mémoires, qu'on le veuille ou non.

Les peuples les plus anciens ont parlé d'un déluge et on retrouve la légende de Noé dans toutes les parties du monde. Chez les Aztèques existent même la colombe et son rameau fleuri ainsi que le constructeur de l'Arche qui s'appelle Noah en hébreu, Nu wah chez les Chinois, Nu-ru à Hawaii et Noa en Amérique du Sud.

Quel rôle a joué Noé dans l'histoire du monde, on ne le saura probablement jamais et c'est, du reste, sans importance. Il n'est pas sûr que nos mystérieux et lointains souvenirs se réfèrent directement à un déluge et à une arche. Nous serions plutôt tentés de croire qu'ils nous ont été transmis par ceux de nos ancêtres qui ont vécu à une époque où la grande catastrophe n'avait pas eu le temps d'être oubliée.

Nous avons déjà parlé « des souvenirs ataviques » et nous savons qu'ils tiennent une grande place dans les rêves de chacun de nous, mais ils prennent la première dans ceux du genre de celui sur lequel nous venons de nous arrêter longuement.

C. G. Jung * les appelait *les grands rêves* et motiva cette définition en affirmant « qu'ils représentaient une problématique humaine collective dans une forme généralement valide et commune dans son indépendance à tous ceux qui rêvent ». En d'autres termes, il disait qu'il existe des problèmes communs à tous les hommes, qui apparaissent dans leurs rêves sous des formes toujours caractérisées par la présence des éléments et par celle des plus grands mythes anciens.

Werner Kemper écrit dans un très important ouvrage ** : « Si on confronte ce genre de rêves avec les légendes, on constate qu'ils sont tirés des mêmes thèmes et qu'y apparaissent les mêmes symboles. Ce qui est stupéfiant c'est que ceux qui les font ne sont pas des gens cultivés qui ont lu les légendes (Grimm, par exemple) mais comme j'ai pu m'en rendre compte à l'étranger *(au Brésil, N. d. A.)*, des individus qui les ignorent totalement. Les concordances ne s'arrêtent pas là : dans les mythes et les poèmes anciens, on trouve des thèmes fondamentaux, identiques à ceux des légendes et des grands rêves, exprimés par les mêmes symboles. Ce qui a amené Jung à appeler les mythes anciens, *l'inconscient collectif* de l'humanité ***. »

« *Les grands rêves* sont ceux qui réveillent en nous une grande émotion, consciente ou inconsciente ; ils conservent

---

* Psychiatre et médecin zurichois (1875-1961) *(N. d. T.)*.
** *Der Traum und seine Be-Deutung,* Rowohlt Deutsche Enzyklopädie, E. Grassi, éditeur, Munich, 1955 *(N. d. T.)*.
*** L'existence de cet inconscient collectif permettrait d'expliquer pourquoi des légendes et des symboles semblables se retrouveraient aux quatre coins du monde, dans des régions qui n'ont jamais connu de moyens de communications *(N. d. T.)*.

leur pouvoir pendant des jours et des jours, parfois même durant des mois », observe Pierre Réal. « Certains de ces songes ont modifié entièrement le cours de vies humaines. On y rencontre des images d'une puissance extraordinaire, des lumières aveuglantes... Les éléments... les grandes forces de la nature, le Soleil, la Lune, le feu, l'eau... Les animaux y parlent, les plantes s'y transforment... On traverse des obstacles qu'on pense infranchissables, on est englouti dans des tornades terrifiantes. Des serpents sortent de boules de cristal et parfois, en se réveillant, on se demande si l'on n'a pas rencontré Dieu, face à face. »

Après *le grand rêve* du Déluge, en voici un autre très différent, proposé par Pierre Réal.

« Je brille comme du métal, je me trouve devant une mare de boue, dans un paysage horrible éclairé par la Lune. Brusquement, l'eau de la mare se met à fumer, et devient rouge puis bleue. Une sphère lumineuse surgit de la mare, se dilate, éclate dans un bruit fantastique, prend la forme d'une coupe d'or d'où émerge une colonne dont la blancheur aveugle. Je grimpe le long de cette colonne comme si je n'avais pas de poids et j'arrive au pied d'un escalier d'or qui s'élève tout droit vers le Soleil. Je monte les marches de l'escalier, je pénètre dans le Soleil et j'en éprouve une joie intense, inoubliable. »

Que de choses s'entremêlent dans ce rêve ! La mare des Métamorphoses, les fontaines colorées des Jardins du Paradis d'Allah, le Saint-Graal, les colonnes du ciel des géographes de l'Antiquité, les escaliers d'or des légendes orientales, Icare, et les héros solaires des Incas, pour ne citer que l'essentiel.

« Même avant de l'analyser on sait que ce rêve est *grand et bon* », dit P. Réal. « Il traduit un état d'âme heureux que chaque détail concourt à créer : le bleu, la lumière, la sphère lumineuse, la colonne, l'escalier, le Soleil...

« Mon malade sortait d'une période de profonde dépression (la mare et la boue) et voilà que dans son rêve il se voit se dirigeant vers la lumière. Une semaine plus tard, je le trouve plein de force et d'espoir, prêt à reprendre ses

165

études spiritualistes, convaincu qu'il arrivera à atteindre son but.

« Ce rêve était-il prémonitoire ? Non, pas précisément, mais il laissait deviner que celui qui venait de le faire se trouvait, sans le savoir, dans de très bonnes dispositions psychiques. »

Pierre Réal est, par certains côtés, un disciple du Jung qui a affirmé : « *Les grands rêves* dépassent les conflits individuels et assument un caractère prémonitoire. » Disons plutôt qu'ils donnent des indications pour l'avenir mais sans être véritablement prophétiques comme l'assurent certains adeptes des théories du célèbre psychiatre suisse.

Visions fantastiques sur le seuil décisif.

Nous voici placés en face du problème. Problème important puisque « *les grands rêves* » peuvent se dérouler à n'importe quel âge. Ils commencent souvent à l'époque qu'on peut situer entre l'adolescence et la jeunesse et il n'est pas rare d'apprendre qu'ils ont eu une influence déterminante sur l'avenir en arrivant à changer le cours d'une vie, l'entraînant, hélas, parfois sur des pentes redoutables.

Alors faut-il admettre qu'ils puissent être considérés comme *prophétiques* ? Absolument pas. A ce propos, nous devons dire combien il est regrettable que de soi-disant psychanalystes (en contradiction avec la véritable science) profitent de la vogue actuelle pour farcir des esprits faibles de niaiseries cabalistiques dont ils ignorent probablement qu'elles peuvent entraîner des gens trop jeunes ou trop naïfs dans des maladies psychiques inguérissables.

Les grands rêves peuvent être dangereux et il n'est pas difficile de comprendre pourquoi si l'on sait que :

— Leur contenu même est fait de grandeur, de drame, de bizarrerie, de souvenirs mystérieux, propres à susciter de violentes et longues réactions.

— On les fait généralement à une période décisive de la vie ce qui invite à penser qu'ils sont, sinon prophétiques, du moins révélateurs d'un Moi inconscient et de la vraie personnalité du dormeur.

— Ils entrent dans le sommeil après un événement réel qui a fortement ému le dormeur et qu'ils trouvent ainsi un terrain tout préparé.

Nous rapportons ici un cas spécialement intéressant. Après un *grand rêve* une jeune fille entra au couvent. Elle dut rapidement en sortir n'arrivant pas à s'adapter à la règle. Aujourd'hui elle s'occupe de mode et réussit fort bien dans ce métier.

Voici en quoi consistait ce rêve dont l'interprétation parut à première vue si claire. La jeune fille est sur le Golgotha, une couronne d'épines sur la tête. Elle voit une croix qui s'élève sur un ciel lourd de nuages et elle se sent envahie par la tristesse. Brusquement le vent souffle, le Soleil resplendit, la croix se recouvre d'or, la couronne d'épines disparaît, un ange souriant l'invite à s'approcher de lui... Ravie de bonheur, elle se soulève et se met à voler...

Lorsqu'on sait que cette jeune fille avait cru être lâchée par son fiancé quelques jours avant d'avoir ce rêve, son interprétation n'est pas compliquée. Elle espérait tout simplement voir disparaître son chagrin : le vent qui nettoie le ciel de ses nuages, le Soleil qui resplendit, les épines qui tombent, la croix qui se couvre d'or (l'angoisse qui se transforme en joie), l'ange (le fiancé) et le vol en sa compagnie.

Nous retrouvons ici tous les éléments dont nous avons parlé. Comme cette jeune fille, beaucoup de gens qui prétendent avoir eu un *grand rêve* se laissent aller à prendre sur-le-champ des décisions qu'ils regrettent après. La chose est fréquente lorsqu'il s'agit de vocations religieuses qui, normalement, ne devraient pas dépendre de choses aussi inconsistantes et qui, en fait, ne se décident jamais du jour au lendemain.

Ce serait une erreur toutefois de considérer *les grands rêves* comme les autres, en admettant qu'on ait un cerveau assez équilibré pour se permettre de le faire. De toute façon

167

dans le scénario même, l'apparition de mythes ou d'événements dont nous connaissons, ou dont « nous sentons », l'immense portée, les souvenirs ancestraux qui surgissent du coffre blindé de l'inconscient disent bien qu'il s'agit de manifestations oniriques hors du commun.

Bien qu'ils ne fussent pas encore capables de comprendre le mécanisme pouvant ouvrir ce coffre-fort, les Américains Jones et Weiss avaient déjà fait remarquer dans les années entre les deux guerres mondiales que les *grands rêves* sont le plus souvent faits par des dormeurs arrivés à une époque décisive de leur existence, généralement (75 % des cas) à la sortie de l'adolescence, dans des périodes de crises, conscientes ou inconscientes, dont dépendent le renforcement ou l'affaiblissement (ou même l'anéantissement) de la personnalité.

Kemper les appelle *les rêves de la maturation* parce qu'il a noté qu'on y retrouve tous les symboles qui caractérisent l'époque où les cellules sexuelles se modifient avant la maturité proprement dite : gradins, podiums, lieux élevés, spirales ou mouvements de spirales qui se rétrécissent progressivement, nouveau-né, etc. « Mais le symbole le plus frappant est le seuil, ajoute Kemper. En effet, en passant d'un état à un autre l'homme traverse un seuil, marqué par un événement décisif pour lui. Les grands poètes ont toujours été conscients de la force de ce symbole... et dans leurs œuvres on retrouve souvent l'influence de ces *rêves de maturation*. »

Nous arrivons à une conclusion qui peut paraître empirique, mais dans certains cas l'empirisme est un guide qu'il est bon de suivre. *Les grands rêves* disent, en substance, au dormeur. « Tu es en train de traverser un seuil important pour ton avenir et cet événement exige de toi une véritable préparation. La façon dont tu as vécu jusqu'à présent ne t'a pas donné la fermeté de caractère souhaitable. Il faut maintenant faire appel à ton jugement, à ta volonté pour arriver à devenir quelqu'un. Ta personnalité n'est pas assez solide pour que tu sois sûr de marcher droit. Il est temps de travailler et de remédier aux omissions ou aux erreurs du passé. Il ne dépend que de toi, après avoir franchi ce nouveau seuil, d'être un vainqueur ou un vaincu. »

Les grands rêves ne se contentent pas de donner des avertissements en quelque sorte un peu génériques mais, si on sait les interpréter intelligemment, ils indiquent aussi avec précision les points faibles d'un caractère.

La méthode d'interprétation n'est pas compliquée. Il faut, avant tout, ne pas se laisser trop impressionner par les éléments fabuleux ou mythologiques qu'ils contiennent et ceci non pas parce qu'ils sont négligeables mais seulement parce qu'ils ne sont que des accessoires faisant partie d'un ensemble auquel ils apportent des touches particulières. On procédera à l'examen minutieux de ce qui constitue la base du rêve en tenant compte, bien entendu, des circonstances où l'on se trouve dans la réalité, des dispositions particulières actuelles de l'esprit et des visions que l'on aura eues durant le sommeil les nuits précédentes.

En parlant au début de ce chapitre du rêve de « l'Arche de Noé », nous avons voulu donner, en même temps que la description d'une vision onirique typique, un exemple de processus logique d'analyse et d'interprétation.

Revenons au rêve dont nous a parlé Pierre Réal pour dire, d'abord, que si le psychologue ne s'était pas laissé entraîner par l'enthousiasme qu'il ressent en face des théories de Jung, il aurait remarqué que dans le rêve en question presque tout se rattache aux problèmes sexuels : la mare, la sphère, la coupe, la colonne, l'escalier, la glissade, la montée, l'impression de légèreté. L'entrée dans le Soleil pourrait très bien être la représentation de l'accomplissement heureux du désir amoureux accompagné d'une intense sensation d'apaisement.

A propos des couleurs, il nous paraît intéressant de signaler les expériences faites par un groupe de psychiatres américains qui sont certains aujourd'hui que le bleu, le rouge et le jaune foncé (ou l'or) apparaissent fréquemment dans les rêves dits érotiques.

Il se pourrait que l'homme dont parle Réal soit parvenu aujourd'hui, aidé probablement par des conseils éclairés, à

« sublimer » ses pulsions sexuelles ou, si vous voulez, à transférer leur énergie de meilleure manière sur une autre activité lui permettant d'atteindre les sphères de haute spiritualité. Mais ceci à condition qu'il existât déjà en lui une aptitude à la « sublimation » *. Dans le cas contraire, tout laisse supposer qu'il ne doit pas se trouver à l'heure actuelle très bien dans sa peau.

Premières ombres de voleurs d'amour.

S'il y a vraiment une époque de notre vie où les théories, plus ou moins discutées, de Freud sur la prédominance de l'érotisme dans les rêves sont indiscutables c'est celle qui va de la puberté au début de la maturité (début qu'on ne peut fixer car il varie selon le tempérament de chacun). C'est à cette époque que les visions oniriques, *grands rêves* ou *rêves normaux,* reflètent immanquablement les désirs, les craintes, les tendances de « notre domaine secret ». On commettrait une grosse erreur en ne leur accordant qu'une importance relative et limitée car « ce domaine » n'est pas une région isolée : tout ce qui s'y passe influence notre personnalité, ou est influencé par elle.

Nous aimerions comparer les diverses composantes de la personnalité à des automobiles qui filent à toute vitesse à travers les rues d'une ville et dire que la sexualité est un de ces véhicules. Etant donné la place qu'elle tient imaginons la sexualité comme une torpédo. Il est certain que dépendront des mouvements des autres voitures la vitesse et la bonne marche de la grosse cylindrée. Il est sûr aussi que si elle n'est pas conduite intelligemment, elle peut bloquer le trafic de la métropole. Personne n'ignore que toutes les

---

* La sublimation est définie le plus souvent comme une transformation de l'énergie libidinale en valeurs socialement reconnues. Cette explication lui attire la faveur générale, mais tous les psychanalystes ne sont pas d'accord sur la définition et Freud lui-même, qui s'est beaucoup servi du terme, pensait qu'elle n'était pas une solution à la portée de tous (*N. d. T.*).

automobiles sont dans les rues en condition de dépendance vis-à-vis les unes des autres et que la plus grosse et la moins maniable constitue un facteur important dans l'ensemble de la circulation.

La pièce principale d'une automobile est le moteur et le nôtre est forgé durant l'enfance et l'adolescence. Personne, on le sait, ne naît exempt de défauts de même qu'une voiture n'est jamais absolument parfaite. A mesure que les années passent les défauts s'accentuent, à mesure que les automobiles se trouvent obligées de rouler dans des rues de plus en plus encombrées, leurs imperfections se décèlent.

Durant les années placées entre l'adolescence et la maturité, les jeunes des deux sexes sont accompagnés (beaucoup plus que leurs parents ne l'imaginent) par les phantasmes de la masturbation auxquels viennent se joindre le « complexe de castration », les craintes dont nous avons déjà parlé, des sortes de fantômes, « des menaces », stupides c'est vrai, mais pourtant effrayantes qui s'appellent chez le garçon l'impuissance et chez la fille la frigidité et la stérilité.

On trouvera dans notre petit dictionnaire quelques éléments d'interprétation de ces visions oniriques, mais il nous paraît opportun de parler ici de certains leitmotive qu'on rencontre surtout dans *les grands rêves* mais aussi parfois dans les autres. « Le complexe de l'impuissance » est souvent symbolisé par l'incapacité de monter (une échelle, un escalier), d'entrer dans une pièce, de faire un acte quelconque qui rappelle l'union des corps.

Un psychanalyste allemand très connu a bien voulu ouvrir pour nous ses dossiers et nous en avons extrait deux cas que nous qualifierions volontiers de classiques.

Hans, à vingt et un ans, est obligé de prendre la direction d'une affaire ayant appartenu à l'oncle, très âgé aujourd'hui, qui l'a élevé. Il accepte l'obligation et s'y prépare très sérieusement jusqu'au jour où il fait *un grand rêve* qui le trouble énormément. Il se voit dans une très belle maison dont il est le propriétaire. Il va de pièce en pièce et à son grand émerveillement il y trouve tout ce qu'il a toujours eu envie de posséder.

Il s'arrête devant une énorme porte d'or, en sachant que derrière ses battants est enfermé un trésor fabuleux. Son cœur bat à se rompre en les regardant s'ouvrir lentement pour laisser apparaître un immense escalier de marbre blanc qui monte sans fin. Il se précipite pour gravir les premières marches mais il est renversé par un obstacle invisible. Il essaie de se relever tandis qu'autour de lui des flammes se mettent à briller se transformant les unes après les autres en visages grimaçants dans lesquels il reconnaît ceux de ses camarades de lycée.

Deuxième cas : Roswitha G., à dix-huit ans, est terrorisée par la crainte d'être frigide. Elle est absolument normale mais elle a lu quelques pages d'un ouvrage pseudo-scientifique qui sont arrivées à la convaincre que certaines pratiques solitaires (qui sont les siennes) ont pour résultat la frigidité. Alors, en rêve, elle se voit étendue, immobile, sur une dalle de pierre au milieu d'une forêt pleine de fleurs et de chants d'oiseaux qu'elle écoute sans plaisir. Elle entend un bruit de pas dans l'herbe et... c'est le Prince Charmant qui s'approche et l'embrasse. Roswitha reste sans bouger, paralysée par une terreur indescriptible. Des nuages surgit une épée de feu qui ne brille qu'un instant avant de disparaître. Elle a la sensation que le Ciel même n'a pas pitié d'elle, et que son destin est définitivement écrit.

Chez les jeunes filles, *les grands rêves* font souvent état de leurs souvenirs de lectures enfantines ou de leurs pratiques religieuses. Roswitha a, de toute évidence, peur du châtiment de Dieu sans doute maladroitement inculqué par un éducateur n'ayant pas le sens de ses responsabilités.

La crainte de la stérilité se manifeste généralement par la déception provenant de l'absence de quelque chose qu'on attendait ou qu'on espérait trouver. La maternité est quelquefois symbolisée par un très beau château, par un coffret précieux, par un bel objet qui devrait en contenir un autre encore plus beau. La jeune fille qui est obsédée par l'idée qu'elle ne pourra pas avoir d'enfant verra dans ses rêves une boîte restant irrémédiablement vide.

Nous devons faire remarquer que cette espèce de fantasmagorie ou, si l'on veut, ces fantasmes imaginés autour de l'auto-érotisme ne s'évanouissent pas par miracle simplement parce que l'adolescent a décidé d'abandonner les pratiques qui les ont engendrés. Ils continuent à se déguiser en fantômes dont l'influence néfaste ne cessera que lorsque le garçon ou la fille aura eu le courage d'arracher le drap de lit qui le recouvre et sous lequel n'existe qu'un gnome inoffensif et ridicule. Ce geste est indispensable pour se sauvegarder et Albert Ellis * a tout à fait raison de ne pas se lasser de répéter que si « la masturbation n'est pas un danger, la peur de la masturbation en est un », car c'est cette peur qui souvent engendre les plus graves complexes de culpabilité, la méfiance envers soi-même, l'impuissance, la frigidité nerveuse (qui n'est que de l'autosuggestion), c'est elle qui concourt à accroître — quand elle ne la détermine pas — la timidité maladive contre les effets de laquelle on ne mettra jamais assez en garde les parents et les éducateurs.

A ce sujet, nous vous prions de noter que les séquences (séquences est pris ici dans le sens dont se servent les cinéastes et qui signifie une suite de plans dans une action dramatique) d'isolement, d'encerclement, de fuite, dont nous avons parlé dans le chapitre précédent, se présentent avec quelques variantes dans les rêves des adolescents pour former le sujet principal de *grands rêves* qui ressemblent à des cauchemars.

Le moment est arrivé de parler de ce qui fait le fond des visions oniriques des jeunes et qui est tout simplement le désir de rapports physiques avec quelqu'un du sexe opposé. Comme nous ne voulons pas nous répéter, nous n'insisterons que sur les motifs qui dominent cette période. Lorsque les garçons sont normaux et que leur personnalité n'est pas perturbée, ils font des rêves qui reflètent leur désir et les images qu'ils inventent jouent sur la gamme à peu près illimitée se rapportant aux formes et à l'anatomie féminines, aux rapports physiques, au *necking* et au *petting*. Ces deux

---

* *Arte e scienza dell'amore, Lo scapolo e il sesso,* Editions Méditerranée, Rome.

derniers aspects de l'acte érotique font quelquefois l'objet de séquences particulières où apparaissent toutes sortes de symboles représentant les organes sexuels.

Séquence du vol qui se joue à la fois sur le fait que le dormeur dérobe contre sa volonté un objet quelconque, et sur celui de la peur des conséquences de son acte. Par exemple, Albert vole un objet. Il s'enferme pour le contempler. Il est au fond très content de son vol tout en craignant d'être découvert.

Séquence du jeu. Luc se voit s'amusant avec un jouet (souvent une poupée qu'il aimait beaucoup lorsqu'il était petit). Parfois il joue d'un instrument de musique.

Séquence du toucher. Le dormeur se voit en train de caresser ou de presser ou de manipuler un objet généralement très petit.

Les rêves des femmes relatifs au *necking* et au *petting* sont aussi très agités. Aux impressions agréables se mêle souvent une vague sensation de crainte. Nous ne parlerons pas des *séquences de vol* proprement dit chez les filles, mais elles rêvent d'objets cachés sour leur robe, ou dans leur sac, ou dans leur mouchoir. Elles jouent aussi avec des objets qui appartiennent aux hommes (cravate, pipe, outils, etc.) et elles craignent d'être surprises en train de les manipuler. Ce sont les petites filles qui ont ce genre de visions assez simples. En avançant en âge, elles voient des armes pointues et menaçantes, elles ont peur d'être agressées et se mettent à courir pour fuir le danger. Il est très rare qu'une adolescente n'ait jamais fait ce genre de rêves ; même si elle est amoureuse, même si elle a confiance dans son fiancé, même si elle ne refuse pas certains contacts intimes, Eve ressent une sorte de frayeur en présence d'Adam.

Il ne faut pas qu'elle s'en préoccupe outre mesure et ce n'est pas cette crainte qui empêchera le développement de sa personnalité. Nous croyons que c'est une invitation à une certaine prudence trop facilement oubliée de nos jours.

V

UNE FENÊTRE OUVERTE SUR LE MONDE

Gilda se marie aujourd'hui. C'est pour elle un grand jour. Elle est dans sa chambre, encore en combinaison, prête à passer sa robe blanche. Dans un coin de la pièce se tient Suzy, une de ses plus anciennes amies, qu'elle n'a pas vue depuis des siècles. Suzy parle de leur école, de leurs poupées, de leurs jeux et, en sanglotant, elle rappelle à Gilda sa promesse de ne jamais la quitter.

Gilda tente de consoler son amie mais elle est surtout pressée de s'habiller et...

Voilà que le fiancé fait brusquement irruption dans la chambre. Gilda proteste mais le jeune homme ne paraît ni la voir ni l'entendre. Il se met dans un coin et ne bouge plus. Alors Gilda a brusquement une idée. Une drôle d'idée. Elle attrape sa robe de mariée et commence à la draper sur son fiancé, toujours aussi indifférent. Elle l'épingle, la taille, la découd... au bout de quelques minutes ce n'est plus une robe mais un très élégant complet d'homme. Le jeune homme n'a pas l'air de se rendre compte de ce qui lui arrive... il semble en tout cas tout à fait résigné à son nouveau rôle de play boy.

Gilda regarde en riant son amie qui, entre parenthèses, ne pleure plus, et lui dit : « Tu vois, nigaude, que tout finit par s'arranger, même un mariage peut servir à quelque chose ! »

... Et Gilda se réveille. Quel rêve bizarre elle vient de faire ! Gilda n'est pas à la veille de se marier mais elle a vingt-six ans et elle pense qu'elle pourrait se décider à épouser un certain garçon qui lui fait la cour et qui, après tout, ne serait pas un plus mauvais mari qu'un autre. Aujourd'hui même ils se sont donné rendez-vous et peut-être que...

Mais non... impossible après ce rêve. Depuis quelque temps elle pensait qu'elle pourrait envoyer ses croquis de mode à un grand couturier... Elle va mettre à l'instant ce projet à exécution. Elle écrit une petite lettre pour expliquer ce qu'elle demande et met ses meilleurs dessins dans une enveloppe qu'elle va jeter dans la boîte aux lettres.

Les croquis de Gilda furent si appréciés que quelques jours après elle travaillait pour un modéliste en renom. Elle est à présent une créatrice très appréciée et Suzy est devenue sa collaboratrice.

Gilda n'était pas superstitieuse, mais elle pensait que son étrange rêve était en quelque sorte prophétique. Elle en parla avec un de ses amis, psychanalyste de profession. Celui-ci convint avec la jeune fille qu'il en était bien ainsi.

Prophétique, peut-être pas, mais en tout cas très intéressant et très important pour les psychologues. C'est le prototype du rêve que fait un individu qui ne sait que choisir entre sa famille, ses sentiments, l'amour et le travail, les obligations ou les ambitions professionnelles, spécialement à l'époque où il doit savoir s'il préfère se marier ou se lancer dans un métier qu'il regrettera peut-être un jour d'avoir choisi, où il se demande s'il sera capable de maintenir l'équilibre entre les sentiments et le côté matériel de l'existence.

Ce sont des rêves spécifiquement féminins et il nous semble opportun de leur donner la première place dans la liste des manifestations oniriques de l'âge adulte parce qu'on pourrait les appeler « les rêves d'égalité entre les sexes » ou de « l'affranchissement de la femme », car ils soulignent les points critiques de ce problème. Une décision prise à la hâte, l'impossibilité de s'adapter à une situation, peuvent faire rater toute une vie, tout au moins être cause de son mauvais déroulement en créant « ces névroses de la femme qui travaille » dont on constate l'augmentation continue dans tous les pays civilisés.

Ces rêves sont une véritable sonnette d'alarme qui, si elle est entendue à temps, peut apporter une aide non négligeable dans la découverte des goûts et des tendances que la femme cherche souvent à se cacher à elle-même mais qui existent pourtant dans son subconscient.

Par exemple, Gabrielle, qui a renoncé à un travail qu'elle aimait beaucoup pour faire plaisir à un mari qui préfère la voir rester à la maison, devrait faire très attention à ses rêves où elle se voit ou enfermée dans une pièce, ou en train de s'enfuir, ou perdue dans une ville inconnue.

Nora, elle, qui s'est résignée à travailler hors de chez elle pour avoir un peu plus d'argent à dépenser, ferait bien de se dire que ses rêves, à base de découvertes de trésors, d'impression de faire de vains efforts, de strip-tease, lui indiquent qu'elle n'est pas adaptée au métier qu'elle a choisi.

Ces deux rêves ont été étudiés par des psychothérapeutes allemands, mais nous sommes certains d'en trouver facilement d'analogues en Italie, en France ou ailleurs. Pour notre part, nous connaissons des femmes qui en font de plus simples ou de plus mystérieux. Pour chacune il suffit généralement de savoir quel est son problème particulier : l'interprétation du message en sera facilitée.

Et s'il vous arrivait de vous téléphoner à vous-même ?

Il faut que nous nous occupions maintenant d'autres rêves dont les motifs sont très répandus chez les dormeurs adultes. Nous en avons déjà parlé dans les chapitres précédents et c'est à eux que notre petit dictionnaire est dédié. Nous nous contenterons donc de traiter brièvement de quelques traits qui ont une grande importance pour la naissance et la formation de ces songes.

Une gamme très étendue de rêves est créée par l'insatisfaction dans les rapports sexuels. Ils sont presque réservés aux femmes entre vingt et trente-cinq ans, et ils les touchent de plus en plus souvent. Le phénomène a un côté positif mais cette constatation n'apportera sans doute aucun réconfort aux intéressées. En effet, s'il ne dénonce pas une aggravation dans le comportement des hommes (le niveau reste malheureusement stationnaire depuis des années) il exprime la tendance féminine, qui va en augmentant, de refuser le dogme d'une morale à double visage imposée par l'égoïsme et l'hypocrisie masculines, et d'exiger le respect de ses propres droits, de ses propres besoins du point de vue sexuel.

Voici l'avis de Berger : « Aujourd'hui, les femmes voient en rêve ce que jamais autrefois elles n'auraient osé. Le malheur, pour elles, est qu'elles doivent, encore maintenant, se contenter de cela. »

Les jeunes filles qui se voient en songe habillées en garçon ou occupées à des travaux d'hommes avouent inconsciemment leur insatisfaction en amour. Le costume et le comportement masculins peuvent aussi signifier que la personne qui rêve d'en être revêtue est encline au despotisme, à s'évader, à se révolter, à être légèrement narcissique, à avoir peut-être des tendances homosexuelles.

Et maintenant je vais vous raconter une histoire de téléphone qui vous intéressera. Une actrice connue que nous baptiserons Dagmar rêve qu'elle prend son récepteur, qu'elle compose un numéro et qu'elle commence une longue conversation. A son réveil elle n'arrive pas à se rappeler ce qu'elle a dit. Elle est pourtant certaine d'avoir fait des déclarations d'amour et même d'avoir tenu des propos très audacieux.

Qui était à l'autre bout du fil ? Personne. Dagmar n'entendait aucune voix lui répondre. Toutes les trois ou quatre nuits, elle rêve la même chose et chaque fois elle se sent heureuse et comme comblée, oubliant presque son stupide mariage. Voilà qu'un matin elle se réveille et se souvient du numéro qu'elle venait à peine de composer durant son sommeil sur un cadran imaginaire. Elle se saisit d'un crayon, commence à l'écrire. Stupeur... c'est son propre numéro.

Son psychanalyste lui donne la clef de l'énigme : elle

prononçait au téléphone les mots qu'elle aurait souhaité s'entendre dire par son mari.

L'insatisfaction sexuelle de la femme ou de l'homme se manifeste aussi d'autres manières : l'un cherche un objet qu'il ne peut trouver, l'autre tient une fleur, un livre, un cadeau qu'on lui arrache de force, un autre encore parcourt des déserts, un autre, enfin, pleure devant un spectacle qui devrait, logiquement, lui plaire.

Lorsque troublé par ce genre de cauchemars on va consulter un psychothérapeute, il conseille généralement d'avoir le courage de s'expliquer franchement avec celui ou celle qui dort la nuit à côté de soi. C'est évidemment le meilleur moyen de sortir d'une situation qui peut avoir de très mauvaises répercussions sur le caractère et sur la santé, et souvent ruiner un mariage.

A propos de téléphone, nous vous prions de noter que cet appareil surgit dans les rêves des femmes qui ont des problèmes sentimentaux. Les contemporains de l'école de Freud en font un symbole du sexe. On ne voit jamais d'appareil téléphonique intervenir dans les visions oniriques où il s'agit de travail de bureau, chose qui ne serait absolument pas surprenante. Mais il ne faut pas oublier qu'il représente dans l'esprit de beaucoup d'individus l'objet qui met en relation avec l'être aimé. C'est pourquoi une ligne toujours occupée, l'absence de sonnerie, un fil coupé, l'impossibilité de composer un numéro, les formes bizarres prises par l'appareil (il devient un autre objet, il se transforme, il fond, il s'échappe des mains) dénoncent toujours la crainte du dormeur de voir ses relations amoureuses se rompre ou se désagréger. Signalons que si en rêve (et si vous êtes une femme) vous entendez la sonnerie du téléphone, que vous preniez le récepteur, que vous n'ayez personne au bout du fil et que vous ayez envie de démolir la baraque, ne croyez pas que vous avez vu tout cela parce que vous avez oublié de régler le relevé de vos derniers appels ou que l'impossibilité journalière d'obtenir une communication urgente vous exaspère même durant votre sommeil contre le ministère des Communications. Non. Vous êtes tout simplement... jalouse.

Une minette... et beaucoup de jalousie.

Les manifestations oniriques de la jalousie (que nous considérons comme une maladie lorsqu'elle n'est pas fondée) sont très nombreuses et facilement reconnaissables

La plus fréquente, chez les femmes, est celle où la personne qui dort voit apparaître une chatte et ses petits. Elle exprime ainsi sa crainte de voir l'homme qu'elle aime s'attacher à une autre femme et se marier avec celle-ci.

Hommes et femmes, s'ils sont jaloux, voient dans leurs rêves des rendez-vous manqués, la disparition de celui ou de celle qu'ils aiment, des départs, de la froideur, de l'enthousiasme pour des objets qui peuvent parfois représenter certaines parties du corps, parfois des choses qui rappellent des souvenirs peu agréables ayant un rapport avec son rival ou sa rivale.

Dans ce dernier cas, il s'agit du processus *pars pro toto*, très fréquent dans les rêves des jaloux, comme le sont aussi ceux de « la condensation et de superposition ». Prenons, par exemple, le rêve d'une jeune fille fiancée avec un garçon nommé Jean qui voit celui-ci se comporter de manière particulièrement affectueuse avec Sandro. Mais Sandro n'est pas tout à fait Sandro... Il a un peu l'air d'une femme... Et puis voici que Jean se transforme à son tour et qu'à son personnage se superpose celui d'un certain Carmelo qui passe pour être un incorrigible don Juan.

Autre exemple : Gustave rêve qu'il se promène à la campagne avec sa femme Christiane. Ils se trouvent brusquement devant un fossé. Christiane le saute très facilement. Gustave va sauter mais le fossé s'élargit, s'élargit... il devient un précipice. Gustave se désespère à l'idée qu'il n'arrivera jamais à rejoindre sa femme.

Ce rêve est très facile à interpréter, n'est-ce pas ? Vous dites, tout de suite, manque de confiance en soi-même. Mais pourtant tout le monde sait que Gustave est un homme jeune, décidé, entreprenant, qui a toujours obtenu ce qu'il voulait. Alors ?

Le psychanalyste répond : « Gustave est jaloux et la jalousie est synonyme de manque de confiance en soi. Dans la vie, dans son métier, Gustave est sûr de lui, mais pas dans ses rapports amoureux. Il ne croit pas qu'il puisse retenir la femme qu'il aime. Il répète à qui veut l'entendre que sa femme ment ; il affirme que toutes les épouses sont infidèles, capables de tout. Son comportement met encore plus en lumière sa faiblesse et l'oblige à s'avouer qu'il ne croit pas en lui comme amant et qu'il a épousé une fille qu'il n'aimait pas parce qu'il avait peur de rester célibataire.

Il nous semble superflu de répéter après tant de gens que la jalousie empoisonne les joies de la vie et tue le véritable amour mais nous croyons utile de rappeler que « ce mal subtil » tente souvent de justifier son existence en mettant en avant des prétextes que le jaloux, ou la jalouse, croit, ou feint de croire, défendables. Les maladies ne disparaissent pas parce qu'on cherche à se convaincre soi-même qu'on est en très bonne santé. Au contraire, le plus souvent elles s'installent à leur aise si personne ne les combat.

Le subconscient, lui, jouant le rôle du ministère public, dénonce la présence de toutes les anomalies et le travail souterrain qu'elles accomplissent. Gare à ceux qui négligent ses avertissements lorsqu'il s'agit de la jalousie, cette sorte de gaz délétère qui corrode les sentiments, mine les caractères les plus solides, les rend méfiants, inquiets de tout et doutant de tous.

Après l'insatisfaction sexuelle, l'indécision en face de l'amour (mal propre à notre époque de surtension nerveuse), la jalousie, c'est la peur d'avoir un enfant sans l'avoir désiré qui obsède le plus souvent les individus. On le sait lorsqu'ils parlent de leurs rêves. Pour les femmes, rien de compliqué : elles se voient enceintes ou obligées de mettre des vêtements trop étroits, ou elles sentent leurs seins se gonfler, ou une partie de leur corps se transformer bizarrement, ou se couvrir de bestioles minuscules. Les hommes qui redoutent la paternité font aussi des rêves du genre de ce dernier.

Ceux qui portent à l'annulaire gauche un petit anneau d'or ne s'inquiètent pas outre mesure de ce genre de rêve. Un enfant de plus peut apporter un souci supplémentaire à un couple, mais sa venue au monde ne représente rien en fait de problèmes, si on les compare à ceux qui se posent aux célibataires. Aussi les rêves de ceux-ci sont remplis d'événements plus difficiles à interpréter : poursuites (généralement l'homme qui poursuit la femme, même s'il est masqué ou travesti, est toujours le père du bébé non souhaité), mariages, maladies, découvertes désagréables, mécanisme d'imitation analogues à ceux dont nous avons parlé à propos du *petting*. Très souvent la femme célibataire rêve qu'elle hésite à ouvrir un tiroir ou à soulever les couvertures d'un lit parce qu'elle a peur de trouver quelque chose dont elle ignore la nature mais qu'elle « sait » être hostile ou déplaisant.

Les psychanalystes européens ont tous noté chez leurs patients la nette diminution de rêves déclenchés par le complexe de culpabilité causé par des problèmes sexuels.

Les Censeurs avec C majuscule, dans le genre de Caton, le Romain célèbre pour l'austérité de ses principes, sont, naturellement, prêts à dire que cette attitude provient du relâchement de nos mœurs et de la corruption qui règne sur le monde mais leurs déductions pessimistes ne sont pas défendables car on constate que les individus dont les préoccupations sexuelles ne sont pas primordiales ne sont pas de ceux qui commettent le viol, l'adultère ou qui demandent le divorce pour des raisons de mésentente uniquement physique.

Constatation qui a autorisé un des premiers psychologues occidentaux, le professeur Walther von Hollander, à déclarer : « La grande majorité des filles d'à présent vit d'une façon très différente de celle prescrite par la morale. J'ose affirmer, moi, que depuis qu'elles ont accès aux mystères du sexe, aux secrets de l'érotisme, elles voient les choses plus logiquement, d'une façon plus nette et qu'elles deviendront des épouses mieux équilibrées que ne l'ont été leurs mères. Elles s'opposeront à ce que des personnages sans tempérament dictent des lois à ceux qui en sont pourvus et elles aideront à faire donner aux questions regardant le sexe la place qui leur convient. Cette puissance exagérée de la morale entre guillemets, qui détruit aujourd'hui encore beaucoup trop d'individus, devra finalement s'incliner devant la raison qui, elle, sait la place qu'il faut donner aux puissances de l'instinct, de l'intelligence et du cœur. »

Les miroirs troubles des perversions.

Le monde des songes est le miroir fidèle des « puissances » dont parle von Hollander et nul n'ignore que la part du lion revient dans les rêves des adultes à la sexualité qui repousse au second plan des questions pourtant très importantes pour le commun des mortels comme les problèmes financiers ou les soucis de tous ordres, même les plus graves.

On comprend alors pourquoi les psychanalystes écoutent si attentivement les rêves de leurs clients. Le professeur Naecke écrit : « Beaucoup de malades nous confient plus volontiers leurs rêves les plus extravagants que les manifestations en état de veille de perversion ou de déviation diverses. L'analyse de ces rêves est indispensable pour faire notre diagnostic et elle nous permet d'en tirer des déductions assez rigoureuses. »

L'existence d'une anomalie peut être diagnostiquée en observant attentivement un individu (la façon dont les homosexuels regardent les personnes de leur propre sexe, celle dont les fétichistes s'intéressent à certains objets, etc.), mais il n'est pas toujours facile de le faire librement. Beaucoup d'anormaux cherchent à cacher des tendances ou des goûts qui, dans leurs rêves, apparaissent avec une netteté parfaite.

Baumgartner cite un exemple très intéressant à propos du secret des perversions. Un homme vient le consulter au sujet de son impuissance sexuelle. La première chose à faire était d'en déceler la raison mais le patient restait si mystérieux qu'on ne pouvait rien affirmer. L'illumination se fit totalement grâce à l'analyse de ses rêves. Il s'agissait d'un homosexuel qui n'avait jamais obéi à ses instincts et qui les avait même réprimés avec une force de volonté peu commune. Il n'avait jamais osé avouer que cette fameuse « impuissance » se réduisait à rien lorsqu'il avait à faire à des garçons. Baumgartner comprit très facilement ce qu'il en était en l'écoutant parler de ses visions oniriques.

Les rêves peuvent-ils être considérés comme des « pronostics » ? C'est encore le professeur Baumgartner qui répond à cette question en parlant du cas d'un certain G., quarante ans, jeune, sportif, très bon amant, qui décide un jour de se marier. Durant les premiers mois, les époux sont très heureux, puis brusquement G. n'éprouve plus le moindre désir pour sa jolie femme, mannequin de mode, âgée de vingt-deux ans. Ayant constaté avec regret ses échecs répétés, G. va demander des conseils à Baumgartner qui, encore une fois, pense découvrir le secret de cette frigidité inattendue dans les rêves de son patient qui lui raconte qu'il se voit souvent dans son sommeil redevenu l'enfant qu'il a été, vivant, enchanté de son sort, dans la tanière d'un ours et qu'à son réveil il se sent étonnamment bien.

Une simple conversation permit au professeur de comprendre qu'il s'agissait d'une perversion latente : le fétichisme. G., petit garçon, habitait une maison dont le parquet était recouvert de peaux de bêtes abattues par le grand chasseur qu'était son père. En outre, il avait été très frappé par un conte qui parlait d'un enfant élevé par un couple de loups, ou de lions, ou d'ours (le souvenir était un peu vague). Une « déviation », née à cette époque, resta enfouie au tréfond du subconscient de G. pendant une trentaine d'années. Elle resurgit brusquement le jour où il vit sa femme présentant un manteau de fourrure dans les salons de la maison de couture où elle était mannequin. A partir de cette mise au point, on put soigner G. et le guérir sans la moindre difficulté.

Les rêves permettent de découvrir les perversions ou les déviations, mais aussi les tendances contre nature. Ils font alors l'office de sonnette d'alarme qui résonne souvent avant qu'il ne soit trop tard mais que n'entendent, bien entendu, que ceux qui ne font pas volontairement la sourde oreille.

Autre exemple : une jeune Anglaise, qui n'avait pas du tout des allures garçonnières, qui semblait très bien équilibrée et tout à fait normale, révéla des tendances homosexuelles qu'elle ignorait à travers ce qui se passait durant son sommeil où elle se voyait très souvent sous la forme d'un petit garçon de douze ans. Voici ce qu'elle confia à un médecin : « Dans mes rêves, je joue toujours le rôle d'un homme... je me suis même trouvée en contact avec cet autre moi-même, éprouvant des sensations masculines. Une fois, j'ai vu mon visage dans un miroir et j'ai cru reconnaître quelqu'un que j'avais vu autrefois... Je suis certaine d'avoir vécu une autre vie avant celle d'aujourd'hui et d'avoir été un homme. »

Il n'est pas de notre propos de discuter de la transmigration successive des âmes. Contentons-nous de dire que nous pensons que des rêves dans le genre de ce dernier sont très significatifs et dénoncent indubitablement les tendances du dormeur à l'homosexualité et au narcissisme, tendances qui peuvent ne jamais se manifester dans la réalité comme aussi bien exploser au grand jour si un de « ces déclics secrets » dont nous avons parlé se mettait brusquement à jouer. Alors, pourquoi hésiter à admettre leur existence puisqu'on sait qu'il est possible, si on le veut, de s'en débarrasser ?

Avant de quitter ce sujet, nous avons envie d'ajouter quelques mots sur les malencontreuses conséquences et sur leurs répercussions sur les rêves que peut avoir l'absence d'éducation sexuelle intelligente.

Freud cite en exemple l'adolescente qui rêve que, se promenant dans un vignoble, elle arrive devant un grand trou qu'*elle sait* dû à l'arrachement d'un pied de vigne. Cette vision du trou dérive du fait que depuis sa petite enfance elle a toujours cru que les garçons et les filles étaient à leur naissance anatomiquement pareils et que par la suite

185

« on coupait quelque chose aux petites filles ». Il s'agit du complexe de castration dont on devine facilement les séquelles douloureuses.

Ce rêve ne signifiera rien pour les personnes qui ne se sont jamais intéressées à la psychologie. Signalons que s'il ne se répète pas, il n'a rien d'inquiétant. S'il revient souvent (comme, du reste, si d'autres reviennent souvent) il devrait mettre en garde tout le monde, mêmes les individus les moins versés dans les études philosophiques et psychiques.

Les songes — nous nous excusons de le répéter encore une fois — ont une immense importance dans la vie psychologique et dans la vie tout court. C'est pourquoi — et non pour satisfaire une curiosité superficielle — nous avons tenu à écrire ce livre où nous ne parlons que de ce qui se passe durant le sommeil.

Il faut absolument que personne ne puisse se désintéresser du mécanisme des rêves, aussi bien pour ne pas rester ridiculement attaché à des superstitions que pour découvrir à travers eux son propre caractère, son équilibre psychique et sexuel et pour mieux connaître ses enfants.

Nous ne voulons naturellement pas que tous les parents et que tous les éducateurs se transforment en psychanalystes. Nous désirons tout simplement qu'ils comprennent la nécessité de donner de plus en plus d'attention aux problèmes de l'enfance et de la jeunesse.

Nous conclurons ce chapitre en disant que les songes peuvent fournir des indications précieuses sur tous les aspects de la vie à condition qu'on sache être attentif à leur langage, et bien l'écouter pour pouvoir, s'il y a lieu, le faire traduire et se le faire expliquer. Nous pensons que le rêve est comme une fenêtre ouverte sur l'avenir, sur des perspectives plus ou moins prophétiques. Il dépend de chacun de nous de modifier, s'il le juge sage, ces perspectives sans attendre qu'avec la maturité et l'affirmation du caractère elles ne deviennent pratiquement irréversibles.

TROISIÈME PARTIE

Les mystères du sommeil

I

LES VAGABONDS DE LA NUIT

Mme J... se réveilla avec la sensation très nette qu'elle était seule dans son grand lit. Elle ne se trompait pas : Louis, son mari, n'était pas à côté d'elle. Alors elle alluma sa lampe de chevet, regarda la pendule et constata qu'il était minuit passé. Immédiatement, toutes sortes d'idées lui passèrent par la tête et parmi elles se dressa le souvenir d'une petite danseuse du *Moulin Bleu* qui plaisait vraiment un peu trop à son cher époux. Mais tout d'un coup, Mme J... frissonne de froid. La fenêtre est ouverte. Elle se lève, se penche et reste pétrifiée de stupeur. Louis, seulement revêtu de son pyjama à pois bleus, se promène tranquillement sur la corniche, très étroite, de la façade de la maison. Il semble avoir oublié ses cinquante ans, son petit bedon et son aversion bien connue pour la gymnastique.

L'exercice n'est qu'à son début. Mme J... assiste à la glissade de son mari le long de la gouttière, le voit gagner d'un saut acrobatique le balcon du premier étage (les J... habitent au second), descendre dans la cour en se servant de quelques briques ornementales qui dépassent le mur, escalader une palissade de deux mètres de haut, traverser la cour de l'immeuble voisin et commencer à remonter le long du tuyau de la cheminée. Arrivé au sommet de la cheminée, Louis reste quelques minutes debout au bord de l'ouverture puis il redescend en se servant de l'échelle de fer (mon Dieu, mon Dieu, dire qu'il a toujours souffert de vertiges !) avec le flegme d'un alpiniste de grande classe.

Ayant sans doute assez de son étrange promenade nocturne, il retourne enfin sur ses pas et se dirige vers la palissade dont nous avons parlé. C'est à ce moment qu'apparaît le gardien de nuit armé d'un revolver. Alors trois hurlements retentissent presque simultanément : d'abord celui poussé par Mme J..., puis ceux de l'infortuné Louis qui se réveille brutalement et de l'homme armé... Le lendemain tous les journaux racontaient l'événement en disant que le cas de somnambulisme présenté par M. J... était un des plus extraordinaires enregistrés depuis ces dernières années.

Qu'est-ce que le somnambulisme ? Plusieurs psychanalystes soutiennent qu'il ne s'agit que d'un « rêve vécu dans une sorte d'automatisme ambulatoire », d'un phénomène déterminé par les mêmes raisons que les songes ordinaires et qu'il joue les mêmes rôles de protecteur du sommeil ou de révélateur de désirs ou de craintes.

Nous serions tenté de donner raison à cette hypothèse en pensant à quelques cas de somnambulisme très impressionnants. Nous ajouterions, d'accord avec les psychanalystes en question, que les somnambules subissent une sorte « d'injonction adressée à leur subconscient » qui les oblige à accomplir ou à tenter d'accomplir dans leur sommeil certains actes que, pour une raison ou pour une autre, ils ne feraient jamais dans la vie quotidienne.

L'hypothèse est moins convaincante lorsqu'il s'agit de somnambules « ordinaires » qui se contentent de se lever, d'aller ouvrir une porte, de marcher et parfois de se risquer à quelques imitations d'équilibristes de cirque. Toutefois, comme cet état d'automatisme n'est en somme qu'un phénomène qui se rattache au rêve, les actes accomplis inconsciemment pourraient avoir un sens symbolique dont il est difficile de donner une interprétation valable.

Beaucoup de questions restent sans réponse à propos de ce phénomène. Pourquoi les somnambules agissent-ils toujours deux ou trois heures après s'être endormis ? Comment peuvent-ils franchir des obstacles qui leur paraîtraient insurmontables en état de veille ? (Il y a des enfants qui ont su ouvrir des serrures extraordinairement compliquées et on parle d'un petit garçon de quatre ans qui a écrit en dormant des phrases très lisibles, alors qu'il ne connaissait pas une lettre de l'alphabet.) Pourquoi ces « vagabonds de la nuit » ne sont-ils pas soumis à la loi de la pesanteur ?

Cette dernière question est la plus importante. Au Moyen Age, on a brûlé des somnambules que l'on considérait comme des sorciers parce qu'on les avait vus traverser des torrents sans se noyer, ou marcher sur de fragiles toits de paille sans les faire s'effondrer. Aujourd'hui encore la superstition populaire continue ses ravages.

Dans l'Oklahoma, par exemple, aux Etats-Unis, une personne très pacifique, Mme Jane Wier, âgée de trente ans, passe pour une ancienne magicienne parce que ses voisins l'ont vue se promener la nuit au bord d'une corniche si légère qu'elle n'aurait même pas supporté le poids d'un petit enfant. Les mêmes suspicions ont entouré Inge G..., une Allemande âgée de dix-huit ans, qui se livrait aux mêmes genres d'exercices que Jane Wier.

Bien entendu ces incidents, inexplicables encore aujourd'hui, n'ont rien de surnaturel. Les médecins le savent mais aucun n'est arrivé à mettre au point des arguments capables de convaincre les villageois de l'Oklahoma et d'apaiser notre curiosité.

Néanmoins, le professeur Mikorey, qui s'est occupé très sérieusement du problème, donne une définition au somnambulisme qui désormais fait autorité en la matière.

« Les somnambules sont, en général, des individus ultrasensibles dont le sommeil est très profond. A leur « premier réveil » ils ne reviennent pas dans la réalité mais ils se trouvent dans un état qu'on pourrait peut-être comparer à cette heure qui est entre la fin de la nuit et le début de l'aube, dans « un interrègne » où ils errent les yeux ouverts, où ils comprennent tout mais ne sentent rien, même pas la douleur.

« Le point suivant est très important : le somnambule éprouve-t-il les angoisses, les craintes, les préoccupations, les inhibitions qu'il ressent durant le jour ? Manque-t-il de la faculté de discerner entre le bien et le mal, de sens critique, de la possibilité de choisir les actes qu'il accomplit ? A mon avis, le conscient du somnambule dort alors que son subconscient s'éveille. Celui-ci ne reconnaît aucun obstacle et se sent capable de tout, aussi bien dans le bon sens que dans le mauvais. »

Les songes peuvent tuer.

La déclaration du professeur Mikorey nous rappelle un événement bizarre dont la conclusion eut pour théâtre le tribunal de Berlin-Moabit.

Il s'agit d'un crime accompli dans la nuit du 12 au 13 octobre 1960 et dont l'auteur fut peut-être Karl Steinert, camionneur âgé de cinquante-six ans, qui se présenta au commissariat de son quartier en disant :

« Je crois avoir assassiné ma femme dans mon sommeil. J'étais en train de rêver que je la tuais à coups de marteau et lorsque je me suis réveillé je l'ai trouvée renversée sur le divan exactement comme je venais de la voir en dormant. Je ne suis pas certain de l'avoir tuée moi-même, mais il me semble que oui. Il n'y avait personne chez nous et personne n'a pu entrer. »

On imagine facilement la perplexité des policiers et des juges d'instruction. Le ministère public chercha à prouver que Karl Steinert ne dormait pas à l'heure du crime et qu'il pouvait avoir des raisons d'être jaloux de sa femme qui avait trente-trois ans de moins que lui. L'accusé admit avoir eu une altercation avec la victime quelques heures avant le crime mais qu'il ne s'agissait de rien d'important.

Selon les médecins experts, c'est justement cette dispute qui aurait pu conduire Steinert à tuer durant une crise de somnambulisme. On sait que dans le sommeil tout s'exagère, que le mépris peut se transformer en haine et que le cerveau, dominé par les instincts, est capable d'armer la main et lui faire commettre un meurtre.

Les jurés ne crurent devoir admettre ni la thèse de l'accusation ni celle de la défense et ils infligèrent à l'homme deux ans et demi de réclusion. Cette sentence, ni chèvre ni chou, souleva des masses de discussions. Ou Steinert était coupable d'un crime volontaire et on devait le condamner en conséquence, ou on le considérait irresponsable de l'acte commis sans le vouloir, donc innocent.

Il existe d'autres cas ressemblant à celui-ci. Le plus connu eut pour théâtre, en 1949, les bords du lac Supérieur, à la frontière du Canada. Il est classé dans les dossiers de la criminologie sous le titre de « crime par suggestion ».

Lloyd N. Osborn, cinquante-neuf ans, riche exploiteur de terres à Omaha, dans le Nebraska, marié, père de quatre enfants, se trouvait en vacances avec sa femme Helen, quarante-huit ans, et des amis, parmi lesquels deux avocats et un juge.

A cette époque, on jugeait, à Washington, un célèbre assassin, Jake Bird, qui avait avoué le meurtre de quarante-huit femmes. Il s'agissait d'un procès extraordinaire et le soir où Bird fut exécuté, la conversation dans la maison de campagne des Osborn tourna autour de ce sujet.

Tout le monde se sépara vers minuit, mais le lendemain matin à 9 heures, ce fut l'horrible découverte. Helen Osborn gisait sur son lit, assassinée, tandis que son mari, abruti, était étendu près d'elle dans un fauteuil. Sur une table une feuille de papier. « Pardonnez-moi cet horrible forfait. J'ai eu un cauchemar. Cette nuit, je me suis transformé en Jack Bird. Je ne sais pas, je ne peux pas dire comment cela est arrivé, mais j'ai tué ma femme adorée. »

Osborn se suicida quelques heures après et pour la première fois dans l'histoire des Etats-Unis un crime fut classé par la police et par la magistrature sous le titre de « Homicide en état de somnambulisme ».

A la même époque survint en Bavière un cas analogue. Franz Schwarzbard, mari et père exemplaire, assassinait sa femme et tentait de se suicider parce qu'il s'était vu en rêve en train de commettre le crime. Lorsqu'il put sortir de l'hôpital, on l'arrêta et les juges ne voulant pas admettre ce qu'il racontait le déclarèrent coupable. Après quelque temps la sentence fut annulée et remplacée par un non-lieu, grâce à l'intervention du docteur Mikorey, le célèbre psychiatre, qui affirma qu'on pouvait tuer en état de somnambulisme.

A ce propos, Mikorey fit état de cas très étranges, parmi lesquels celui-ci : un fonctionnaire des Postes qui voyageait par métier sur les wagons postaux, Henry L. Chancey, de Boston, déroba, en état de somnambulisme, 30 000 dollars et alla les enterrer sous un poirier. Plus tard, toujours en état de somnambulisme, il les déterra et les restitua à ses supérieurs en demandant qu'on lui en remît un reçu en bonne et due forme.

Les professeurs de psychologie de la Sorbonne se sont aussi intéressés à la question. Voici quelques lignes d'un de leurs rapports : « Les cas de somnambulisme ont généralement pour protagonistes des gens qui, par tendances ou à la suite de leurs études, sortent de la moyenne et qui, surtout, ne vivent pas dans ce certain équilibre qu'on appelle communément des conditions normales. Ces individus sont plus sensibles ou moins scrupuleux, plus durs ou plus influençables, plus excitables ou plus amorphes et arrivent à se trouver en face de conflits créés par leurs désirs ou par les exigences du milieu dans lequel ils vivent. Dans leurs périodes de somnambulisme, comme dans leurs rêves ordinaires, ils sont poussés à réaliser leurs aspirations à travers les voies tortueuses de leur inconscient.

« On peut durant une vie entière ignorer que le somnambulisme existe mais on peut aussi brusquement, à cause d'une colère, d'une dispute, d'une déception, d'une impression forte, voir exploser ce qui s'est accumulé au plus profond du Moi. La nuit, lorsque la partie " supérieure " de la personnalité est annihilée par le sommeil, il est facile à *l'autre* de prendre toutes les libertés. »

Ces considérations ont induit des psychiatres à penser qu'un somnambule qui se rend coupable d'un délit quelconque ne peut pas être déclaré comme totalement inconscient puisque dans son Moi se cachent des *stimuli* pervers. Si du point de vue strictement scientifique les psychiatres ont raison, il est logique de continuer à croire qu'on ne peut pas tenir les hommes responsables de leurs rêves et de leurs désirs refoulés.

Les crimes commis par des somnambules sont heureusement très rares et nous n'en avons parlé que parce qu'ils apportent quelque chose de plus à l'explication du mécanisme du rêve en général. Par exemple, les fugues des somnambules doivent être interprétées comme un violent désir d'évasion qu'on réalise en dormant parce qu'il est impossible dans la réalité.

Est-ce que vous et moi ne disons pas souvent : « Je ferais n'importe quoi pour m'évader de cette situation ? » Les gens normaux se mettent alors à rêver qu'ils fuient n'importe où, tandis que les somnambules mettent réellement leur projet à exécution.

On nous demande souvent s'il est vrai qu'on risque de tuer un somnambule en le réveillant brusquement. Nous répondons catégoriquement : non. Il s'agit, encore une fois, de traditions populaires sans le moindre fondement (à moins, bien entendu, que le dormeur ne se trouve au bord d'un précipice, auquel cas la surprise pourrait lui faire perdre l'équilibre). De toute façon, il faut lui parler calmement en l'incitant d'une voix douce à regagner son lit.

Avec des mots gentils, on pourrait bercer Mister Hyde. On pourrait aussi tenter de convaincre le docteur Jekyll, qui vit en chacun de nous, d'user d'un peu plus de patience envers son double infernal et de ne pas renoncer à le sauver d'une façon aussi spectaculaire *.

---

* Lire *L'étrange cas du Docteur Jekyll et de Mister Hyde*, de R. L. Stevenson (*N. d. T.*).

II

CHEFS-D'ŒUVRE DANS LES TÉNÈBRES

Le professeur Powell ferma la porte de son bureau et s'en alla le long du couloir d'un air affreusement déprimé. Lopez, le vieux gardien du laboratoire du musée, ayant entendu des pas dans le vestibule, sortit de son petit cagibi pour accompagner son patron jusqu'à la grille.

« Toujours rien, monsieur le Professeur ?

— Toujours rien, Lopez. Je crains d'être obligé d'abandonner. »

En effet, après trois semaines de recherches, les choses en étaient toujours au même point. Le bas-relief de Teotihuacan, œuvre d'artistes inconnus nés dans une peuplade américaine sans nom, n'était là sur la table du laboratoire qu'un simple petit tas de pierres grisâtres. Si on arrivait à rassembler ces morceaux on pourrait peut-être prouver que cette civilisation mexicaine était très fortement apparentée à celles de la Méditerranée. Mais comment réussir ce miracle ? A peu près aussi facile que de reconstituer une feuille de papier découpée pour en faire des confetti ou des serpentins.

C'est probablement ce que pensait le professeur Powell en regagnant son appartement. Il était presque minuit lorsqu'il arriva chez lui, cependant, il alla s'installer devant sa table de travail pour feuilleter des livres, des photographies, des dessins, des notes, espérant y trouver quelques détails révélateurs. Il se coucha à l'aube et revint au musée dans l'après-midi, les nerfs encore à fleur de peau.

Il poussa la porte de son bureau et dut se retenir au chambranle lorsqu'il aperçut sur sa table des petits morceaux de terre cuite assemblés qui formaient une anse.

Powell courut interroger le gardien qui ne sut que répondre. Personne n'était entré dans le laboratoire. Du reste, personne, parmi les habitués du musée, n'aurait pu accomplir le travail qu'il avait sous les yeux. Il se mit tout de suite à la besogne et arriva à rapprocher encore quelques morceaux. C'était peu de chose et il sentait qu'il lui faudrait encore des jours et des jours de patience pour obtenir ce qu'il souhaitait. Heureusement qu'il y avait ce mystérieux commencement de reconstitution...

Nouvelle surprise le lendemain : la main inconnue avait continué son ouvrage.

Si le professeur avait été superstitieux, il se serait dit qu'un fantôme de la civilisation américaine inconnue était revenu du fond des siècles pour refaire ce que le temps avait détruit. Peut-être que cette idée l'effleura ? Sait-on jamais ? Mais elle ne l'empêcha pas d'avoir l'idée le même soir de demander à deux amis de l'accompagner et de se cacher avec lui dans un coin du jardin d'où l'on pouvait voir la fenêtre de son laboratoire.

Après deux heures d'attente les trois hommes virent l'électricité s'allumer et Lopez, le vieux gardien, se mettre tout tranquillement au travail pour continuer avec des gestes patients et sûrs la reconstitution de la sculpture.

Lopez, un paysan de soixante ans, presque un analphabète, était en train de rassembler des vieilles pierres pour donner forme au « papillon de Teotihuacan » qui ressemblait exactement à l'animal symbolique du palais de Cnossos, en Crète.

Powell et ses amis épièrent le gardien durant trois nuits de suite, puis ils décidèrent de se montrer. Quelle surprise lorsqu'ils durent constater que le vieil homme travaillait en état de somnambulisme total.

Interrogé, le pauvre diable, non seulement ne put donner aucune explication, mais il ne voulut même pas croire ce que ses chefs lui affirmaient. On pourrait à cette occasion remettre sur le tapis « les esprits » et raconter une magnifique histoire au sujet d'une âme s'échappant des ruines d'une ville morte pour rejoindre le lieu où sa mission doit s'accomplir. Cette mission consistant à entrer dans le corps d'un vieux brave homme, d'en faire un instrument, de se servir de pauvres mains rugueuses pour révéler à des savants du XXe siècle que la civilisation mexicaine avait eu des rapports très étroits avec l'art méditerranéen.

L'occultisme n'a rien à voir dans l'aventure du professeur Powell. Il faut chercher son explication sur un plan plus positif, même s'il doit sembler beaucoup moins romanesque. Il faut simplement se dire que Lopez avait vécu pendant des années au milieu d'objets ayant appartenu aux anciennes civilisations mexicaines, qu'il avait vu des photographies et des reproductions des monuments américains et qu'il avait pris tant d'intérêt à l'archéologie qu'elle était devenue sa secrète passion.

Nous avons tous le souvenir d'un surveillant qui écoutait attentivement les cours de l'Université et qui s'est ainsi instruit tout seul, ou d'un père se passionnant tellement pour les versions latines de ses fils qu'il pouvait devenir leur professeur.

Les uns rêveront, sans doute, qu'ils enseignent dans une école, les autres, comme Lopez en sommeil somnambulique, qu'ils sont des archéologues capables de faire des travaux sensationnels.

Le gardien était-il donc plus intelligent et plus habile que le professeur Powell ? Non, certainement pas. Lui aussi aurait pu avoir « une inspiration onirique ». La chose peut arriver à n'importe qui mais il faut avouer que ces sortes d'aventures ont un côté qui semble tenir du miracle. Il faut faire remarquer que « l'inspiration » n'a pas toujours besoin d'une mise en scène pareille pour se manifester. Beaucoup de simples rêves s'en chargent. Il suffit de savoir les interpréter au réveil.

Edgar Wallace, par exemple, l'auteur immortel d'innombrables romans policiers, se trouva à une époque complètement à bout de forces et incapable d'achever un livre que son éditeur lui réclamait à cor et à cri. Il ne manquait plus que le dernier chapitre. Durant une semaine, il chercha la solution logique aux situations inextricables qu'il avait inventées, mais sans rien imaginer de satisfaisant. Au moment où il était prêt à jeter au feu son manuscrit il rêva son fameux dernier chapitre. La conclusion était non seulement logique mais parfaite, car elle justifiait les épisodes les plus extravagants du récit.

Ce genre de songes s'appelle « rêve d'idéation », c'est-à-dire de formation et d'enchaînement d'idées. Ils sont fréquents, mais il est rare qu'ils aboutissent à des conclusions raisonnables.

Oui, la fortune vient en dormant.

Le professeur Andrea Romero, chef de clinique à l'hôpital psychiatrique Mauriziano, de Turin, a écrit : « Il nous arrive à tous pour cause de fatigue, d'intoxication alimentaire, de préoccupations, de passer une bonne partie de la nuit à ruminer des regrets, des ennuis, des projets. Toutes sortes de souvenirs confus, de conversations, de discours nébuleux, de problèmes embrouillés, de méditations hâtives s'entremêlent dans notre cerveau en lui procurant une sensation d'effort désagréable, une impression d'échec. Plus rarement, on ressent la joie d'un succès, rapidement démenti par les faits. Exceptionnellement, nous vient une intuition heureuse conforme à la vérité et supportant la critique.

« Seulement à certains moments privilégiés on a constaté que durant un " rêve d'idéation ", certaines pensées prouvant une activité intellectuelle positive prendraient vie pour confirmer le dicton populaire, *la nuit porte conseil,* et que des problèmes qui ont résisté toute la journée aux efforts déployés pour les résoudre se trouveraient expliqués le matin dans leurs moindres détails comme si on avait reçu une illumination du Ciel.

Le cas de l'écrivain Edgar Wallace que nous venons de citer est typique. On pourrait y ajouter ceux de poètes qui ont " rêvé " les meilleurs passages de leurs œuvres, de mathématiciens et de physiciens qui ont résolu des problèmes qui les tourmentaient depuis des mois et de savants parvenus " en dormant " à de grandes réalisations.

Il y a des gens bizarres qui disent que Dante aurait " rêvé " *la Divine Comédie* ou même qu'il aurait écrit son immortel poème en état de somnambulisme. Certains soutiennent aussi que le récit de cette prodigieuse suite d'aventures nocturnes est écrit dans un langage volontairement ésotérique. Nous, sincèrement, nous ne le croyons pas, bien qu'il soit possible que l'idée de son thème général ait été donnée à Alighieri par un rêve et que grâce à ses songes il ait pu surmonter les innombrables difficultés que présentait la réalisation d'un chef-d'œuvre tel que celui qu'il a écrit.

C'est aussi grâce à un rêve que le prix Nobel Paul Ehrlich, inventeur du *Salvarsan,* put expliquer le mécanisme des cellules se défendant des poisons qui les attaquent et que le chimiste Carl Duisberg trouva le nouveau colorant qui permit à des industriels de gagner des milliards. Un autre pionnier de l'industrie chimique, August K. von Stradonitz, semble s'être trouvé souvent parmi les bénéficiaires des dons du dieu Morphée : la première de ses grandes théories fut, dit-il lui-même, conçue durant un petit somme dans un autobus londonien et la seconde... tandis qu'il s'était endormi devant sa table de travail.

Franz Lehar, compositeur hongrois du début du siècle et auteur de *La Veuve joyeuse,* a raconté un jour à ses amis le fait suivant : " Mon éditeur, faisant pression sur moi, insistait beaucoup pour que je lui donne une nouvelle valse. Comme je n'étais à ce moment-là pas du tout inspiré, j'eus l'idée de boire, mais de boire beaucoup, en espérant que l'alcool m'aiderait. Pris d'un fort mal à la tête et sans avoir rien écrit, j'allai me coucher. Dans une sorte de demi-sommeil, je fis un rêve curieux : je dirigeais un très grand orchestre qui exécutait une valse qui me plaisait beaucoup. Le lendemain matin je voulus en écrire rapidement la mélodie mais ce fut impossible. Je ne me la rappelais plus. Quelque temps après, m'étant assis pour reprendre mes tentatives, j'eus la merveilleuse surprise de me mettre à jouer la valse que j'avais dirigée dans mon demi-sommeil. C'est celle que j'ai intitulée *Or et Argent*. ".

L'histoire rapportée par M. Biro, le Hongrois inventeur du stylo à bille, n'est pas moins étonnante. Au début de ses recherches il eut l'idée de composer une encre spéciale pour stylographes assez dense pour permettre d'écrire pendant des semaines sans changer de cartouche, mais aussi assez fluide pour sécher instantanément.

Les nuits de Biro, qui n'arrivait pas à atteindre le but de ses recherches, devinrent de véritables cauchemars : il se voit dans une pièce transformée en laboratoire écoutant des vociférations qui venaient de la rue. Il ouvre la fenêtre et se penche. Une foule énorme est rassemblée devant sa maison pour lui lancer des insultes et des quolibets. Furieux, il saisit son fusil, mais il n'a pas de balles. Il a alors l'idée de pousser dans le canon une petite bille en argent dont il se sert généralement comme presse-papier et il met en joue les gens qui hurlent. La bille d'argent s'arrête à la gueule de son fusil qui ne rejette qu'un peu de poussière noire. Un éclair de génie traverse le cerveau de Biro : il va se servir de l'encre qu'il a inventée mais qui ne vaut rien pour écrire pour en asperger la foule qui se moque de lui. Il en verse un peu dans le canon de sa carabine et tire, tire, tire comme un fou en couvrant la rue de cette substance noire et visqueuse.

A peine réveillé il se dit qu'il va renoncer à l'idée d'un stylographe mais qu'un tuyau bouché par une bille constitue un outil à écrire parfaitement adéquat à l'emploi de l'encre qu'il avait crue " inutilisable ".

Pour bien se rendre compte que " les rêves d'idéation " n'ont rien de surnaturel, il suffit de penser comment en rêve (laissons de côté les grandes inventions, les réalisations importantes) nous nous trouvons nous-mêmes assez souvent en train de résoudre des problèmes ou de faire des gestes que nous n'exécuterions certainement pas aussi bien dans la réalité.

Par exemple, un orateur peu doué pour la parole se verra dans ses rêves éblouir un auditoire, un médiocre élève de Berlitz s'exprimera parfaitement dans une langue étrangère, un pianiste amateur deviendra le virtuose d'un grand concert. Nous avons choisi ces exemples dans un article très intéressant signé par le docteur Giuseppe Aprile qui les explique savamment. En mots plus simples, on pourrait résumer ainsi : l'orateur, l'interprète, le pianiste se trouvent souvent dans la vie devant des oublis, des lacunes, des lapsus et dans l'obligation de traduire rapidement leurs pensées. En dormant, ils n'ont aucune obligation et les difficultés que l'exécution comporte s'évanouissent.

Pour expliquer la différence entre l'état de veille et l'état de sommeil, le docteur Aprile a recours à une très bonne comparaison en nous faisant remarquer que bien souvent en rêve on croit si bien se souvenir d'une phrase musicale " qu'on jurerait l'entendre avec toutes les modulations qu'elle comporte ", mais que s'il s'agit de la chanter en réalité on s'aperçoit que ce qu'on a retenu n'est qu'un à-peu-près très vague. »

Nous disons ici, attention : si nous ne connaissons pas très bien une chanson, nous ne l'entendrons pas en rêve avec toutes ses modulations et si nous n'avons que quelques notions d'anglais nous ne parlerons pas en rêve comme un diplômé d'Oxford.

Pour la même raison, si Lopez, le vieux gardien du musée ne s'était pas intéressé véritablement à l'archéologie, il n'aurait pas pu reconstituer en état de somnambulisme le bas-relief mexicain et si Edgard Wallace n'avait pas été un maître du roman policier il n'aurait pas trouvé par miracle en dormant son excellent chapitre de conclusion. Si Ehrlich n'avait eu que des idées superficielles sur les cellules et leurs comportements, il ne serait pas arrivé... même en rêve, à sa grande découverte.

Il reste pourtant qu'on connaît des cas troublants qui semblent démentir ce que nous venons de dire. Comme, par exemple, celui d'une dame française qui en dormant s'exprime dans une langue que les experts ont reconnu être celle de l'ancienne Egypte dont cette personne ignorait tout ; celui d'une bergère, presque analphabète, qui écrit de très beaux poèmes lorsqu'elle se trouve en état de somnambulisme ; celui d'un Arabe nomade qui voit en rêve un engin qu'il a décrit et qu'on a utilisé pour des recherches pétrolières. Malheureusement, la dame n'est pas devenue une spécialiste des langues égyptiennes, la bergère ne sait toujours pas lire et le nomade a totalement oublié son bel instrument de forage.

III

CHRONIQUES DE L'INCROYABLE

Son Excellence Josef Lanyi, évêque de Grosswardein, en Hongrie, se réveille en sursaut, allume sa lampe et regarde la pendule. Il reste quelques instants immobile en murmurant une prière puis il sort de son lit et va s'asseoir devant son bureau. Il essuie son front couvert de sueur et, d'une main tremblante, il écrit :

« Il est trois heures et demie du matin, le 28 juin 1914. Je viens d'avoir un rêve affreux. J'ai rêvé que je m'étais installé devant ma table pour dépouiller le courrier qui venait d'arriver. Au-dessus du tas de lettres, une enveloppe bordée de noir avec les armoiries du grand-duc dont je reconnais immédiatement l'écriture. Je déchire l'enveloppe et j'en sors un feuillet dans le haut duquel il y a quelque chose qui ressemble à une carte postale représentant l'angle d'une avenue et d'une ruelle étroite avec Leurs Altesses assises dans une automobile. En face des princes, un général, et à côté du chauffeur, un officier. Des deux côtés de l'avenue, la foule. Deux hommes jeunes bondissent et pointent leurs revolvers sur l'archiduc.

« Je lis ce qui suit : Excellence, cher Lanyi, je vous fais part qu'aujourd'hui je meurs à Sarajevo, victime, ainsi que ma femme, d'un attentat. Je vous demande de prier pour moi. Cordialement je vous salue. Archiduc François. Sarajevo, 28 juin 1914, trois heures du matin. »

Le prélat épouvanté par son rêve ne se recouche pas (il était l'évêque de Grosswardein, aujourd'hui en Roumanie, et qui se nomme Oradea). Son valet de chambre, venu le réveiller comme tous les jours à 5 h 45, le trouva prostré dans son fauteuil, le visage pâle comme celui d'un mort. L'évêque fit appeler sa mère et un ami qui habitait chez lui et il leur raconta sa nuit. Ensemble ils se rendirent à la chapelle et prièrent pour la sauvegarde de l'archiduc François-Ferdinand d'Autriche dont l'évêque avait été le professeur en lui enseignant la langue magyare.

Les faits s'étaient presque déroulés, on le sut bien vite, comme ils étaient apparus en rêve à Mgr Lanyi. A proximité du pont, Cabrinovitch lança une bombe qui atteignit la troisième automobile du cortège et ce n'est que plus tard que Princip tira sur les princes autrichiens ces balles qui allaient provoquer la déclaration de guerre en 1914.

Ce fut à 15 h 30 que Mgr Lanyi reçut le télégramme lui annonçant l'assassinat de l'archiduc François-Ferdinand et de sa femme*.

Alors, dites-vous, les songes prophétiques existent-ils ? Presque tout le monde répondrait par l'affirmation. Si vous interrogez vos amis, vos parents, ils auront tous à vous raconter des rêves qui leur ont annoncé des accidents, des catastrophes, des décès. Les sociétés de recherches parapsychologiques qui ont mené des enquêtes à ce sujet ont recueilli un nombre incroyable de témoignages et les journaux qui ont ouvert leurs colonnes à ces problèmes ont reçu des montagnes de lettres où des gens transcrivaient tous leurs expériences personnelles.

S'agit-il d'exagérations, de déformations plus ou moins involontaires inventées par le très puissant moteur de l'autosuggestion ? On peut répondre oui dans la plupart des cas et la chose est prouvée : lorsque l'on fait répéter un récit, après un certain temps écoulé, on constate que beaucoup de détails et de traits essentiels diffèrent de la première version

---

* François-Ferdinand, prince héritier d'Autriche (1863-1914) était le neveu de l'empereur François-Joseph. Il avait épousé morganatiquement la comtesse Chotek. Leur assassin se nommait Gavrilo Princip. C'était un étudiant serbe (*N.d.T.*).

donnée. On remarque qu'après des mois ou des années les gens ont une tendance à dramatiser leur récit et à y ajouter des détails qui le rendent plus croyable ou plus touchant.

Pour appuyer ce que nous venons de dire nous citerons un « contrôle » effectué par la Société de Parapsychologie de New York. Il concerne la prévision (en rêve) d'un accident dont fut victime la mère du dormeur.

La première fois que M... J. B... raconta son rêve, il dit qu'il avait vu sa mère traverser la rue et qu'un instant après elle était sous les roues d'un camion. Lorsqu'on lui demanda d'autres précisions J. B. répondit qu'il n'avait rien à ajouter. Six mois plus tard, il dit qu'il connaissait la couleur du camion et les premiers numéros de sa plaque minéralogique. Un an plus tard, il décrivait l'accident dans ses moindres détails.

Ce J. B. ne mentait pas pour le plaisir. Il était poussé à l'affabulation par son subconscient ou par ce que certains psychologues appellent « le complexe d'infaillibilité ». A titre de curiosité nous soulignons que la dernière fois que J. B. fut interrogé, sa mère était présente et qu'elle réfuta tout ce que disait son fils en racontant l'accident de tout autre manière.

Si la véracité de J. B. est douteuse, il existe des rêves « prophétiques » qui sont enregistrés dans le Grand Livre de l'histoire des songes, comme la vision de Mgr Lanyi et celle, non moins impressionnante, d'Abraham Lincoln (1809-1865).

Quelques jours avant l'attentat qui devait lui être fatal, le président des Etats-Unis d'Amérique raconta à sa femme et à un ami le rêve qu'il venait de faire : « Je venais d'entrer dans la grande salle de la Maison-Blanche lorsque j'eus une très mauvaise surprise. Devant moi, s'élevait un catafalque sur lequel gisait un cadavre entouré d'une garde d'honneur. J'ai demandé : Qui est mort ? Est-ce quelqu'un de la Maison-Blanche ? Le soldat me répondit : C'est notre Président. Il a été assassiné. »

Lorsque Mme Lincoln apprit le geste malheureux du sudiste, John Wilkes Booth, qui avait assassiné son époux, elle s'écria : « Oh, mon Dieu ! Mon mari avait vu sa mort en rêve ! »

Examinons d'un peu plus près ces « rêves prophétiques ». En premier lieu, il faut noter que certains détails des rêves ne coïncident pas avec l'événement réel. Par exemple, que l'évêque hongrois n'a vu qu'un seul attentat alors qu'il y en eut deux, que Lincoln assista à une cérémonie funèbre qui n'eut pas lieu dans la même forme et que les roues qui renversèrent la mère de J. B. n'étaient pas celles d'un camion, mais d'une petite voiture de livraison.

C'est donc que ce genre de rêves ne « prophétisent » pas exactement le futur, mais que le fait essentiel y est bien signalé (l'attentat contre l'archiduc, l'assassinat de Lincoln, l'accident de la dame). Alors, peut-on affirmer sans craindre d'être contredit que Mgr Lanyi, Lincoln et J. B. ont vu l'avenir dans leurs rêves ?

Il nous est impossible de répondre non et la science est d'accord avec nous. Elle ne l'est plus si l'on soutient l'origine surnaturelle de ces rêves.

Existe-t-il donc une explication autre que celle de la magie... commode, mais un peu trop empirique ?

Il en existe deux et il ne s'agit pas d'hypothèses entre lesquelles on peut choisir. Les songes que nous appellerons « prophétiques », si vous voulez bien, peuvent avoir deux causes. La première ne sort pas de la normalité ; elle entre dans le mécanisme des rêves qui traduisent nos angoisses, conscientes ou inconscientes. La seconde peut sembler plus fantaisiste mais elle ne l'est pas vraiment si l'on accepte l'idée (et il faut l'accepter) de l'existence de la télépathie (communion extra-sensorielle).

Voici ce qu'a écrit Fanny Moser, une grande spécialiste des phénomènes occultes, à propos de l'attentat de Sarajevo : « Il aurait pu s'agir simplement d'un rêve reflétant les craintes de l'évêque devant le danger auquel l'archiduc s'exposait. On peut dire, sans avoir peur de se tromper, que l'attentat était dans l'air puisque le gouvernement serbe avait conseillé à Vienne de renvoyer la visite de l'héritier du trône, car le jour qui avait été choisi était celui de la fête nationale serbe et que l'on pouvait craindre que les sentiments nationalistes de la population ne puissent être contenus.

Il serait facile de dire à peu près la même chose à propos de la mort de Lincoln. Celui-ci n'ignorait pas la haine que les fanatiques sudistes nourrissaient contre lui et il savait que de nombreux ex-esclavagistes avaient juré de l'assassiner. Lincoln était un homme très courageux. Il pensait peut-être aussi que les menaces ne resteraient que des menaces (c'est vrai que peu de gens qui crient « à mort ! » sont capables d'assumer la responsabilité d'un assassinat politique), mais cela n'empêchait pas qu'il devait, inconsciemment, craindre le pire. C'est pourquoi son angoisse se manifestait dans ses rêves.

Quant à M. J. B..., il n'est ni le premier ni le dernier à se préoccuper d'une mère âgée exposée au danger des rues regorgeant d'automobiles et, si l'on sait qu'il habitait dans un quartier caractérisé par son intense trafic, son rêve s'explique tout à fait logiquement.

Il faut noter que beaucoup de rêves « prophétiques » concernant le décès de personnes qu'on aime ne sont que le reflet des craintes que l'on a pour leur vie. L'Association britannique de Psychologie a recueilli une importante documentation sur les rêves soi-disant « prémonitoires ». Une centaine ont été enregistrés par des psychanalystes presque au réveil des sujets qui ont bien voulu se prêter à l'expérience. Sur cent personnes qui avaient rêvé de morts, quatre-vingt-deux avaient des parents malades ou exposés à des dangers (la mère d'un mineur avait vu son fils écrasé par un rocher et la grand-mère d'un aviateur s'était réveillée en criant parce qu'elle venait d'assister à la chute de l'appareil de son petit-fils).

Dix-huit mois après ce test, deux rêves sur cent auraient pu être qualifiés de « prophétiques » : un vieux monsieur était décédé des suites d'une maladie incurable et une femme, neurasthénique depuis des années, s'était jetée dans une rivière. Le mineur, l'aviateur et les autres « prédestinés » — parmi lesquels des gens sérieusement malades, un parachutiste, un funambule, un sous-officier de la marine, spécialisé dans le déminage — sont toujours bien vivants.

Sur les ondes de la pensée.

Pour revenir à la seconde cause de ces rêves, nous parlerons de la télépathie, ou transmission de pensée. Que le fait existe, c'est incontestable. Il peut être volontaire ou — le plus souvent — involontaire. C'est-à-dire que sans le vouloir cet étonnant émetteur qu'est le cerveau humain peut lancer, sur des ondes mystérieuses, un message qu'un autre cerveau capte sans savoir d'où il provient et sans en soupçonner la nature.

Il a été démontré que ces messages sont généralement engendrés par des décharges psychiques puissantes et qu'ils naissent sous la pression de sentiments intenses ou de sensations particulièrement fortes. Il peut aussi bien s'agir d'amour, que de désir de vengeance ou que de haine. Dans le cas de Lincoln et de Mgr Lanyi, il ne serait pas impossible que l'un et l'autre aient capté la vague de haine qui ravageait l'âme des individus qui préparaient leurs attentats ainsi que les images qui se formaient dans leurs cerveaux au moment où ils concentraient toute leur énergie à la préparation de leurs desseins meurtriers.

Il ne faut pas s'étonner si les émissions télépathiques de ce genre sont souvent reçues durant le sommeil. Lorsque l'homme ne dort pas, son cerveau est constamment occupé et reste sous l'influence des émanations de ce qui l'entoure (pensées d'autrui, images, sons) et il n'est pas en mesure de capter ce qui vient, faiblement, de plus loin. Pourquoi ne pas comparer notre cerveau à un appareil de radio branché sur l'O.R.T.F. en France ou sur la R.A.I. en Italie ? Tant que dure la transmission nous n'entendons rien d'autre. L'émission terminée, nous devinons parfois, plus ou moins nettement, un poste étranger envoyant son propre programme.

Il arrive qu'on se demande pourquoi ces manifestations

télépathiques sont surtout déterminées par des événements désagréables ou douloureux. Nous pensons que c'est très probablement parce que dans ces moments-là le Moi angoissé se projette à la recherche de contacts amicaux. Un homme qui nage tranquillement dans la mer est heureux et n'a nulle envie de crier, mais celui qui est pris dans un tourbillon et sent qu'il va se noyer se mettra, poussé par la peur, à hurler de toutes ses forces.

On constate que les phénomènes de télépathie sont fréquents entre gens profondément attachés l'un à l'autre. Lorsqu'on souffre ou qu'on redoute un danger on pense immédiatement à la personne dont on espère compréhension et amour ; d'instinct, on recherche sa protection. C'est ce qui explique la fréquence des songes « prémonitoires » en temps de guerre. Il a été mille fois dit et reconnu que ces rêves se déroulaient juste au moment où se passait l'événement tragique ou dramatique qui devait toucher particulièrement le dormeur.

Une vieille dame russe, habitant la ville de Gorki, a fait au professeur Vassiliev, un éminent spécialiste soviétique en parapsychologie, le récit suivant : C'était une nuit de septembre en 1943. Je m'étais couchée et en lisant j'étais en train de m'endormir lorsque j'eus une vision terrifiante. Je crus voir brusquement s'allumer un grand feu rouge et au milieu des flammes je vis mon fils qui se cachait le visage avec son bras en criant alors que son uniforme en haillons était en train de brûler : Maman, au secours ! Maman, je meurs ! J'entendis ces cris aussi nettement que si mon garçon avait été dans la chambre. Je secouai mon mari qui, lui, lisait encore tranquillement dans le lit à côté de moi. Il n'avait rien entendu. Je me mis à sangloter : Piotre est mort ! Il est mort, on l'a tué ! Et mon mari me répondit calmement : Mais, voyons, calme-toi. Tu as fait un cauchemar. Piotre est à Moscou, pas sur le front. Tu le sais bien, non ? J'étais malgré tout horriblement inquiète. Deux semaines après nous recevions une lettre d'un camarade de Piotre. Notre fils, que nous croyions à Moscou, avait été parachuté dans une région encerclée par les Allemands, envoyé en

211

mission spéciale. Cette nuit de septembre, exactement à l'heure où je l'avais rêvé, une bombe incendiaire avait éclaté devant lui... »

Piotre ne mourut pas de ses graves brûlures et il put confirmer point par point la vision de sa mère et ajouta : « Je ne me rappelle pas avoir crié vraiment mais ce sont exactement les mots que je voulais hurler à cet instant même. »

Dans les situations de ce genre, au lieu de parler de rêves prophétiques ou prémonitoires, on devrait dire qu'il s'agit de transmissions télépathiques reçues dans le demi-sommeil ou le sommeil.

Mais revenons aux rêves qui annoncent, à l'avance, un événement précis. Nous avons déjà dit qu'à travers l'interprétation de certains rêves on peut prévoir approximativement l'avenir, mais nous ajoutons : prévoir, oui, mais sans certitude. Nous préférerions dire : on arrive à prévoir quelque chose qui pourrait arriver dans l'avenir mais qui n'arrive pas obligatoirement.

Nous avons choisi deux cas qui nous semblent intéressants parmi ceux recueillis par Louise E. Rhine, l'épouse du célèbre professeur américain J. Rhine.

Mme A... : « Il y a quelque temps je suis allée avec mon fils âgé de cinq ans passer quelques jours à la campagne chez ma sœur. Un après-midi, nous promenant dans les prés, nous nous sommes d'abord égarés puis nous avons trouvé un sentier qui, nous le supposions, nous ramènerait à la maison. Tout d'un coup ma sœur s'est mise à crier : Ne laisse pas le petit courir tout seul devant. Appelle-le ! Et elle a ajouté : Cette nuit j'ai rêvé que nous étions dans un endroit qui ressemblait beaucoup à celui où nous nous trouvons en ce moment. Je cherchais à retenir un enfant qui allait se précipiter dans un trou. Peut-être suis-je idiote... mais rappelle ton fils. J'obéis à ma sœur et nous continuâmes à marcher jusqu'au moment où nous nous aperçûmes que le sentier que nous avions choisi aboutissait à l'entrée d'un gouffre. Si mon fils avait continué à courir seul devant nous il serait tombé dedans. »

Mme H... : « J'habitais alors à New York. C'était il y a dix ans. Je me rappelle cet horrible cauchemar : J'entends un cri, je me retourne et je vois mon fils, de deux ans, tomber par la fenêtre. La sirène d'une ambulance retentissait... Quelques jours après, en faisant le ménage, je mis les matelas du lit à la fenêtre pour aérer puis j'allai dans une autre pièce pour continuer mon travail... Alors, tout d'un coup, je pensais à mon rêve et je courus dans ma chambre où je trouvai mon fils en train d'essayer de grimper le long du matelas pour atteindre l'appui de la fenêtre... Un des matelas avait déjà dégringolé en bas, et je n'eus que le temps de sauter pour agripper mon enfant qui allait tomber à son tour. »

On se trouve ici en face d'accidents « qui auraient pu arriver ». Faut-il parler dans ces cas de télépathie ou de craintes enterrées dans le subconscient ? Ces deux femmes ont dit que jamais elles n'avaient imaginé que leurs enfants tomberaient un jour, soit dans un gouffre, soit par la fenêtre.

Et c'est bien ce type de rêves qui reste le plus impressionnants, même si, dans la réalité, d'irréparables catastrophes ne les suivent pas. Ils impressionnent, c'est vrai, mais d'une certaine manière, ils réconfortent car ils ouvrent des perspectives sur les dangers futurs. Ils invitent en quelque sorte à la prudence en disant : « Attention ! Voilà ce qui pourrait arriver. C'est à toi de faire ce qui convient pour l'éviter. »

De toute façon, il faut les accepter tels qu'ils sont, sans chercher à les interpréter en les considérant comme des phénomènes qui dépassent l'entendement humain. Il faut les prendre avec un sentiment de soulagement infini car ils nous confirment dans l'idée que l'avenir n'est pas inscrit dans le ciel de toute éternité, de manière immuable, qu'il n'a pas été placé sur des rails qu'on ne doit pas quitter mais qu'il se trouve, au contraire, placé devant une quantité de choix et de chemins et que l'homme est libre de se diriger vers le meilleur en s'aidant de son intelligence, de ses réactions rapides et de sa volonté.

IV

LES RAYONS X DU REGARD

Mme Alice Dawson était devenue l'obsession numéro un des médecins du célèbre hôpital Bellevue de New York. Depuis trois mois, ils ne cessaient de l'examiner, de la placer dans un service puis dans un autre, de recommencer, de lui faire passer tous les examens possibles et imaginables, d'expérimenter sur elle tous les nouveaux médicaments, de lui faire suivre toutes les cures des plus simples aux plus complexes, n'hésitant jamais à la soumettre aux thérapeutiques les plus révolutionnaires. Et pourtant sa migraine ne cédait pas, et devenait de jour en jour de plus en plus insupportable. Personne n'en découvrait la cause. Le cas était d'autant plus préoccupant que cette Mme Dawson souffrait si atrocement qu'elle refusait de manger et que par trois fois on avait dû l'empêcher de se suicider. Après sa deuxième tentative, on l'avait enfermée dans une chambre aux fenêtres munies de barreaux. Un surveillant ne la quittait jamais des yeux.

Sous l'effet des calmants (dont l'efficacité diminuait cependant) et devenue squelettique, elle passait ses journées entre le sommeil et une vague somnolence inquiète, interrompue par des gémissements et des larmes qui mettaient à dure épreuve les nerfs des infirmières chargées de la soigner. L'une d'elles, Jane L., méditait même de donner sa démission lorsqu'un fait inattendu arriva.

C'était l'aube. L'infirmière lisait à la lueur tamisée d'une lampe posée sur une table. Tout d'un coup elle entendit sa malade qui éclatait de rire. Jane se retourna, étonnée de l'air

215

enjoué d'Alice Dawson, si inhabituel qu'il en était inquiétant. Etait-ce le calme qui précédait une crise grave ?

« Quelle heure est-il, Jane ?

— Il est cinq heures, madame » répondit Jane stupéfaite. « Vous vous sentez mal, madame ?

— Oh non, pas plus que d'habitude. Mais tout va aller mieux, vous verrez. je connais la cause de mes affreux maux de tête. Dès que le docteur Steward arrivera il faudra lui dire de me faire transporter tout de suite dans le service d'ophtalmologie. »

Le docteur Steward accueillit cette requête avec un certain scepticisme. Les yeux de Mme Dawson avaient été scrupuleusement examinés sans révéler quoi que ce soit d'anormal. Il s'enquit de la raison qui avait poussé la malade à formuler ce désir. En apprenant qu'il s'était déclenché à la suite d'un rêve, il pensa qu'il faudrait peut-être transférer la dame dans une section spéciale. Il dit plus tard : « Je craignais que les douleurs atroces dont elle souffrait n'aient fini par troubler son esprit. Comment ne pas avoir ce genre de crainte lorsqu'une patiente, soignée par les meilleurs spécialistes dans un grand hôpital, vient nous raconter un matin qu'elle a rêvé que ses souffrances sont causées par un minuscule, plus que minuscule, éclat de bois caché « derrière son œil », éclat dont, du reste, elle n'avait jamais elle-même soupçonné la présence. C'est Mme Dawson qui avait raison car il suffit d'une très simple intervention pour la libérer à jamais de ses maux de tête. »

Les archives des hôpitaux recèlent bien des cas analogues qu'on classe sous le nom de *autoscopies,* sortes d'hallucinations qui font qu'on croit se voir soi-même ou qu'on croit voir en soi-même. Le mot est nouveau mais le phénomène est connu depuis la plus haute antiquité. Beaucoup de lamas tibétains et de « saints hommes » indiens possèdent cette faculté dont ils se servent pour se soigner ou pour se maintenir en bonne santé à l'aide de médicaments ou de nourriture et de boissons à base de plantes. Dans l'Himalaya on dit que ceux qui sont capables de se mettre en état « d'autoscopie » ont été instruits par des sages se transmettant des secrets millénaires, mais on ajoute que bien des gens y arriveraient également s'ils cultivaient des dons qu'ils ignorent posséder.

Dans l'ancien monde méditerranéen, l'Egypte fut le pays privilégié des possesseurs de ce don. Un savant allemand, Hans Herlin, a rassemblé à ce sujet une très riche documentation : Hippocrate, le père de la médecine, s'était rendu compte qu'on pouvait déceler une maladie à son début en étudiant le sommeil de celui qui souffrait. Dans les temples grecs, on faisait dormir les visiteurs ; la divinité du lieu leur apparaissait alors en songe pour leur dire ce qu'ils devaient absorber ou faire pour se guérir. La médecine était en étroite relation avec la religion. A cette époque, les prêtres étaient aussi des guérisseurs et ils savaient déjà ce que nous, nous ne découvrons qu'aujourd'hui, c'est-à-dire que l'homme en état d'hypnose possède les propriétés des rayons X ou rayons Röntgen.

Fanny Moser, docteur en parapsychologie, ajoute : « La croyance que certains somnambules possèdent le don de voir à l'intérieur de leur propre corps et à l'intérieur de ceux d'autrui, de découvrir intuitivement les maladies, de les localiser, d'en connaître la nature et le cours, de prescrire des remèdes appropriés, remonte à la nuit des temps. »

Il ne s'agit pas d'une croyance sans fondement. Aujourd'hui encore les peuples primitifs se servent de leurs somnambules de la même façon que nous employons les rayons X, les électrocardiographes, ou les isotopes radioactifs. Au Nigeria, les pauvres diables qu'on sait être somnambules mènent une vie exténuante. D'autant plus exténuante qu'on prolonge leur sommeil somnambulique par des drogues qui les obligent à leur tour à recourir aux magiciens ou aux collègues qui possèdent des dons semblables aux leurs.

Il n'y a pas que les somnambules qui peuvent révéler où se tient le mal dont on souffre en faisant des diagnostics paraissant prodigieux au profane. Le sommeil, plus ou moins provoqué, arrive aux mêmes résultats. Cette constatation a poussé de nombreux médecins à hypnotiser certains malades pour déceler d'où provenaient leurs souffrances. Le moyen ne réussit pas toujours, mais assez souvent tout de même. L'éminent docteur anglais Haddock déclare : « Il faut bien avouer que j'ai obtenu, grâce à l'hypnose, des informations que je n'aurais jamais eues en me servant des méthodes ordinaires. »

Récemment, un gynécologue hollandais, le docteur Noë, a pu affirmer qu'un pourcentage élevé de ses clientes enceintes, placées en état d'hypnose, décrivaient le sexe et la position du fœtus qu'elles portaient. Il a même cité un cas tout à fait extraordinaire. Celui d'une paysanne qui non seulement révéla le sexe de son enfant mais celui de ceux de toutes les femmes enceintes qui assistaient à la réunion organisée par leur médecin.

Comment peut-on expliquer « le phénomène d'autoscopie » ? Nous savons que le subconscient y joue un grand rôle. Personne ne nie son existence bien qu'il soit encore difficile de parler avec certitude de ses facultés d'agir, de ce qu'on appelle en psychologie son activité.

Dans les rêves les plus simples « l'autoscopie » joue un rôle primordial puisque c'est grâce à ce phénomène que les désirs, les angoisses secrètes prennent corps. C'est une sorte de regard qui plonge au fond de l'âme, dit-on. Pourquoi n'explorerait-il pas aussi l'organisme et ne décelerait-il les troubles ou les maux physiques ?

Les Tibétains ont-ils raison de parler de règles à suivre pour arriver à leur stupéfiante maîtrise du subconscient ? Ils n'hésitent pas à affirmer que l'homme ne se connaît pas et que s'il connaissait comment son corps fonctionne, il saurait le guider, il saurait aussi identifier ses organes malades ou les points faibles de sa constitution. Les guérisseurs qui vivaient il y a des milliers d'années faisaient-ils des diagnostics plus précis que les actuels « robots de la médecine » dont nous sommes si fiers ? Faudrait-il revenir des siècles en arrière pour se soigner ?

Nous ne croyons pas cela possible. Notre façon de vivre et nos civilisations occidentales nous ont beaucoup trop éloignés de certaines dispositions d'âme et de corps indispensables au développement des facultés et des dons des gens dont nous parlons. Alors pourquoi entraîner son esprit pour résoudre des problèmes difficiles, le forcer à des gymnastiques, du moment que des machines sont là pour faire le travail. N'oublions pas que sur cent personnes particulièrement habiles à faire « de tête » il y a une cinquantaine d'années des opérations arithmétiques il en reste aujourd'hui, au siècle des calculs électroniques, à peine quatre.

Elle se projetait au-delà de l'océan.

Au XVIIIe siècle, un médecin français, le marquis de Puységur, remit à l'honneur les théories d'Hippocrate. C'est le hasard qui l'y aida. Un paysan, Victor Rasse, venu chez lui souffrant d'il ne savait quoi tombe brusquement endormi au milieu de la consultation. Puységur le croit évanoui et pour encourager le bonhomme à se remettre prononce quelques phrases amicales sans en espérer grand résultat. Stupéfait, il entend son client, apparemment endormi, lui répondre. Alors, il a l'idée de l'interroger plus avant et le malade se met à lui décrire très précisément le mauvais état de son appareil digestif alors que, quelques minutes auparavant, il n'avait parlé que de symptômes vagues et contradictoires.

Le malade donna encore beaucoup de détails de moindre importance sur d'autres malaises dont il souffrait, ce qui invita Puységur à tenter de savoir si les dons du paysan lui permettraient de faire des diagnostics en dehors de sa propre personne. Rasse répondit aussi facilement.

Plusieurs fois depuis cette époque ce genre d'expérience fut repris un peu partout dans le monde. Après la Seconde Guerre mondiale, elles semblèrent avoir conduit à de tels résultats que les savants prirent positivement position et affirmèrent qu'ils n'étaient pas négligeables. Malheureusement, de soi-disant *mages* profitèrent de la situation pour parler de « fluides », « d'émanations » et de cent autres billevesées.

Nous ne perdrons pas notre temps à nous occuper « des guérisseurs » et nous les laisserons naviguer (nous n'avons pas le moyen de les en empêcher) au milieu de ce monde de superstition et d'inconcevable crédulité finalement si rentable pour quelques-uns.

Il existe, on le sait, des gens possédant des dons particuliers pour situer l'endroit du corps qui souffre et certains médecins font parfois appel à ceux qui, ne prescrivant ni emplâtres, ni poudre de perlimpinpin, ni impositions de mains, laissent à la science le choix d'une thérapeutique efficace.

Il y a quelques années les journaux parlèrent d'une dame bavaroise qu'on appelait « la femme qui a des rayons X dans les yeux ». Cette personne, en état d'hypnose, s'asseyait à côté du docteur en face d'un malade qu'elle regardait en commençant par la tête. Là où ses yeux s'arrêtaient gisait la cause du mal. Deux fois des spécialistes refusèrent d'intervenir après l'avoir entendu parler car les radios faites à l'hôpital ne concordaient pas et ne signalaient rien d'anormal. C'était pourtant la Bavaroise qui avait raison : une première fois les radios n'avaient pas montré les calculs rénaux qui procuraient à un homme d'effroyables coliques et une autre fois elles n'avaient pas enregistré une déchirure du sternum produite par un corps étranger.

Ce don, qu'on nomme xénoscopie (faculté de voir à l'intérieur des corps) a intéressé, et intéresse encore beaucoup de savants qui cherchent à l'analyser et à en découvrir l'essence. Fanny Moser écrit à ce propos : « Ceux qui possèdent ce don sont doués de ce qui fait de la profession médicale un art, et d'un docteur un authentique médecin dans le sens élevé du terme. Souvent les névrosés qui viennent nous trouver disposent de pouvoirs intuitifs qui manquent aujourd'hui à un corps médical formé trop théoriquement et trop rationnellement. »

Cette opinion de Fanny Moser ne peut pas être considérée comme une explication satisfaisante du don en question. Il est vrai qu'elle est difficile à formuler si on ne va pas la chercher dans les mystères de l'inconscient. Comment dire exactement de quoi sont faits les esprits des gens qui lisent si facilement dans l'âme d'autrui pour y découvrir les troubles, les craintes, les défauts les plus cachés ?

Vous dites qu'il serait facile de demander des explications à ceux qui possèdent eux-mêmes ce don. Ils ne répondent pas ou presque pas, comme, par exemple, Ossowiechky, un médium universellement connu : « Je ne peux pas exprimer ce que je ressens lorsque je travaille. Je me rends compte que ceci ou que cela n'est pas normal dans le corps que j'ai en face de moi. L'essentiel pour moi c'est de toucher le corps », ou comme Fleurière : « C'est comme si j'étais en même temps moi et un autre... Je sens le corps du malade comme je sens le mien. »

Il est évidemment difficile, et c'est bien ainsi, de savoir pourquoi certaines personnes ont reçu le don fantastique de voir et d'indiquer ce qui est caché. Beaucoup de ceux qui ont cherché à en comprendre la cause ne sont arrivés à rien parce qu'ils manquaient au départ de connaissances particulières. (Combien de gens restent tout bêtes devant leur poste de radio qui cesse de fonctionner parce qu'ils ne savent pas pourquoi « cette espèce de petite lampe refuse de s'allumer » !) Certains qui ne voulaient pas avouer leur fondamentale ignorance se sont tournés vers l'occultisme, les charlatans, les mages et les guérisseurs.

Une chose encore plus stupéfiante est cette sorte de « mécanisme » qui se met en branle et qui permet à quelques individus de faire des diagnostics loin du malade, parfois séparés de lui par d'énormes distances. C'est un don rarissime et le seul cas absolument sûr est celui d'Edgar Cayce (Américain décédé en 1945), auteur de 160 000 diagnostics (en quarante-quatre ans) dont 90 pour 100 se sont révélés exacts.

Le professeur Wesley H. Ketchum en parla au Congrès de médecine de Boston en 1910 : « Cayce s'étend sur un divan, joint les mains et tombe en transe. Il dort vraiment d'un sommeil naturel et il n'a aucune conscience de ce qui

221

se passe autour de lui. Je prononce le nom de mon malade et donne son lieu de résidence. Quelques minutes après Cayce parle, fait son diagnostic, décrit la maladie dans tous ses détails en se servant de termes médicaux appropriés, aussi bien que n'importe lequel d'entre vous, mes chers collègues. Lorsqu'il se réveille il n'a pas le moindre souvenir de ce qui lui est arrivé. »

Cet Edgar Cayce était le fils de très pauvres paysans et ne possédait qu'une instruction rudimentaire. Il se mit à étudier la médecine beaucoup plus tard lorsque du monde entier lui parvenaient des demandes de diagnostics qu'il effectuait sans difficultés bien que les malades se trouvassent à Paris, Londres, Moscou, en Amérique latine, en Asie ou en Australie. En 1920, ayant eu envie de fonder un hôpital pour les cas difficiles, il eut besoin d'argent et se laissa convaincre par les compagnies pétrolières du Texas d'entrer à leur service pour découvrir de nouveaux gisements. Il obtint, au début, quelques succès, mais très vite les industriels le licencièrent car les réussites étaient maigres et les forages trop coûteux.

Cette histoire ressemble presque à un apologue, n'est-ce pas ? Un apologue heureux puisque Cayce après avoir quitté ses patrons du Texas retourna à ses diagnostics médicaux et qu'il gagna tellement d'argent qu'en deux ans il put faire construire un hôpital à Virginia Beach où il travailla jusqu'à la fin de sa vie.

V

UN RADAR DANS LE CERVEAU

Une jeep s'arrête sous le seul arbre qui se dresse aux alentours et dont le feuillage constitue une espèce d'abri naturel. Quatre hommes sortent de la voiture en s'ébrouant pour se débarrasser de la poussière accumulée le long de la route. Trois d'entre eux installent sur leurs épaules des couvertures, des vivres et des outils. Le quatrième les suit en enfonçant dans sa ceinture de gros et lourds pistolets.

Cette scène, qui pourrait faire partie des premières séquences d'un western, est inquiétante. Les hommes se trouvent à présent dans la rue principale d'un village désert. Les rayons d'un soleil brûlant tombent à pic sur des constructions de bois en ruines, sur des enseignes à moitié effacées, sur des murs aveuglants de blancheur. Sans doute pour essayer de se soustraire à la chaleur infernale, ils marchent à l'ombre des maisons : une persienne restée par miracle jusqu'à ce jour en place se détache en soulevant des nuages de poussière, une rampe de fer dégringole ne laissant à sa place qu'un trou béant dans ce qui fut sans doute une véranda. L'homme aux pistolets qui ouvre la marche tient ses doigts sur les gâchettes et il sursaute chaque fois qu'il entend un bruit anormal. Il sait que les serpents sont très nombreux dans ces parages et qu'il vaut mieux ne pas se fier à leur proverbiale paresse à une certaine époque de l'année.

Les reptiles sont seigneurs et maîtres ici, si l'on excepte quelques oiseaux et quelques bestioles du désert. Ici, c'est « une cité morte », un de ces villages qui existent encore dans les régions désertiques de l'Ouest des Etats-Unis. Quelques-uns ont été restaurés ou entretenus par des organisations de voyages touristiques, les autres disparaissent sans que personne ne s'y intéresse. Le terrain sur lequel ils sont bâtis est absolument inutilisable pour l'agriculture et il n'est traversé par aucune grande voie de communications. Ces vieilles et minuscules cités datent plus ou moins de l'époque des caravanes qui partirent à la recherche de l'or au XIXe siècle. Elles ont été construites durant ces années-là et leur population s'accrut alors de l'afflux d'aventuriers venus de tous les coins du monde. Elles moururent en même temps que s'épuisaient les filons aurifères, abandonnées à leur triste sort par des mineurs improvisés et vite déçus.

La petite ville dont nous parlons portait le nom prétentieux de Golden City (mais combien de Golden City y eut-il dans l'Ouest américain à cette époque ?). Peut-être qu'elle recelait encore quelque chose d'intéressant : par exemple, un sac de cuir plein de pépites appartenant à Mac l'Indien, un chercheur qui l'avait soigneusement dissimulé en s'en allant et qui n'avait jamais pu revenir dans la contrée. Un des quatre hommes qui sont là est le descendant de ce Mac et les autres sont des amis qui ont bien voulu s'associer à cette entreprise.

S'agit-il d'une entreprise vouée à l'échec dès le départ ? Personne ne sait où le sac a été enfoui. Va-t-il falloir fouiller le village mètre par mètre ? Pourtant ces gens n'ont pas l'air préoccupés... ils entrent même dans une maison un peu moins délabrée que les autres, sortent leurs provisions, mangent et s'allongent pour faire la sieste. Le repos ne dure pas longtemps car un de nos « touristes » qui s'était immédiatement endormi, un homme grand, maigre, d'âge moyen, se réveille brusquement et se relève en annonçant à grands cris : « Je l'ai vu ! Il est enfoui dans une petite cour derrière une vieille cabane sous un tonneau plein de décombres. »

Tout le monde se lève et se met à la recherche de la cabane. Celui qui a parlé les guide et voici la cabane en question. Voici la petite cour et le tonneau qui s'effondre dès

224

qu'on le touche. Les pics se mettent au travail, les pelles remuent la terre et à quelques centimètres de profondeur il y a quelque chose de solide, de dur ; c'est le sac de cuir pétrifié et desséché. Cris de joie, rires, on s'agenouille, on se précipite, et, l'une après l'autre, apparaissent à la lumière du jour les pépites de Mac l'Indien.

Qui est donc ce monsieur grand, maigre, entre deux âges, capable de retrouver des trésors ? C'est un simple employé de banque, William Connely, qui découvrit son don extraordinaire, se laissant aller un après-midi d'été à faire un petit somme dans son jardin, en voyant en rêve quelque chose de précieux enterré au pied d'un de ses arbres fruitiers. Reprenant ses sens, il se précipita pour creuser et aperçut au fond du trou, à l'endroit précis qu'il avait vu dans son sommeil, un coffret de métal débordant de monnaies d'argent.

Les monnaies n'avaient pas grande valeur (des pièces allemandes démonétisées) mais le fait valait la peine qu'on s'y intéressât. Connely en parla à des amis qui pour le mettre à l'épreuve cachèrent ici et là des dollars, des broches en or, etc. Connely s'endormait et voyait tout de suite les objets dans leurs cachettes. C'est alors qu'ils eurent l'idée de l'emmener à Golden City.

En plaisantant, on dit que William Connely est « sensibilisé » aux métaux précieux par sa profession, mais les médecins qui s'occupent de ce genre de cas très particuliers en donnent une explication relativement simple : un individu peut ressentir les émanations des métaux comme le font certains rhabdomanciens (ou sourciers ou radiesthésistes), mais il n'en est capable que lorsqu'il dort, car l'organe qui lui procure cette faculté ne se manifeste pas lorsque son activité cérébrale consciente est occupée ailleurs. Les rhabdomanciens ne peuvent indiquer la source des radiations que lorsqu'ils se trouvent sur place et ils n'en ont jamais une vision aussi nette qu'une photographie. Les médecins disent que le sommeil facilite la netteté de la vision et voici comment ils l'expliquent. Il faut, disent-ils, penser à des émanations d'or et d'argent qui projetteraient dans la nuit un faisceau lumineux, « illuminant » leurs alentours et que des personnes particulièrement sensibles verraient dans leur sommeil.

Combien y a-t-il de personnes douées de ce genre de sensibilité ? Enormément, répondent les spécialistes. Peut-être que vous ou moi sommes du nombre et nous pourrions le savoir avec certitude en allant nous renseigner auprès d'un radiesthésiste. Le docteur C. A. Stone affirme que beaucoup d'individus reçoivent des révélations durant leur sommeil, mais qu'ils ne sont pas aptes comme W. Connely à les interpréter clairement, à les démêler au milieu de toutes sortes d'événements qui défilent dans des rêves que, il faut bien le dire, on oublie le plus souvent dès le réveil.

Nous allons vous donner un conseil bon à suivre (si vous n'avez pas de rhabdomancien dans votre entourage) qui vous permettra d'apprendre rapidement si vous êtes oui ou non capable d'aller à la découverte de quelque sac rempli de pépites d'or. Ne redoutez pas la fatigue car il ne s'agira pour vous que de dormir agréablement un petit moment.

Enlevez de votre chambre tous les objets précieux (le radar mental ne fonctionnerait pas), priez un de vos amis de cacher quelque part une pièce ou une bague ou une broche en or et laissez-vous aller au sommeil. Pour favoriser la réussite, trois conditions : que l'objet soit en or (les radiations de ce métal sont les plus fortes) ; que le sommeil ne soit pas provoqué par un somnifère et qu'il ne dure pas trop long-temps (la sieste qu'on s'accorde l'été quand il fait très chaud est parfaite) pour qu'on puisse se rappeler le rêve ; et qu'on ne soit pas entouré de bruits ou de vociférations d'aucune sorte.

Il faudra avoir la patience de recommencer plusieurs fois l'expérience et peut-être que... mais nous ajoutons tout de suite que, bien entendu, nous ne garantissons aucun résultat spectaculaire.

Magies scandinaves.

A propos de songes et de trésors, avez-vous entendu parler des rêves magiques de jeunes Norvégiennes et Suédoises ? On dit que la nuit de la Saint-Sylvestre ces filles mettent sous leur oreiller la photographie des deux ou trois garçons dont elles ne détesteraient pas faire leur époux.

Un peu avant l'aube de la nouvelle année, l'un d'eux entre dans leur rêve : s'il est gentil et affectueux, il sera le fiancé. S'il est désagréable ou indifférent, on l'écartera de son chemin, mais si aucun ne se montre il faudra se résigner à rester encore une année célibataire.

Nous avons suffisamment parlé ici de psychanalyse (les rêves reflètent nos désirs et nos craintes secrètes) et d'autosuggestion pour que cette vieille coutume nordique ne nous paraisse pas difficile à expliquer.

Il n'en est pas de même d'une autre catégorie de rêves — non provoqués cette fois — dont on parle beaucoup en Norvège. C'est un savant anglais, le professeur Gardner, qui rapporte la chose. « Inge, fille d'un de mes amis, avait déjà eu à vingt-deux ans, deux grandes déceptions sentimentales. Son premier fiancé s'était enfui à l'improviste, et n'avait jamais plus donné de ses nouvelles, et le second, qui d'abord avait joué le rôle de consolateur, s'était révélé comme un personnage peu recommandable. A la suite de ces expériences douloureuses, Inge était tombée dans une sorte de neurasthénie assez grave : elle travaillait sans enthousiasme, passait son temps libre enfermée dans sa chambre, ne mangeait plus rien, etc. Un matin je l'entendis chanter et, tout étonné, je sortis en pyjama dans le couloir pour la voir partir à son bureau, très bien habillée, souriante et gaie. Je lui demandais si elle avait enfin trouvé l'homme de sa vie et elle me répondit : « Non, pas encore, mais je le verrai ce soir. Il sera grand, blond, adorable... oui, exactement comme ça. » Je cherchai à en savoir davantage et elle m'avoua : « Je l'ai vu en rêve et c'était juste avant de me réveiller. Vous ne savez pas que les rêves du matin se réalisent toujours ? » J'ai le plus grand respect pour les phénomènes extra-sensoriels, mais je suis aussi très convaincu que Freud ne s'est pas trompé dans ses théories. Mon scepticisme s'écroula le soir même quand je revis Inge transformée par le bonheur. « C'est lui, celui que j'ai vu en rêve. Nous nous sommes rencontrés dans un café... nous nous cherchions depuis deux ans ! »

C'est dans cette phrase : « Nous nous cherchions depuis deux ans » qu'il faut, selon les psychanalystes, trouver la clef des rêves prémonitoires du genre de celui d'Inge. Il s'agirait, en somme, d'un contact télépathique déterminé par l'intensité d'un désir, par la volonté d'arriver à entrer en relation avec l'être qui doit vous rendre heureux. Nous avons vu que dans les moments où sentiments et sensations augmentent d'intensité des communications à distance entre personnes qui s'aiment peuvent s'établir. Avec le rêve norvégien, nous sommes devant un phénomène de ce type.

« Deux âmes qui se cherchent finiront toujours par se rencontrer, même si le temps et les océans les séparent » a écrit un poète anonyme il y a plus de trois cents ans. Avec des mots différents, dans des langues oubliées, tous les hommes ont répété la même chose ou l'ont chantée en vers depuis que le monde est monde. Ils ne savaient peut-être pas qu'ils laissaient ainsi s'exprimer ce qui dans le plus profond de leur Moi appelle inconsciemment, mais avec une extraordinaire énergie, l'âme sœur.

Cette « énergie » pourrait être développée par une sorte de concentration sur un sujet. Les jeunes Scandinaves qui font assez fréquemment des expériences dans le genre de celle de Inge disent que le rêve qu'elles désirent faire se déroule toujours après qu'elles aient longtemps fixé leur pensée sur l'envie qu'elles ont de rencontrer l'homme avec lequel elles pourraient faire leur vie. Selon les cas et selon, probablement, la force de leur concentration, il semble qu'elles puissent arriver à un résultat satisfaisant après quelques semaines ou quelques mois de patience. Il ne faut pas croire que ce soit très facile, mais pourquoi n'essayeriez-vous pas vous-même, en admettant naturellement que votre cœur soit encore libre et que vous soyez disposé à renoncer à la sotte manie de « lire pour s'endormir ».

Il nous paraît, à nous, que passer les instants qui précèdent le sommeil à imaginer celui ou celle qui pourrait devenir le grand amour de sa vie doit être certainement plus apaisant que de se plonger dans certains romans policiers où le sang coule à flots à toutes les pages et que l'on choisit uniquement pour ressentir le plaisir, un peu suspect, de crever de peur.

QUATRIÈME PARTIE

La cabale du psychanalyste

L'INTERPRÉTATION DES SONGES

Artémidore de Daldi, un lettré grec qui vécut au IIe siècle après J.-C., écrivit la première *Cabale des Songes* arrivée jusqu'à nous. Le titre exact de cet ouvrage était grec, *Oneirokritika,* car le mot de cabale (en hébreu *Kabbale*) signifie « ce qui a été transmis ». (C'est tout simplement une étude approfondie des textes sacrés.) L'interprétation d'Artémidore était assez fruste, mais elle s'étoffa, au cours des siècles, d'éléments tirés de la magie originaire d'Egypte, retransmise par les Tziganes.

Remaniée, enrichie, modernisée, la « *Cabale des Songes* » a survécu aux recherches atomiques, et aux lancements des missiles et tout porte à croire qu'elle aura encore une longue et prospère existence lorsqu'on pense à la monumentale crédulité humaine si difficile à combattre et à neutraliser.

Qu'y a-t-il donc à la base des sciences cabalistiques ?

Des processus et des mécanismes tellement primaires qu'ils déconcertent, par leur énorme nullité, les esprits logiques qui veulent s'en approcher. Elle s'est construite de rebuts de toutes sortes de systèmes visant à l'interprétation des mystères, assemblés avec un souverain mépris de la cohérence, du bon sens, du discernement entre l'erreur et la vérité.

Voici comment la cabale demande de diviser le travail de ceux qui se proclament les commentateurs des rêves.

Interprétation directe qui attribue à l'objet du rêve les mêmes caractères, les mêmes influences, les mêmes conséquences qu'il a sur le plan réel. (Par exemple rêver qu'on marche avec un bâton devrait être considéré comme un présage de maladie ou d'accident).

Interprétation contraire qui s'appuie sur les théories selon lesquelles le rêve serait un véritable miroir magique reflétant l'avenir. Comme la droite devient la gauche lorsqu'on se regarde dans une glace, ce qui pour nous serait un bien, est présenté comme un mal dans le rêve, et vice versa (être pauvre en rêve signifie que l'on va devenir très riche).

Interprétation magique proprement dite, née des superstitions les plus répandues (le cheval blanc, présage de bonheur, la chouette, de malheur, et son cri, de mort).

Interprétation figurée se tient sur le plan même du langage dit figuré, c'est-à-dire riche en métaphores et en comparaisons. (Voir des gens qui lèchent quelque chose signifie qu'on va être adulé tandis que recevoir des coups de pied doit mettre en garde contre des désillusions amoureuses ou autres).

Pour être juste, il faut noter qu'ici ou là existent quelques interprétations que ne renieraient pas les psychanalystes comme, par exemple, cette phrase que nous avons lue dans un très vieux livre : « Si tu rêves que tu vas bientôt guérir, tu peux avoir confiance, car ton tempérament est très fort. » C'est, à peu près, ce qu'on pourrait dire aujourd'hui à quelqu'un qui se croit faible mais dont on sait, après avoir fouillé dans son inconscient, qu'il est capable de faire des efforts pour briser des chaînes qui le retiennent prisonnier. Ce vieux livre a-t-il été écrit par un mage intuitif ou par un philosophe inconnu, précurseur de Freud ? Malheureusement peu de cabalistes ont véritablement plongé dans « les profondeurs » et ce petit nombre a été très vite écrasé pour n'avoir pas voulu brûler de l'encens devant l'autel de la monstrueuse divinité des fausses croyances, des préjugés, des superstitions populaires.

C'est pour soustraire à ce dieu imbécile le plus d'adorateurs possibles que nous avons voulu placer à la fin de notre ouvrage — d'une manière obligatoirement trop succincte — à côté des absurdes interprétations cabalistiques des rêves, les rigoureuses déductions des psychanalystes. Le contraste est plus qu'éloquent et tellement évident — du moins à notre avis — qu'il devrait servir à la libération totale des esprits sur lesquels les fables qu'on se passe de bouche à oreille depuis des siècles gardent encore trop de valeur. Nous avons décidé, nous, d'envoyer *ad patres* tous les spectres mythiques et de balayer la peur qu'ils ont depuis trop longtemps installée au fond des cœurs, non seulement parce que les superstitions sont impensables à l'ère atomique, mais surtout parce que nous ne voulons plus vous savoir vulnérables, peu sûrs de vous et pessimistes.

Les rêves ne sont jamais « mauvais », mais toujours « bons », de quelque façon qu'ils se déroulent. Il suffit de savoir profiter de ce qu'ils disent. C'est ce que nous avons essayé de vous démontrer en écrivant ce livre et en y joignant le petit dictionnaire qui le termine. Vous y trouverez tout ce qui apparaît dans vos rêves, ou du moins ce qui y apparaît le plus souvent, et les symboles qu'on y rattache. Mais, tout de suite, nous tenons à dire que nous n'avons pas eu l'intention d'écrire *La Véritable Cabale*. Nous nous sommes fondés sur des données scientifiques mais nos interprétations n'ont pas de *valeur absolue*. Elles ne sont, bien entendu, que relatives et ne doivent servir que de direction ou d'indication. Un symbole doit être considéré différemment selon l'âge, le milieu, les circonstances, les influences diverses et il ne peut vraiment être retenu dans sa signification définitive qu'à la lueur de l'examen de plusieurs rêves consécutifs.

Pour donner un exemple, il est certain que quelqu'un qui voit souvent en rêve des revolvers ou des fusils doit se demander sérieusement s'il n'a pas des tendances manifestes ou latentes à la violence. Oui, mais... pourquoi un homme ou un jeune garçon dont les nuits se remplissent de colts, de winchester, de scènes mouvementées et pittoresques, n'aurait-il pas un goût secret pour la vie militaire ou les aventures plus ou moins lointaines ? Pourquoi ne serait-il pas, tout simplement, un amateur passionné de westerns ?

Concluons pour ceux qui s'attendraient à lire un traité basé sur les théories de Freud ou de Jung. Si nous n'avons pas scrupuleusement suivi la pensée d'un de ces deux génies de la psychanalyse, c'est parce que nous n'avons pas jugé opportun, dans cet essai de vulgarisation, d'épouser intégralement les thèses d'une « école » ou d'une autre, mais au contraire de prendre en considération les propos, selon nous plus valables, de plusieurs autres psychologues ou psychiatres, spécialistes en matière de songes et d'analyses.

PETIT DICTIONNAIRE ONIRIQUE

ABYSSE

Cabale.

Dans la plupart des interprétations, la vue d'un abysse annonce un piège ou la folie ; rêver de tomber dans un abysse indique aussi bien l'accomplissement d'un acte insensé que la certitude d'être entraîné dans un guet-apens ou bien de faire faillite. Le symbole est dans ce cas tellement clair qu'il rend inutile tout commentaire.

Psychanalyse.

L'abysse représente généralement les profondeurs du Moi, une partie de notre individu dont nous soupçonnons l'existence sans la connaître vraiment. Rêver de descendre dans un abysse est une invitation à s'interroger sur soi-même, tandis que rêver d'y tomber signifie qu'on se trouve dans des conditions qui vous obligent, malgré vous, à sonder les recoins les plus cachés de votre psyché *, pour les connaître, pour ne plus vous mentir à vous-même, pour vous corriger. Traverser un abysse sur un pont, ou en sautant par-dessus, est un signe de superficialité, de tendances à ne pas approfondir les problèmes, à chercher la façon la plus commode

---

* Du grec *psukhê*, âme. Terme didactique de philosophie qui signifie l'ensemble des phénomènes psychiques considérés comme formant l'unité personnelle *(N. d. T.)*.

de se comporter. Sexuellement, un gouffre est un symbole féminin. Se précipiter dans ce gouffre indique la crainte de céder à ses instincts. Lorsque la vision est accompagnée d'un sentiment d'angoisse ou de gêne « les complexes » contractés durant l'enfance ou l'adolescence y jouent leur rôle : la peur des rapports sexuels, la timidité maladive, etc. Si on arrive à traverser le gouffre — généralement c'est une misérable passerelle branlante — cela signifie qu'on a envie de surmonter ses difficultés. Il s'agit souvent d'un pieux mensonge.

ACCUSATION

Cabale.

Etre accusé par un homme signifie succès, joie ; par une femme, signifie mauvaises nouvelles, disputes. Accuser les autres vous promet des ennuis ou des préoccupations.

Psychanalyse.

Rêver qu'on accuse son prochain équivaut à montrer au grand jour ses complexes d'infériorité, c'est-à-dire à placer sur le banc des accusés les autres, la société, les événements pour justifier ses comportements erronés. Rêver d'être accusé (par un homme ou par une femme) dévoile la crainte qu'on a de ne pas arriver à réaliser ses projets.

AIGUILLES

Cabale.

Intrigue. Coudre : il se trame des choses désagréables contre vous. Cette interprétation est suggérée soit par les piqûres douloureuses que font les aiguilles, soit par la vieille pratique magique qui consistait à enfoncer des aiguilles dans une petite poupée représentant quelqu'un auquel on voulait du mal.

Psychanalyse.

Les aiguilles représentent le tourment caché procuré par un tort léger, une petite humiliation. Du point de vue sexuel, elles symbolisent à la fois la virilité et la féminité. Elles apparaissent souvent dans les rêves des homosexuels actifs et des homosexuels latents, de ceux qui craignent de devenir invertis, des maniaques chez lesquels alternent la peur, la honte et la réalisation de désirs contre nature.

AMOUR

Cabale.

Le vivre : jours heureux. Le voir : grande chance, bonheur. Le savoir méprisé : maladie ou souffle au cœur.

Psychanalyse.

La signification « d'un rêve d'amour » est strictement liée à la personnalité du dormeur et aux circonstances. Dans la plupart des cas, on assiste à « un mécanisme de transfert » : la personne aimée (en rêve) cache le véritable objet des désirs du dormeur. L'amour méprisé signifie généralement la crainte d'un refus, mais pas nécessairement du point de vue sentimental. Assister à des scènes d'amour (souvent en cachette et avec la peur d'être découvert ou de se réveiller) révèle des désirs sexuels réprimés.

AMPUTATION

Cabale.

Quelqu'un cherche à s'appuyer moralement sur vous. Ou bien : profitez de l'occasion avant qu'il ne soit trop tard.

Psychanalyse.

Dénonce un comportement contre nature, une mutilation de la personnalité ou la peur d'être victime de ce comportement. Du point de vue sexuel, c'est le signe d'un très grand complexe de culpabilité ou du complexe de castration, quelle que soit la partie du corps amputée.

ANIMAUX

Cabale.

Chance. Animaux gras : abondance ; maigres : famine. Bêtes féroces : disputes en famille.

Psychanalyse.

Pour des motifs différents de ceux de la cabale, chaque animal a sa propre signification. Tous les animaux vus en groupe ou dans des poses menaçantes représentent presque toujours une communauté qu'on redoute : il peut s'agir de familiers, d'amis ou de l'opinion publique. « Processus de déformation » qui vous avertit (à tort ou à raison) que vous craignez que votre comportement ou la réalisation d'un de vos désirs ne soient désapprouvés par autrui. La forme prise par ces rêves dépend en grande partie des goûts et du caractère du dormeur. Un individu qui aime les chiens pensera qu'ils représentent l'amour qu'il attend, tandis que quelqu'un qui les déteste dira qu'ils sont une menace.

ARBRE

Cabale.

Nous ne choisirons que quelques interprétations parmi toutes celles qu'on propose. L'arbre représente souvent un ami fidèle. Monter sur un arbre : honneurs en vue. Tomber d'un arbre : perte de l'amitié de ses supérieurs ou perte de l'emploi. Arbre en fleur : joie, couvert de fruits : bien-être. Arbre mort : malchance. Couper des branches : maladie, amputation.

Psychanalyse.

L'arbre, isolé et en premier plan, symbolise le père. Cueillir ses fruits signifie la crainte que vous avez d'être considéré comme un parasite. Voir un arbre dépouillé ou mort trahit votre peur à l'idée de la mort de votre père, mais révèle aussi l'existence du « complexe d'Œdipe ». Même interprétation si vous êtes en train d'abattre un arbre. Souvent l'arbre est le symbole du sexe masculin (le tronc) ou féminin (le feuillage) ou de la sexualité en général. Le fruit de l'arbre ne désigne pas l'enfant, mais le liquide séminal du mâle. Les bourgeons et les fleurs représentent les organes génitaux féminins ou bien la virginité. Grimper à un arbre est synonyme de désir et en tomber symbolise la crainte d'un échec en amour, mais du point de vue physique. Les angoisses procurées par l'exercice de la masturbation sont symbolisées chez les garçons par la vision de branches arrachées (peur de la castration) et chez les filles, par des fleurs fanées (peur de la frigidité et de la stérilité).

ARC-EN-CIEL

Cabale.

Aisance. Richesse. (Cette interprétation provient certainement du souvenir de la légende de l'or caché qui engendrait l'arc-en-ciel.) Guérison ou changement.

Psychanalyse.

C'est un des rares « rêves heureux » ; il dénote l'équilibre, la paix intérieure, le bonheur. C'est le rêve que font les personnes qui ont remporté une grande victoire sur le monde ou sur elles-mêmes, de celles qui ont réalisé un désir qui leur tenait à cœur ou qui sont certaines de pouvoir le réaliser.

ARGENT

Cabale.

Le manier : tromperie. Le dépenser : ennui. En trouver : chance.

Psychanalyse.

Etant donné la valeur que la société lui attribue il est normal qu'on en ait fait le symbole onirique de quelque chose de précieux, qu'on désire posséder sans oser l'avouer. Il s'agit souvent de l'objet d'une convoitise sexuelle : par exemple, si le subconscient a certains scrupules à faire apparaître dans les rêves d'une femme le mari de son amie, il le transforme en un tas de monnaie ou de billets de banque. Quel mal y a-t-il en effet à désirer être riche ? Trouver de l'argent caché dans des endroits inattendus, avoir peur d'être surpris se l'appropriant, est le rêve typique des pauvres mais aussi des gens qui ont des rapports illicites ainsi que des garçons qui font leurs premières expériences amoureuses. Il arrive aussi de se voir en rêve perdre ou égarer de l'argent et d'en ressentir de l'angoisse. Ce genre de rêve traduit la crainte de perdre ce qu'on a acquis difficilement, que ce soit une personne, un objet, une affection, à laquelle le donneur tient particulièrement.

ARMES

Cabale.

Ennuis avec la justice, procès. En voir beaucoup à la fois : préjudice.

Psychanalyse.

Presque toujours symboles du sexe masculin, liés à l'agressivité existante ou redoutée. Les armes peuvent dénoter chez l'homme le désir, mais aussi une tendance au sadisme, chez les femmes, le désir et la peur. Les enfants très jeunes voient souvent leurs rêves se peupler d'individus mal intentionnés qui brandissent des armes.

AUTOMOBILE

Cabale.

Présence d'une automobile : des nouvelles vous seront données. Auto en mouvement : lettre. Auto qui vous attend : bonne marche de vos affaires. Voiture de course : rencontre avec des femmes.

Psychanalyse.

Depuis quelques années l'automobile est devenue un symbole sexuel. Cela s'explique très bien à cause du rôle que joue la voiture dans les jeux amoureux. Le garçon qui aspire à connaître l'amour physique (l'ivresse de la vitesse correspond à un certain état d'excitation) rêve qu'il prend part à une course. L'homme qui est impressionné par la vue des accidents ou qui les redoute ainsi que celui qui se lance à la poursuite d'une autre voiture, doivent sans doute vivre avec l'obsession d'échecs sur tous les plans ; être frappés d'impuissance. Chez les femmes, les rêves de ce genre sont beaucoup plus rares et sont liés à la peur d'attendre un bébé. Les jeunes filles qui se voient à bord d'une voiture, qui voudraient en descendre et qui ne le peuvent pas, manifestent leur pur, plus ou moins inconsciente, des trahisons ou des violences masculines.

AVIONS

Cabale.

Ils annoncent des visites ou des nouvelles (mauvaises s'il s'agit de bombardiers de l'armée de l'Air). Avion à réaction : rapides résolutions. (Des réacteurs dans la cabale ? Mais oui. Les *mages* suivent le progrès, du moins en cette matière. Dans leurs dernières publications, ils parlent aussi de physique nucléaire (« grands changements »), de télé-mécanique (« chance »), de missiles (« ennuis »).)

Psychanalyse.

Les engins aériens indiquent toujours des désirs d'évasion, généralement irréalisables. Si vous rêvez que vous avez très peur en vol c'est un signe de faiblesse de caractère. C'est aussi le signe que vous pensez à l'infidélité, à l'adultère, freinés par des considérations d'ordre moral. Pour Freud, les avions, les dirigeables, les ballons représentent le membre viril. Il a été démontré que les rêves où le dormeur se voit en train de voler dans les airs sont provoqués par des positions qui excitent le désir.

BALAI

Cabale.

Bonnes nouvelles proches. Balayer : réussite.

Psychanalyse.

Les balais qu'on voit en rêve peuvent n'être qu'un morose rappel de la vie domestique (insatisfaction, ennui, manque d'enthousiasme pour les travaux ménagers) aussi bien que l'envie de se débarrasser de choses qu'on déteste. On entend souvent parler de rêves où le dormeur se voit poussant de l'argent avec son balai (regrets inutiles), ou se servant de celui-ci pour nettoyer les rues (peur d'être méprisé par autrui).

BALLE

Cabale :

Incontinence. Divorce.

Psychanalyse.

La personne qui se voit en rêve jouant à la balle désire inconsciemment redevenir enfant pour fuir les soucis et les responsabilités. Le plaisir de tenir une balle dans ses mains est en relation directe avec la sexualité (interprétation réservée aux rêves masculins).

BÂTON

Cabale.

Le tenir dans ses mains : tristesse. S'y appuyer : maladie. S'en servir pour battre quelqu'un : désir de domination.

Psychanalyse.

Les bâtons font très souvent partie des rêves et leurs symboles sont les mêmes que ceux des armes. S'il s'agit de bâtons noueux, de gourdins, la symbolique est celle des arbres. De longues branches minces, des baguettes s'introduisent fréquemment dans les rêves des masochistes mais elles peuvent y être remplacées par des crayons, des règles, etc. Quand il est impossible d'y voir quoi que ce soit se rapportant à la sexualité, les bâtons signifient désir de pouvoir ou peur du pouvoir, selon le contexte onirique.

BÉQUILLES

Cabale.

Chance.

Psychanalyse.

Rêver qu'on marche difficilement en s'appuyant sur des béquilles dénote qu'on n'a confiance ni en soi ni dans l'avenir. Si on se sert de béquilles parce qu'on est mutilé, il faut se rapporter aux significations de « l'Amputation ».

245

Si on se voit rejeter brusquement ses béquillles, c'est excellent : désir de libération et certitude d'avoir l'énergie nécessaire pour en faire une réalité.

BLESSURES

Cabale.

Désillusion.

Psychanalyse.

Ce rêve n'a rien en commun avec ceux de l'amputation ou de la douleur, comme on pourrait le croire. La blessure corporelle que l'on voit en songe correspond à une blessure réelle, mais faite à la dignité, à l'orgueil, à la susceptibilité ou bien à la crainte que ses conséquences ne soient connues de l'entourage. Les personnes qui craignent de contracter une maladie ou redoutent les accidents voient souvent des blessés dans leurs rêves. Les jeunes filles qui ont peur de perdre leur virginité et les femmes qui s'effrayent à l'idée d'un accouchement rêvent aussi de blessures, mais surtout à une certaine période du mois.

BOIS

Cabale.

Bonnes amitiés. Projets qui aboutissent.

Psychanalyse.

Freud pense que le bois est toujours lié, dans les songes, à la sexualité, mais il ne donne pas de ce rapport une explication satisfaisante. Certains psychanalystes contemporains pensent que la présence d'objets de bois dénote l'existence de grandes inhibitions. Le symbole du bois est aujourd'hui l'un des plus discutés.

BOUE

Cabale.

Sécurité. Si elle est formée de détritus de matières organiques : argent, avantages de toutes sortes.

Psychanalyse.

Si l'on rêve qu'on marche sur une route boueuse en craignant par-dessus tout de tacher ses souliers, ses bas ou ses vêtements, cela signfie qu'on craint qu'un incident banal se révèle quelque chose qu'on préférerait garder secret (une tendance, une faiblesse, un mensonge). Avancer très difficilement dans une mer de boue ou s'y immobiliser annonce une timidité maladive. Il peut arriver que la boue dans laquelle on se trouve soit formée d'excréments, cela indique alors que le dormeur souffre d'une pudeur exagérée (surtout si les mêmes visions reviennent souvent). Ce rêve provient probablement des souvenirs d'une enfance durant laquelle l'éducation à la propreté et à la décence a été mal faite.

BRODERIE

Cabale.

Bon accueil de la part des amis.

Psychanalyse.

Il y a des femmes qui aimeraient broder mais qui n'ont pas le temps de le faire. Si elles brodent en rêve cela prouve qu'elles ont un grand désir de calme et de sérénité. Si des femmes qui n'aiment pas ce genre de travail rêvent qu'elles le font, elles se piquent ou cousent mal, etc. Symptôme du dépit ressenti devant un échec (même si elles ne l'admettent pas). Il peut y avoir un rapport avec la sexualité.

BROSSE

Cabale.

Tristesse.

Psychanalyse.

Lorsque les femmes voient des brosses dans leurs rêves cela signifie qu'elles sont très attirées par les hommes ou que leurs désirs sont insatisfaits. On peut se rapporter aux explications données à la rubrique « Nettoyage » et « Balai ».

BROUILLARD

Cabale.

Mauvaise humeur.

Psychanalyse.

Se voir perdu dans le brouillard révèle l'indécision du caractère, la confusion de pensée, mais aussi le désir de fuir l'attention d'autrui, pour quelque motif que ce soit. Chercher quelqu'un dans le brouillard signifie souvent la tristesse à cause de la perte de l'amour ou de l'estime de quelqu'un. Découvrir un individu ou un objet perdu dans les ténèbres sans pouvoir l'identifier signifie que le dormeur est victime du « processus de mimétisme ». Même explication si l'on rêve de figures nébuleuses et de traits indistincts. Se trouver au milieu du brouillard et en ressentir une terrible angoisse signifie qu'on a peur de l'avenir.

BUREAU

Cabale.

Misère.

Psychanalyse.

Se trouver, en songe, dans son propre bureau signifie être attiré, dans la réalité, par quelqu'un ou quelque chose qui s'y trouve. Généralement, il s'agit d'une sympathie dont le bénéficiaire n'apparaît jamais au cours du rêve.

CAHIER

Cabale.

Faiblesse de caractère.

Psychanalyse.

Retrouver en rêve ses cahiers de classe, c'est confesser une grande nostalgie de son enfance. Si en les retrouvant on éprouve une sorte de malaise c'est qu'on a peur de ne pas avoir atteint une maturité normale, ce dont les voisins s'apercevront. Si on ouvre un cahier dont toutes les pages sont blanches, c'est qu'on a envie d'effacer le passé pour recommencer une nouvelle vie. Si l'écriture est illisible, les pages tachées ou sales, c'est un indice précieux sur l'origine de certains côtés négatifs de la personnalité. Il faut les rechercher dans sa propre enfance.

CASSEROLES

Cabale.

Visites inutiles.

Psychanalyse.

C'est souvent l'envie de se marier qui fait que les jeunes filles voient en rêve des casseroles et des fourneaux. Ces visions sont généralement accompagnées d'un sentiment d'appréhension d'événements inattendus et désagréables. On découvre une casserole qu'on croyait pleine et qui est vide, on se voit en train de faire cuire quelque chose qui n'a jamais été comestible. Ce sont les perplexités devant les difficultés d'une future vie conjugale qui se révèlent de cette manière. Chez les femmes déjà mariées, cela signifie discussions avec le conjoint.

CHAMBRE

Cabale.

Tranquillité, sérénité. Entrer dans une chambre : gain assuré. Chambre à coucher : inquiétudes intimes.

Psychanalyse.

Une pièce quelconque prend son importance, dans le rêve, selon l'action qui s'y déroule ou suivant le détail qui fixe l'attention du dormeur. Pour Freud, une pièce dans un appartement est toujours un symbole sexuel. Les psychanalystes d'aujourd'hui affirment que la vue d'une chambre à coucher reflète des craintes liées aux rapports sexuels plus que des désirs érotiques. Toutes les pièces accueillantes, bien arrangées, signifient espérances déçues ou aspiration au calme et au bien-être. Celles qui sont en désordre ou sales révèlent la peur et même l'idée obsessive de retomber dans la misère et le malheur. Si en entrant dans une pièce vous vous trouvez en face d'une personne que vous avez aimée autrefois, c'est peut-être qu'elle vous plaît encore, même si vous ne voulez pas l'admettre. Il est aussi possible que son souvenir vous dérange. Rêver d'être prisonnier dans une chambre signifie que le dormeur est un faible, un être craintif et impressionnable et ceci même si les portes s'ouvrent brusquement et qu'il se croit heureux. Dans la réalité, il ne sera véritablement heureux que lorsqu'il aura fait autant d'efforts qu'il faut pour le devenir.

CHASSE

Cabale.

Aller à la chasse : accusation. Revenir de la chasse : gains assurés, joie. Etre en train de chasser : fatigue inutile.

Psychanalyse.

Se voir, en rêve, prendre part à un safari ou chassant le canard sauvage est un songe spécifiquement masculin. Chez les adolescents, cela signifie qu'ils ont une nature inquiète ou qu'ils ont le goût de la fugue. Chez les adultes, ce genre de rêves révèle une insatisfaction (sexuelle ou autre), un tourment intérieur, parfois un désir de vengeance. Les chasses hantent les rêves des « suiveurs », des exhibitionnistes et des « voyeurs ». La femme se voit plutôt en gibier que l'on chasse et ce rêve dénote qu'elle redoute d'avoir des rapports avec les hommes.

CHAT

Cabale.

Vol. Trahison.

Psychanalyse.

Presque toujours le symbole de la féminité et il est superflu de s'attarder longuement sur la signification des rêves où des jeunes gens se voient en train de caresser un chat ou de chercher à le capturer. Les chats interviennent souvent dans les rêves des femmes. Ils dénoncent généralement l'admiration que la dormeuse se porte à elle-même, ou bien la confiance, ainsi que la méfiance, qu'elle accorde à ses actes. Les fétichistes ou les pervers rêvent fréquemment qu'ils caressent un chat et que celui-ci les griffe. Ces rêves dévoilent la peur des conséquences des goûts pervers auxquels on ne sait pas résister.

CHÂTEAU

Cabale.

Visites de gens importants, ou difficultés pour arriver à réussir. Entrer dans un château : espérances agréables.

Psychanalyse.

Il arrive rarement dans la vie de penser à un château tandis que dans les rêves on en voit beaucoup. Ils représentent des images idéales, forgées durant l'enfance à la lecture des fables et des contes de fées. Les dragons, les fossés, les trappes symbolisent les craintes, les regrets, les désillusions. Ces forces ennemies rendent l'accès du château difficile, aussi bien que, dans la réalité, la méfiance, le manque d'initiative, la résignation. Lorsqu'on réussit à franchir les portes d'un château, on éprouve à la fois de l'admiration pour soi-même et un certain effroi, ce qui signifie qu'on est capable d'énergie, mais qu'on doute encore.

CHAUSSURES

Cabale.

Chaussures de femme : chance en amour. Chaussures d'homme neuves : gains importants. Chaussures d'homme trouées ou boueuses : pauvreté, perte d'argent. Bottes : jours tranquilles. Perdre ses chaussures : misère.

Psychanalyse.

Se sentir à l'aise dans une paire de chaussures neuves signifie, pour une femme, désirer avancer dans la vie et espérer le faire le mieux possible. Voir des chaussures vieilles, usées, boueuses, signifie la crainte de laisser filtrer au-dehors ce dont on préférerait ne pas parler. Perdre ses chaussures et marcher pieds nus au milieu de la foule dénote l'existence d'un complexe d'infériorité. Plus rarement, d'un complexe de culpabilité. Une femme qui se voit en rêve portant des bottes, et très heureuse de les exhiber, révèle sa volonté sadique de domination. Dans les rêves des hommes, les chaussures féminines sont liées au fétichisme et les bottes (féminines aussi) au masochisme.

CHEVAL

Cabale.

Voir un cheval en rêve est de bon augure. Cheval blanc : épouse belle et vertueuse. Cheval bai : grande joie. Cheval noir : épouse riche mais méchante. Monter à cheval : honneurs, dignité, célébrité.

Psychanalyse.

Les significations assumées par la vue, en songe, d'un cheval sont toujours liées aux souvenirs et aux impressions particulières à chaque individu. Pour les gens âgés qui ont vécu à l'époque où le cheval n'était pas une rareté, voir en rêve cet animal signifie une grande nostalgie du passé. Il ne faut surtout pas négliger l'influence des westerns et les psychanalystes voient dans les rêves des hommes qui y font référence des complexes d'infériorité caractérisés, des désirs inavoués d'évasion (qui, du point de vue sexuel, ont souvent un côté sadique). Un état d'excitation des zones érotiques du corps provoque des rêves de chevauchées. Surtout chez les femmes.

CHEVEUX

Cabale.

Cheveux en broussaille : ennuis, souffrances, outrages. Cheveux blancs : dignité. Cheveux blonds : amitié. Cheveux bruns : volupté. Chute des cheveux : perte d'amitié.

Psychanalyse.

Lorsque les cheveux jouent le premier rôle dans un rêve peu importe qu'ils soient blonds, bruns ou en broussaille. Ne comptent que les impressions qu'ils suscitent chez le dormeur. Nous ne pouvons pas en parler ici car ces sensations sont trop liées à des facteurs particuliers. Du point de vue de la sexualité, la chute des cheveux dénonce chez l'homme un complexe de castration ou d'impuissance, tandis que la calvitie est évidemment liée au refus de la vieillesse. Chez la femme, la calvitie reflète son inquiétude en face de la ménopause. Si ses cheveux tombent par mèches et en grande masse, cela veut dire qu'elle n'envisage pas l'idée de son premier accouchement sans frayeur.

CHIEN

Cabale.

Chien qui aboie : turpitude, ingratitude, frayeur. Chien enragé : craintes fondées. Chien qui court : perte d'un procès. Vieux chien : fidélité. Chien noir : trahison.

Psychanalyse.

La cabale s'étend très longuement sur la race des chiens, la couleur de leur poil, leurs comportements (par exemple, elle dit : chien à museau noir et à poil blanc sur la moitié du corps : séduction). En réalité, rêver de chiens signifie toujours un grand besoin d'affection, un vrai désir d'être protégé, d'avoir près de soi quelqu'un de fidèle, sur lequel on peut absolument compter. Il est intéressant de noter que ceux qui rêvent de chiens sont généralement prêts à donner tout ce qu'ils possèdent si on le leur demande. Voir un chien qui court un danger reflète la crainte qu'une affection puisse se rompre ou se détériorer. Il est facile de donner une signification aux rêves où l'on voit des chiens qui s'enfuient, qui montrent les dents ou qui veulent mordre.

CIME

Cabale.

Haute position sociale. Femme qui pense à vous.

Psychanalyse.

La cime d'une montagne représente un but difficile à atteindre. Arriver à son sommet signifie qu'on possède une grande force de volonté. Ce qui est beaucoup moins bon c'est lorsqu'on se voit redégringoler (ce rêve est fréquent) dès qu'on a touché le point culminant.

CLOCHARD

Cabale.

Mauvaise compagnie.

Psychanalyse.

Lorsqu'on se voit, en rêve, transformé en clochard et heureux de l'être, cela signifie que l'on n'est pas plus content de sa manière de vivre que de ses amours. Contrairement aux apparences, ces rêves révèlent que l'on possède des trésors de sentiments et d'imagination que l'on ne sait malheureusement pas faire fructifier. Mais si l'on est pauvre et triste de l'être (dans la réalité) ce genre de rêves révèle le découragement et la peur de ce que réserve l'avenir.

COLÈRE

Cabale.

Réussite des projets.

Psychanalyse.

Se voir, en rêve, piquer une colère noire équivaut à confesser à soi-même sa faiblesse, son impuissance en face de certains événements. Si on dirige sa fureur contre une personne précise, cela veut dire que c'est elle que l'on accuse de ses propres échecs, consciemment ou non. Cette personne n'est pas toujours reconnaissable car on superpose dans ce genre de rêves « les processus de condensation, de transfert ou de déformations ».

COMMERCE

Cabale.

Bonnes nouvelles. Commerce très prospère : désespoir.

Psychanalyse.

Voir, en rêve, un magasin peut avoir beaucoup de significations différentes. Faire plusieurs achats dénote un désir de richesse ou l'annonce de meilleures conditions économiques. Faire des achats et s'apercevoir qu'on n'a pas d'argent pour payer indique la crainte d'être ruiné ou de perdre de l'argent. Chez les hommes, entrer dans un magasin est souvent le symbole de ses désirs érotiques mais si on vend dans ce magasin des sous-vêtements féminins, cela dévoile homosexualité latente, fétichisme ou perversion. Le même rêve révèle chez la femme une tendance au narcissisme ou bien l'espoir de plaire à quelqu'un. Les boutiques de fleuriste et celles où l'on vend des légumes sont toutes remplies de symboles sexuels se rattachant aux « complexes d'Œdipe et d'Electre ». Les gens qui regrettent leur enfance rêvent de pâtisseries, et les sadiques, les impuissants et ceux qui ont peur d'attraper toutes les maladies, rêvent de boucheries. Les malades imaginaires voient des pharmacies où vont aussi se promener les femmes qui sont obsédées par la frigidité et la stérilité. Les garçons curieux de se renseigner sur les mystères du sexe et de l'érotisme rêvent de librairies pleines de livres défendus. Certaines déviations ou perversions conduisent les dormeurs à se voir propriétaires d'un magasin ou en train de servir des clients. Ceux qui se voient en mannequins exposés en vitrine sont, indubitablement, les victimes de leur complexe d'infériorité.

COUP DE FEU

Cabale.

Maladie.

Psychanalyse.

Selon l'opinion de Kemper, de Weiss et d'autres éminents psychologues qui ont observé de nombreux patients et qui de ce fait sont autorisés à parler, un coup de feu entendu en rêve est toujours « le reflet onirique » d'un bruit réel. Il est donc tout à fait inutile de chercher à lui donner une signification.

COURIR

Cabale.

Fortune. Richesse.

Psychanalyse.

Les rêves dont la trame est constituée par des courses à perdre haleine sont toujours des « songes d'angoisse ». Dans l'un, le dormeur court pour éviter quelque chose de désagréable ; dans le suivant, pour fuir devant un danger ; et souvent il n'arrive pas à avancer ou bien il voit sa route barrée par des obstacles ou devant ses pas s'ouvrir des précipices, ou il s'enfonce dans des sables mouvants. Ces rêves signifient toujours l'incertitude, les craintes exagérées et ils annoncent souvent de graves dépressions nerveuses.

9

DANSE

Cabale.

Amitié, succès, héritage. Danses modernes : visites désagréables.

Psychanalyse.

Tous les symboles de la danse sont érotiques. « Les processus de condensation et de déformation » qui se développent au moment où le dormeur rêve qu'il danse dénoncent sa peur de voir se rompre une relation amoureuse, ou bien que celle-ci soit désapprouvée par l'entourage. Un homme qui se voit sans aucun plaisir dansant avec un autre homme est un homosexuel en puissance. Au contraire, une fille qui est contente de danser avec une autre fille avoue qu'elle aime un garçon que, par pudeur, elle a « travesti » en femme. La tendance à l'homosexualité d'une femme s'exprimera dans le rêve où elle dansera avec un cavalier qui la fascine et la terrorise en même temps. Les rares rêves de danse qui n'ont pas une signification érotique reflètent l'envie de réussir ou de bien s'entendre avec la personne qu'on a vue dans son sommeil.

DÉFUNTS

Cabale.

Bon présage, amour d'une grande dame. Héritage. Etre mort : envie et faux amis. Parler avec un mort : longévité. Défunt qui ne dit mot : mort.

Psychanalyse.

Le fait de voir apparaître dans un rêve quelqu'un qu'on a connu vivant et qui n'est plus est logiquement assez impressionnant. On se souvient longtemps de ce genre de rencontres. Naturellement, les sottises et les puérilités de la cabale élaborées sur la « loi » des contrastes et des ressemblances secouent les nerfs des malheureux simples d'esprit qui y croient. En réalité, dans la majorité des cas, voir un défunt en rêve signifie, ou bien qu'on regrette l'époque où celui-ci était encore en vie (généralement, les morts ne sont pas tristes et évoluent dans une atmosphère amicale) ou bien l'insatisfaction du présent, et le désir inconscient de retrouver son passé (ce rêve s'accompagne le plus souvent d'une douce mélancolie), ou bien encore un fort complexe de culpabilité. Dans ce cas les visions prennent un caractère hallucinant et effrayant : le mort sort de son tombeau pour menacer le vivant, etc. Il n'est pas certain que le complexe de culpabilité soit directement en relation avec la personne du défunt. Au contraire, celui-ci joue souvent un rôle qui n'a rien de déplaisant dans un scénario où il n'est pas le personnage principal.

DÉMON

Cabale.

Avec des cornes, des griffes, une queue fourchue : tourments, désespoir.

Psychanalyse.

Qu'il possède des cornes, des griffes, etc., Belzébuth donne raison (pour une fois) à la cabale, du moins lorsqu'il vient s'introduire dans les rêves d'un petit enfant. Il révèle alors l'atmosphère de terreur dans laquelle vit, inconsciemment, un gosse avec ses remords injustifiés, ses peurs qui ne reposent sur rien mais qui menacent de bouleverser toute son existence. « Le diable » qui trouble les songes enfantins devrait induire les parents à réviser leurs systèmes d'éducation. Satan révèle aux adultes dont la religion confine à la superstition des complexes dont ils refusent généralement de se croire affectés. Le démon tentateur est, dans les rêves, synonyme de méfiance de soi-même, de crainte de ses propres faiblesses, tandis que s'il se montre conciliant, aimable, bon garçon, il dénonce qu'on désire diminuer la portée d'une mauvaise action commise.

DENTS

Cabale.

Elles représentent les parents et les meilleurs amis. Belles et blanches : heureux destin. Chute : mort du conjoint.

Psychanalyse.

Pour la femme, perdre ses dents, en rêve, dénonce sa peur de vieillir, de ne plus être assez jolie pour plaire aux hommes. Durant la grossesse, rêver qu'on perd ses dents vient du souci qu'on se fait du proche accouchement. Chez l'homme, ces chutes dénoncent un complexe de castration et la peur de l'impuissance. L'extraction des dents, en rêve bien entendu, a la même signification. Chez la femme, elle symbolise la crainte des tortures physiques, de perdre sa virginité ou d'avorter.

DÉPART

Cabale.

Départ en train : occasions favorables. Départ en bateau : difficultés avec les femmes. Départ en avion : satisfaction pour l'avenir des enfants. Départ d'une personne chère : solitude temporaire.

Psychanalyse.

Lorsqu'en rêve un départ est accompagné de mélancolie, ou même d'une véritable sensation de tristesse, il signifie toujours qu'on redoute que quelqu'un se détache de soi. Partir allégrement, en en ressentant une sorte de soulagement, dé-

note un désir d'évasion, de fuite devant une situation difficile. Le dormeur, qui doit avoir envie de se soustraire à ses
propres responsabilités, est très faible de caractère. S'il
voit quelqu'un qu'il aime se préparer à partir, c'est qu'il
n'est pas sûr de la fidélité de cette personne.

DIEU

Cabale.

Consolation et joie.

Psychanalyse.

Il est extrêmement rare de voir Dieu en rêve. Si la chose
arrive elle signifie une excessive confiance en soi ou une
grande paix intérieure.

DISPARITION

Cabale.

Vol imminent d'objets précieux.

Psychanalyse.

Voir, en rêve, disparaître une personne ou un objet reflète les désillusions du dormeur ou sa crainte d'être déçu.
La brusque disparition des parties génitales révèle la timidité, la honte, le complexe d'infériorité que le dormeur
éprouve en pensant aux aspects physiques de l'amour.

DOULEUR

Cabale.

Douleur au cœur : maladie ; aux dents : guérison ; aux
oreilles : bavardages désobligeants. Douleurs de l'accouchement : mort.

Psychanalyse.

Rêver d'un mauvais accouchement est très fréquent chez les femmes qui le redoutent, ou qui ont peur d'être enceintes, ou qui se font une idée fausse des rapports physiques avec un homme. En général, lorsqu'on rêve qu'on souffre c'est qu'on a pris en dormant une mauvaise et inconfortable position et que « réellement » on a mal.

EAU

Cabale.

Nous nous contenterons de ne donner que les principales significations. Eau : abondance, fertilité, richesse. Eau trouble : maladies, ennuis. Se plonger dans l'eau : persécutions. Tomber à l'eau : dégâts. Nager dans l'eau : danger. Prendre un bain dans de l'eau froide : incompréhension. Dans de l'eau tiède : plaisir, bien-être ; dans de l'eau bouillante : séparation. Nager sous l'eau : malheurs. Naviguer sur des eaux calmes : bien-être ; sur des eaux agitées : dangers, pertes, chagrins.

Psychanalyse.

Les disciples de Jung acceptent de la cabale la notion de fertilité. Depuis des siècles, l'eau est un symbole onirique qui revient très fréquemment pour exprimer la tranquillité, la richesse intérieure, ou le désir de la posséder. Voir en rêve de l'eau trouble signifierait que son subconscient invite le dormeur à penser qu'il n'est pas facile d'atteindre un état où l'âme soit en paix, qu'il existe des obstacles qui s'y opposent et qu'il faut les surmonter. Plonger dans l'eau indiquerait un besoin de purification. Nager dénoncerait un manque de confiance en soi et être poussé par un autre à la mer révélerait une peur inconsciente. L'eau représente aussi très souvent le ventre maternel (rappelez-vous « les eaux » dont on parle à propos d'accouchement) et il se pourrait que le dormeur qui rêve d'immersion soit assez malheureux pour désirer retrouver la paix d'avant sa naissance. Si vous rêvez que vous êtes un scaphandrier heureux de vivre et sans souci, c'est très bon signe : vous êtes en train de chercher à vous mieux connaître. Si, au contraire, vous avez peur sous l'eau, c'est presque comme si vous rêviez que vous vous noyiez (impression terrible !) et cela signifie que vous êtes attiré par quelque chose d'indigne de vous (ou que vous croyez indigne) dont vous ne pouvez pas vous débarrasser. Si vous vous voyez à bord d'un bateau, vous n'êtes pas satisfait de votre situation actuelle et vous désirez en changer. Si la mer est mauvaise durant cette navigation, vous avez beaucoup de difficultés à dominer vos doutes et vos craintes. Les bains, quels qu'ils soient, sont toujours en rapport avec le sexe : si vous vous sentez bien dans l'eau, vous désirez inconsciemment une intimité totale avec quelqu'un (les fiancés font souvent ce genre de rêves). Si l'eau est trop chaude ou trop froide, vous craignez de ne pas obtenir ce que vous désirez ou d'être déçu par l'amour.

ENFANTS

Cabale.

Grossesse. Enfants beaux : plaisir. Enfants laids : mauvaises nouvelles.

Psychanalyse.

On voit des enfants en rêve lorsque inconsciemment on a envie d'écarter des difficultés, ou d'éluder un problème pour revenir « aux vertes années ». Lorsqu'on se revoit enfant ou qu'on se trouve en compagnie de petits garçons et de petites filles, cela signifie, dans les deux cas, l'angoisse. Le Moi conscient entre en jeu pour dire que ce désir avide de fuir dans le passé relève de l'utopie. Les femmes rêvent d'enfants lorsqu'elles ont envie de se marier pour fonder une famille. Mais si leur rêve ne se déroule pas dans une ambiance heureuse c'est probablement qu'elles redoutent d'attendre un bébé non souhaité.

ENNEMIS

Cabale.

Revers de fortune. Bavarder avec ses propres ennemis : méfiance salutaire. Remporter une victoire sur eux : procès gagné. Les tuer : plaisir et joie.

Psychanalyse.

Parmi les personnages les plus hauts en couleur des rêves, les ennemis tiennent une des premières places. Rêver qu'on bat ses adversaires signifie que dans la réalité on espère bien les vaincre. S'ils sont plus forts que vous cela signifie que vous avez peur de succomber, et vous trouver en rapports amicaux avec eux révèle que vous envisagez de vivre en paix. On peut aussi rêver qu'une personne, qui est votre amie dans la réalité, vous est hostile : cela signifie, ou bien qu'on la déteste inconsciemment, ou bien qu'on redoute de faire quelque chose qui lui déplaise.

ESCALIER

Cabale.

Monter un escalier : honneur. Le descendre : ennui. Escalier en tournevis : lente mais sûre réussite ; échelle de bois : profit.

Psychanalyse.

L'interprétation dépend de la hauteur, de la commodité, de l'étroitesse, etc., des marches qui indiqueront le comportement inconscient du dormeur. Descendre un escalier peut avoir plusieurs significations : par exemple, renonciation à la lutte ou, au contraire, combativité. Tout dépend du contexte onirique et de l'état d'âme actuel du dormeur.

L'escalier en tournevis symbolise le cercle vicieux, c'est-à-dire ne pas savoir si on emploie son énergie pour quelque chose qui en vaille la peine et si cela vaut la peine de se montrer énergique. Dans les rêves des femmes, l'échelle de bois symbolise l'incertitude.

ÉTOILES

Cabale.

Prospérité, bonnes nouvelles, complète réussite.

Psychanalyse.

Les âmes romantiques rêvent souvent de ciel étoilé. Ce genre de rêves est généralement enveloppé de mélancolie et dénote chez le dormeur un grand besoin d'amour ou de tendresse.

EXAMEN

Cabale.

Soucis.

Psychanalyse.

Presque tout le monde rêve ou a rêvé ou rêvera de bancs d'école et de professeurs plus ou moins sévères. Cela ne veut pas dire qu'on va se trouver soumis dans la réalité à passer un examen (généralement, en rêve, on a l'illusion de le passer brillamment à moins qu'on ne soit dans une mauvaise période où tout marche très mal). C'est un thème très important pour les psychanalystes car il leur permet de fouiller le caractère d'un individu et de découvrir ses points faibles.

265

FAIM

Cabale.

La richesse se contruit grâce au travail et au courage.

Psychanalyse.

Très souvent sentir la faim, en rêve, reflète que tout va bien et qu'on est plein d'énergie. Si le dormeur sait qu'il n'est pas dans ce cas la faim signifie peut-être qu'il est encore sous l'influence des mauvais souvenirs de son enfance ou d'une période où ses finances n'étaient pas brillantes. La sensation de faim durant le sommeil peut signifier aussi que le dormeur porte en lui des désirs inavouables. Dans ce dernier cas, le rêve de faim revient fréquemment sans qu'on arrive jamais à l'assouvir.

FANTÔME

Cabale.

Consolation et joie.

Psychanalyse.

Contrairement à ce qu'on imagine, les fantômes n'ont rien à voir avec l'apparition des défunts au cours des rêves. Si un fantôme surgit devant vous comme une espèce de chose transparente c'est que vous gardez des souvenirs qui vous font souffrir, ou que vous portez au spectre (presque toujours une personne vivante que vous connaissez) des sentiments de haine. Si le fantôme est enveloppé dans le classique drap de lit blanc, votre rêve se déroule selon « le processus dit de mimétisme » et le suaire cache un visage que vous ne désirez pas reconnaître.

266

FEMME

Cabale.

Blonde : libération. Brune : maladie grave. Femme déguisée en homme : elle donnera le jour à un garçon qui fera honneur à sa famille. Femme nue : grands malheurs.

Psychanalyse.

Les rêves centrés sur une femme ne peuvent être interprétés qu'en tenant compte des rapports existant entre la personne dont rêve le dormeur et lui. Les femmes nues apparaissent plus souvent aux femmes qu'aux hommes et révèlent leur désir d'être aimées. Si le rêve s'accompagne de gestes voluptueux, il dénonce une forte dose de narcissisme. Une belle fille nue qui passe dans le rêve d'un homme bien constitué signifie ce que logiquement vous pensez, tandis que dans ceux des inhibés, elle révèle leurs craintes de ne pas être normal. Les changements de sexe qui s'opèrent dans les rêves sont généralement réservés aux homosexuels, hommes ou femmes. Un hommes qui, en rêve, est terriblement gêné de se promener en vêtements féminins révèle qu'il est préoccupé par ses goûts contre nature, et qu'il craint qu'on ne les découvre. Lorsque les garçons rêvent qu'ils sont habillés en femme c'est qu'ils souffrent d'un complexe de castration ou qu'ils ont peur d'être punis (ceci est dû à la sottise des parents qui disent que les femmes sont des êtres inférieurs). Les petites filles qui se voient en rêve habillées en garçon souffrent certainement d'un complexe d'infériorité.

FENÊTRE

Cabale.

Fenêtre ouverte : accès facile dans la maison. Fenêtre fermée : réprimandes.

Psychanalyse.

La fenêtre représente presque toujours le besoin qu'a le dormeur de connaître son avenir ou bien son désir de voir se réaliser ses projets. Le déroulement du rêve et son environnement dépendront du genre des projets. Avoir envie de se pencher à une fenêtre mais aussi avoir peur de ce qu'on verra à l'extérieur dénotent la crainte des conséquences d'un acte. Les fenêtres barrées ou cachées par des rideaux signifient que le dormeur a tendance à se soustraire à la réalité. Les lucarnes, les meurtrières, comme toutes les ouvertures, ont toujours un rapport avec la sexualité féminine. Etre, en rêve, en train d'épier quelque chose à travers une ouverture, un trou quelconque, dénonce chez les adolescents leur curiosité des mystères de l'amour physique ; quelquefois de l'anxiété et la peur de l'avenir. On peut rêver aussi qu'on veut s'échapper et que la seule porte par laquelle on pourrait passer est trop étroite. On explique ce genre de songes par la timidité excessive, le pessimisme injustifié, l'énorme complexe d'infériorité du dormeur.

FEU

Cabale.

Grand feu : splendide festin. Petit feu : joie, abondance.

Psychanalyse.

Une flamme grande ou petite vue en rêve dénonce toujours un grand désir de chaleur humaine, de tendresse. Les psychanalystes, attachés aux théories freudiennes, attribuent au feu une signification sexuelle mais il faut exclure cette hypothèse du moins au sens strict du mot. De récents travaux faits par des savants scandinaves ont démontré que Freud s'était trompé. Ce n'est que lorsque le dormeur se voit en train d'allumer un feu qu'on peut parler de symbole érotique ainsi que de désirs de vengeance ou de sadisme. Se sentir menacé par le feu dénote la peur d'affronter un travail qu'on ne pourra pas mener à bout honnêtement. Marcher impunément au milieu des flammes reflète, ou la ferme volonté de franchir des obstacles, ou un désir spécialement ardent d'arriver là où l'on tend.

FILET

Cabale.

Grande pluie ou changement de temps.

Psychanalyse.

Se débattre dans les mailles d'un filet (généralement, plus on se débat plus on se sent prisonnier) signifie désirer sortir d'une situation difficile ou se libérer d'une liaison, ou d'une habitude, ou d'un vice. Les mailles du filet signifient aussi la terreur de la femme devant le mâle.... comme du reste la vue d'un drap de lit. La peur de perdre ce qu'on a obtenu difficilement s'exprime dans le rêve où le filet craque en laissant échapper son contenu. Chercher à réparer un filet dénote une sorte d'angoisse au sujet des suites d'une erreur, d'une étourderie ou d'une imprudence. Une jeune fille qui se voit s'habillant de robes taillées dans des filets révèle qu'elle lutte entre sa pudeur et l'envie de connaître l'amour.

FOULE

Cabale.

Colère, litiges.

Psychanalyse.

Lorsqu'on se voit soi-même, en rêve, suffoquant dans la foule, c'est exactement comme si on confessait à voix haute qu'on est incapable de dominer les événements et qu'on cède toujours à la panique. Les timides se voient en rêve dominant d'abord une masse de gens qui ensuite se révoltent et les piétinent. Ici, c'est manifestement le désir de s'imposer qui est anéanti et qui oblige de s'accepter tel que l'on est. Tenter d'approcher une personne et la voir disparaître dans la foule dénonce le désir de conquérir ou de reconquérir une amitié et la crainte d'être incapable d'y arriver.

GANTS

Cabale.

Honneurs, prospérité, plaisir.

Psychanalyse.

Une femme qui se voit, en rêve, les mains gantées, et qui se sent ridicule, est certainement obsédée par l'idée de cacher ses défauts ou ses imperfections physiques réelles ou imaginaires. On cite le cas d'une jeune fiancée qui s'est vue en rêve allongée dans le lit nuptial, les mains enfilées dans ses gants et saisie d'une peur horrible à l'idée de les enlever. Les rêves de gants ont chez les hommes des significations différentes. Ils révèlent généralement la crainte qu'une affaire un peu louche ne soit découverte ou qu'un projet ne se réalise pas selon leurs vœux. Aussi bien chez les femmes que chez les hommes, se voir, en rêve, obligé d'accomplir un travail manuel (écrire, peindre, coudre, jouer du piano, etc.) les mains couvertes de gros gants dénote l'existence d'un complexe d'infériorité.

GROSSESSE

Cabale.

Santé. Guérison prochaine.

Psychanalyse.

C'est un songe spécifiquement féminin qui signifie souvent, mais selon les cas, la peur des rapports sexuels, la crainte ou l'envie de la maternité. Il peut aussi exprimer une aspiration consciente, inconsciente ou réprimée, au mariage ou peut-être simplement à une existence tranquille. Un psychologue allemand a défini le rêve de la grossesse comme celui « des femmes d'intérieur ». Les rêves où l'on voit des grossesses nerveuses, ou interrompues par des hémorragies, au milieu desquelles se succèdent des accidents mortels, des mises au monde de monstres, sont réservés aux gens qui ont l'obsession des maladies vénériennes et des malformations de leurs organes génitaux.

GUERRE

Cabale.

Persécution.

Psychanalyse.

Pour la femme, rêver de guerre signifie souvent qu'elle craint de se voir privée de sa propre paix et de son bonheur. Pour l'homme, la guerre, en rêve, peut révéler soit son désir de se libérer de quelque chose à n'importe quel prix, soit la folle envie de se détruire lui-même. Les combats corps à corps symbolisent les conflits intérieurs au sujet du comportement sexuel. Les bombardements éclatent dans les rêves de ceux qui se sentent menacés. Les soldats (mais surtout les officiers) représentent l'autorité. Ils peuvent être aussi bien le père, qu'un supérieur, que la loi en général ou que la morale. Les guerres qui se concluent bien par la paix ou par on ne sait quoi d'absurde comme, par exemple, des fusils qui se transforment en fleurs ou en parapluies, révèlent le désir de se mettre d'accord avec les autres ou avec soi-même.

HAREM

Cabale.

Légère contrariété.

Psychanalyse.

Se voir, en rêve, « une épouse parmi d'autres épouses » signifie souvent être tentée par l'idée d'une entreprise économiquement avantageuse, même si elle comporte la renonciation à l'amour. Des rêves de ce genre sont parfois engendrés par la jalousie ou l'homosexualité. L'homme qui rêve qu'il est « le maître » d'un harem n'est probablement pas très sûr de son « pouvoir » réel. S'introduire en rêve et en cachette dans un gynécée dénonce une vie sexuelle peu satisfaisante et perturbée.

HERBE

Cabale.

Herbe verte : longue vie. Herbe sèche : maladie et mort.

Psychanalyse.

Freud voit dans l'herbe le symbole de la féminité mais les derniers travaux des psychanalystes d'aujourd'hui, tout en n'écartant pas définitivement l'opinion de Freud, le rapprochent des significations cabalistiques. On se voit assez souvent, en rêve, au milieu d'une grande prairie et on en éprouve une sorte de douce mélancolie ; ou bien, on s'étend dans l'herbe et on y enfonce son visage. Les psychologues qui interprètent ces visions disent qu'elles signifient que le dormeur regrette de perdre sa vie parce qu'il est devenu l'esclave du conformisme, qu'il refuse volontairement la liberté à laquelle pourtant il aspire sans le savoir. C'est un avertissement salutaire car, vieux ou jeune, on peut toujours se débarrasser des tabous inutiles. Lorsqu'on se voit entouré d'herbes desséchées, cela signifie la même chose mais qu'il est trop tard pour se corriger. C'est un rêve de vaincus à l'avance, de résignés qui n'ont plus la volonté de lutter pour vivre.

HOMME

Cabale.

Rêvé par un homme : satisfaction, joie, santé. Rêvé par une femme : calomnies, tromperies. Voir un homme nu : crainte.

Psychanalyse.

Un interprétation générique n'est pas possible (voir rubrique « Femme »). Les hommes apparaissant dans les rêves des femmes ne signifient pas désirs érotiques, ou rarement. Ils indiquent, le plus souvent, des complexes d'infériorité, de l'envie, de l'insatisfaction, du goût pour dire le contraire de ce qu'affirme un interlocuteur

HONTE

Cabale.

Chance dans le commerce.

Psychanalyse.

Rêver qu'on a honte d'un acte qu'on doit accomplir, ou qu'on a accompli, dénote la crainte d'être mal jugé. Il arrive souvent qu'on éprouve, en rêve, une sorte de honte sans s'en expliquer la raison : il s'agit du « processus de transfert » et il faut en chercher la signification dans tout ce qui entoure ou accompagne la scène où l'on se sent honteux. Havelock Ellis cite à ce propos un cas intéressant : une jeune fille âgée de 16 ans rêvait souvent qu'elle se trouvait dans un salon, paralysée par la honte sans aucune raison apparente. Ellis découvrit que la jeune fille gardait les yeux fixés sur un coquillage qui lui rappelait ses expériences d'auto-érotisme et ses goûts non avoués pour les femmes.

HÔPITAL

Cabale.

Misère. Privation.

Psychanalyse.

C'est la peur des maladies en général, des maladies vénériennes en particulier, qui fait rêver d'hôpital, aussi bien que les soucis qui dérivent d'une grossesse et que les préoccupations et les perplexités que procurent les problèmes qui entourent l'amour.

HÔTEL

Cabale.

Voir un hôtel : difficultés. Envie. Chercher un hôtel et le trouver : quiétude et contentement. Habiter un hôtel : repos. Nostalgie. Rencontres.

Psychanalyse.

Significations se rapprochant de celles données à « Maison ». L'hôtel est souvent un symbole d'incertitude ou d'inquiétude. Il peut exprimer chez un homme sa crainte d'aborder une femme et, chez la femme, le remords d'avoir trompé ou de penser tromper son mari. Les hommes qui fréquentent les prostituées, et qui n'en sont pas très fiers, rêvent souvent qu'ils vont à l'hôtel. Entrer dans un hôtel de première catégorie révèle le désir de vivre mieux tandis que se voir y résidant sans en être satisfait signifie qu'on n'est pas content de sa situation ou qu'on redoute un échec en amour.

IDOLE

Cabale.

Intention de commettre des iniquités.

Psychanalyse.

Freud avait été lui-même très surpris de constater la fréquence d'apparitions d'idoles dans les rêves. Naturellement, il avait donné à ces idoles une signification érotique, en se référant aux monuments phalliques de l'Antiquité et il pensait qu'à l'origine de ces visions oniriques il y avait, soit les souvenirs ancestraux, soit l'influence de certaines expressions comme être l'idole de quelqu'un, ou idolâtrer une femme, etc. Les psychanalystes ont aujourd'hui modifié la version freudienne en démontrant que les idoles qui interviennent dans les rêves sont souvent des séquelles de lectures sur l'histoire des religions ou ne représentent qu'un objet auquel le dormeur tient spécialement ou auquel il attribue une grande valeur. Bien entendu, il peut s'agir d'un objet aussi bien que d'une personne, d'une affaire ou d'un projet. Le dormeur qui voit des idoles est souvent un individu obéissant, dévot ou très inhibé par son respect de la morale. Si ces visions reviennent souvent dans les rêves, elles soulignent la timidité et le complexe d'infériorité.

ÎLE

Cabale.

Abandon. Solitude.

Psychanalyse.

La cabale s'inspire probablement des aventures de Robinson Crusoé pour codifier le rêve de l'Ile. Il vaut mieux chercher ailleurs son symbole. Les îles qu'on voit en rêve sont à la lettre des îles de rêve, des sortes de paradis qui signifient que le dormeur a besoin d'évasion, de voyages, d'aventures, d'expériences nouvelles. On y trouve des symboles sexuels (surtout si le dormeur est jeune). Ce n'est que si les îles apparaissent comme de sinistres écueils qu'elles parlent de solitude et d'angoisse. C'est alors le rêve spécifique des timides, désespérés de l'être.

INFIDÉLITÉ

Cabale.

Abus de confiance. Trahison. Tromperie.

Psychanalyse.

Très rarement, et seulement chez les personnes impulsives, (ou sans scrupules) se voir commettre une trahison en rêve reflète l'intention de tromper son mari ou sa femme dans la réalité. Il ne faut pas dire que ce genre de rêve est sans importance car il dénonce l'inquiétude, le malaise, l'envie de s'évader, aussi bien que le désir de voir changer quelque chose dans le comportement de la personne que l'on aime. Un examen approfondi du caractère de celui, ou de celle, avec lequel, ou laquelle, on commet l'adultère peut fournir des indications précieuses. Si le dormeur se voit commettre un inceste, c'est peut-être qu'il aspire plus ou moins consciemment à retourner dans sa famille afin d'y trouver l'affection et la compréhension qui lui manquent.

INSECTES

Cabale.

Sévérité excessive. Insectes répugnants : or et argent en abondance.

Psychanalyse.

Freud ne renierait pas la première définition de la cabale puisqu'il a dit que les frères, les sœurs, les enfants apparaissent dans les rêves sous formes d'insectes parce que nous les jugeons trop généralement avec une sévérité excessive et que nous prenons ces petites bêtes pour des êtres inférieurs. Rêver que la maison est envahie par des insectes signifie que l'on craint les jugements des voisins. Voir des insectes qui attaquent, mais qu'on sait être des hommes médiocres, est un rêve de timides. Les insectes géants, comme ceux qu'on voit dans les films documentaires, représentent soit des adversaires qu'on craint et qu'on méprise, soit des désirs qu'on cherche à anéantir parce qu'on les juge immoraux. Les araignées ne sont pas des insectes, mais des arthropodes. Mais nous les citons tout de même ici car elles peuplent les rêves des femmes en symbolisant les pièges qu'elles rencontrent dans leur vie sentimentale.

INSPECTION

Cabale.

Curiosité excessive.

Psychanalyse.

C'est un rêve que font tous ceux qui travaillent ou qui vivent en collectivité. Il dénote toujours la peur qu'un secret ne soit découvert. Il convient de ne pas négliger ce genre de rêves et de les analyser en profondeur pour savoir de quel secret il s'agit. Les rêves de perquisition ont des significations analogues et sont le plus souvent en relation avec le complexe d'infériorité.

IVRESSE

Cabale.

Accroissement de la fortune. Folie.

Psychanalyse.

On rêve qu'on a trop bu et que la vie est belle et joyeuse après avoir absorbé certains médicaments. Il est très rare qu'on se voit sans raison en état d'ivresse. Lorsque cela arrive, il faut parler d'insatisfaction, de désirs d'évasion ou d'habitudes inavouables.

JARDIN POTAGER

Cabale.

Se trouver dans un jardin potager : attaque de la part d'un ennemi riche et puissant. Bêcher : bonnes perspectives.

Psychanalyse.

Comme un parc, mais plus que lui, un potager, ou un verger, est un lieu rempli de symboles érotiques que n'importe qui explique facilement. Tous les travaux qu'on accomplit soi-même ou qu'on regarde faire sont en rapports directs avec le sexe.

JEU

Cabale.

Jeux innocents : chance dans les affaires. Jeux de hasard : avantage sur les ennemis. Gagner : victoire (ou bien perdre ses amis). Perdre : perte (ou bien apaisement, détente).

Psychanalyse.

Se voir, en rêve, jouer comme les enfants signifie toujours l'envie de se débarrasser de ses soucis et de retrouver l'atmosphère heureuse (ou qu'on imagine telle) de sa jeunesse. Se livrer aux jeux de hasard met en évidence le contraste qui existe entre sa véritable personnalité et ce qu'on voudrait être, mais signifie aussi désillusions, humiliations, frustrations. Pour les gens superstitieux : peur de l'avenir.

LABYRINTHE

Cabale.

Difficultés, ennuis. Sortir du labyrinthe : victoire. Obstacles surmontés.

Psychanalyse.

C'est le rêve le plus méchant qu'a inventé le dieu Morphée pour nous faire toucher du doigt notre faiblesse de caractère. Nos tendances à inventer des difficultés que nous pourrions éviter. Les murs de ce labyrinthe sont tapissés de « oui, mais... » « ah ! si... » « peut-être que... » et les pièges et les fantômes qu'on y rencontre symbolisent la crainte des conséquences de nos actes. Il est rare qu'on puisse sortir du labyrinthe. Si l'on y arrive cela indique la volonté de réagir.

LANGUE

Cabale.

Bavardage indiscret.

Psychanalyse.

Le rêve très désagréable où l'on vous coupe la langue indique chez l'homme un très grand complexe de castration ou une terrible peur de l'impuissance. Chez la femme, la crainte de perdre sa virginité ou celle des douleurs de l'accouchement. Avoir la langue paralysée, s'efforcer de parler sans y parvenir, révèle la timidité du dormeur. Rêver qu'on s'exprime dans une langue étrangère veut sans doute dire qu'on regrette le pays où on la parle ou bien qu'on est malheureux de n'être pas compris par son entourage. S'entendre adresser la parole dans une langue qu'on ne comprend pas : doutes ou soupçons.

LARMES

Cabale.

Joie. Consolation. Bonnes nouvelles.

Psychanalyse.

Pleurer, en rêve comme dans la réalité, est toujours lié à des émotions profondes, à des chagrins, à des déceptions. Si l'on pleure de joie, on peut ressentir une douce mélancolie ou bien se trouver plongé dans un bonheur merveilleux provenant de la réalisation d'un très grand désir.

LECTURE

Cabale.

Sagesse. Ou bien allégresse, joie éphémère, etc.

Psychanalyse.

Lire, en rêve, trahit le désir du dormeur de pénétrer un secret, de connaître les dessous d'une affaire ou les pensées d'un individu, ses intentions, les côtés mystérieux de sa personnalité. Si le dormeur peut se rappeler au réveil ce qu'il a lu il aidera beaucoup son psychanalyste. Généralement, il ne reste aucun souvenir des lectures oniriques. La lecture d'un roman est liée à son contenu, aux circonstances, au décor et au lieu où se trouve le dormeur. Rêver qu'on feuillette rapidement un journal en n'en lisant que les gros titres signifie qu'on espère l'heureuse conclusion d'une affaire ou une bonne réponse.

LETTRE

Cabale.

Recevoir une lettre : promotion et chance. Ecrire une lettre : vol, larcin.

Psychanalyse.

Se voir, en rêve, recevoir une lettre, signifie généralement qu'en réalité on en attend une qui vous donnera des nouvelles intéressantes. Si ce qu'on lit est désagréable, si l'enveloppe est bordée de noir, si on a du mal à l'ouvrir, c'est qu'on craint que les nouvelles soient mauvaises. Si le dormeur se voit en train d'écrire une lettre les interprétations sont nombreuses, car elles dépendent de beaucoup de choses. Une mauvaise écriture peu lisible dénote le peu d'enthousiasme du dormeur en pensant à un acte qu'il devrait accomplir.

LIENS

Cabale.

Esclavage. Etre retenu dans des liens : obstacles. Empêchements. Lier quelqu'un : affaires avec la justice. Nœuds : embarras. Faire des nœuds : perte de temps. Défaire des nœuds : affaires inutiles et superflues.

Psychanalyse.

L'expression « avoir les mains liées » reflète parfaitement la sensation que l'on éprouve, en rêve, lorsqu'on n'est pas maître de ses mouvements et qu'on pense, à tort ou à raison, que ce qu'on désire réaliser est impossible. Rêver qu'on attache quelqu'un avec une corde signifie qu'on désire triompher, mais peut-être aussi qu'on a peur de ne pas être assez sévère. Rêver qu'on défait un nœud révèle qu'on a besoin de se libérer d'un soupçon, d'une préoccupation, d'un complexe, ou de personnes antipathiques. Rêver qu'on fait un nœud : espoir de nouer (plus souvent) de renouer des liens avec quelqu'un.

LINGERIE

Cabale.

Commérages. Médisances.

La cabale du psychanalyste

Psychanalyse.

Les sous-vêtements féminins apparaissant dans les rêves d'un homme ont une signification érotique, mais s'il se voit en train de s'habiller avec son linge personnel c'est qu'il est timide ou obsédé par les conséquences de la masturbation qu'il pratique. Les soutiens-gorge ou les collants ne sont pas forcément des symboles érotiques si c'est une femme qui les voit en rêve. Ils peuvent ne représenter que son envie d'être élégante et admirée. Ils apparaissent quelquefois lorsque la femme redoute une maternité ou les conséquences de ses relations avec un homme. Pour les fétichistes, les sous-vêtements se transforment sous l'autorité de la censure de l'inconscient en toutes sortes d'objets qui sont agréables à toucher : surfaces lisses, petites boules, animaux au poil doux, etc.

LIT

Cabale.

Repos. Sécurité.

Psychanalyse.

Chez les femmes, voir un lit, en rêve, indique qu'elle a en horreur les rapports sexuels, que les contacts physiques la dégoûtent, ou qu'elle a peur d'être enceinte, ou qu'elle craint les douleurs de l'accouchement. Pour les deux sexes, il signifie l'appréhension d'être malade soi-même ou d'apprendre la maladie d'une personne chère. Pour un homme, voir des grabats, des paillasses (... en rêve, bien entendu) indique qu'il a envie de faire l'amour. Pour une femme ce serait plutôt le contraire.

LOTERIE

Cabale.

Victoire. Chance. Réussite.

Psychanalyse.

L'individu qui vient de rêver qu'il a pris un billet de la loterie et qu'il a assisté à l'extraction des numéros gagnants se précipitera certainement chez la marchande de billets du coin de la rue en croyant sa fortune faite... Hélas, nous devons l'avertir que ce genre de rêves ne reflète que le désir qu'il a de voir les problèmes qui le préoccupent résolus par un coup de chance. Les chiffres qu'il aura vus en dormant auront sans doute été enregistrés la veille par sa mémoire

LUMIÈRE

Cabale.

Allégresse. Bonnes nouvelles.

Psychanalyse.

Rêver qu'on se trouve à son aise dans une pièce bien éclairée dénote que le dormeur a confiance en lui, ou qu'il souhaite avoir confiance en lui. Si la lumière procure une sensation désagréable le rêve signifie que le dormeur est dominé par un complexe d'infériorité. Petite flamme brillant dans les ténèbres : grandes espérances. Si la lumière brille trop loin pour qu'on puisse s'en rapprocher : regrets nostalgiques ou manque de confiance en soi. Rêver qu'on avance dans les ténèbres et que brusquement la scène s'illumine signifie que le dormeur craint qu'un de ses secrets, un de ses défauts, une de ses fautes, un de ses goûts pervers soient découverts. Rêver qu'on a peur dans l'obscurité et qu'on aperçoit une petite lumière accueillante signifie que l'espoir qu'on avait perdu va renaître.

LUNE

Cabale.

Nouvelles. Aller sur la lune : désirs immodérés.

Psychanalyse.

Rêver qu'on voit la lune briller au-dessus d'un ravissant paysage dénonce un tempérament exagérément romantique qui ne doit pas se laisser entraîner par l'imagination. Si le paysage est sinistre, peur de la solitude. Rêver de faire un voyage sur la lune signifiait autrefois que le dormeur allait se lancer dans des aventures irréalisables. Aujourd'hui, après les exploits des astronautes, il ne faut voir dans ce genre de rêves qu'un goût marqué pour la liberté et l'évasion. Pour d'autres explications en relation avec la sexualité, on peut se reporter à la rubrique « Avions ».

MAGIE

Cabale.

Avantages et gains.

Psychanalyse.

Souvent un dormeur se voit échappant à un danger ou franchissant un obstacle « par effet de magie », traduction « onirique » du dicton latin *Spes ultima dea*. La signification de ce rêve est logique et prouve que tous les hommes, même les plus sceptiques, portent en eux l'espoir qu'une intervention surnaturelle est capable d'arranger des situations paraissant tout à fait inextricables.

MAINS

Cabale.

Mains belles et fortes : conclusion d'une affaire importante. Regarder ses mains : infirmité. Se laver les mains : travail, inquiétude. Mains sales : abus de confiance, larcins. Mains blessées : dettes. Mains coupées : malheurs ou pertes d'argent.

Psychanalyse.

Aux mains qui retiennent particulièrement l'attention du dormeur, on peut donner des significations différentes selon les gestes qu'elles font, selon la place qu'elles occupent dans le contexte du rêve, mais aussi selon la sensibilité du patient qui parle de ce qu'il a vu. Regarder ses mains (on le fait fréquemment en rêve sans qu'on sache pourquoi) dénote une certaine perplexité vis-à-vis de soi-même. Les mains sales, blessées ou coupées révèlent des complexes de culpabilité à propos d'actes commis, qu'on suppose indignes ou nuisibles. Ces complexes peuvent être engendrés par les souvenirs qu'on garde de l'époque où, enfant, on était très sévèrement réprimandé pour avoir été surpris en train de toucher ses parties génitales. Pour les mêmes motifs, le dormeur peut se voir se lavant inlassablement les mains dans l'espoir de faire disparaître des traces inquiétantes.

MAISON

Cabale.

Maison solide : amour. Petite maison : joie et tranquillité. Grande maison : chagrin.

Psychanalyse.

Selon Freud, un bâtiment est le symbole du corps humain. Si ses murs sont lisses, celui de l'homme. S'ils sont ornés de balcons ou de reliefs, celui de la femme. Les psychologues qui cherchent à « dé-sexualiser » la psychanalyse pensent que la maison représente la psyché de l'homme, comme le dit Réal : « Ce qui passe dans la maison que je vois en rêve passe en moi. Je dois donc essayer d'en prendre conscience... La maison est aussi le symbole de la mère (sécurité, douceur de vivre, protection, etc.) ou de la femme, en général. Il faudra faire bien attention pour savoir s'il s'agit d'une maison qu'on connaît ou qu'on ne connaît pas, l'état dans lequel elle se trouve, les choses qui l'entourent, etc. » Nous acceptons, quant à nous, les deux interprétations tout en en préférant une troisième qui tient compte surtout du caractère du dormeur, de son état, de son âge, de sa situation, car nous pensons qu'une « maison » vue dans un rêve peut avoir des masses de significations, très différentes les unes des autres.

MAISON DE COUTURE

Cabale.

Infidélité.

Psychanalyse.

Une femme qui rêve qu'elle est cliente dans une maison de couture révèle ses ambitions du point de vue sentimental et professionnel, mais aussi parfois son côté superficiel qui la pousse à vouloir faire beaucoup d'effet pour masquer son manque d'originalité.

MALADIE

Cabale.

Tristesse et prison.

Psychanalyse.

Voir malade, en rêve, une personne qu'on aime bien, dénonce les inquiétudes que le dormeur a, dans la réalité, mais aussi ses scrupules et ses remords (la maladie est vue comme une punition infligée parce qu'on s'est mal conduit). Rêver qu'on est soi-même malade révèle des soucis de santé ou une grande timidité. Si un individu rêve qu'il est obligé de rester au lit, c'est qu'il a probablement des difficultés dans la vie quotidienne et qu'il regrette l'époque de son enfance où il était choyé et dorloté pour le moindre bobo.

MARAIS

Cabale.

Amitié fidèle.

Psychanalyse.

C'est un des rêves classiques d'un dormeur qui souffre de la solitude, qui est découragé et sans espoir. Il se voit généralement errer au milieu des marécages sous un ciel de plomb. Des reflets de soleil, des touffes d'herbes vertes et un horizon clair symbolisent dans ce genre de songes la tristesse irrémédiable aussi bien que l'espoir dans un avenir meilleur.

MARIAGE

Cabale.

Préparer un mariage : félicité. Se marier : tristesse, mélancolie.

Psychanalyse.

Seuls les individus en âge de se marier et les célibataires rêvent du mariage qui symbolise, soit un désir érotique, soit la crainte d'avoir un enfant. Ceci dépend du contexte qui accompagne la cérémonie.

MASQUE

Cabale.

Fausseté. Simulation.

Psychanalyse.

Rêver qu'on porte un masque, ou qu'on se déguise, dénonce le désir de cacher à autrui un trait de caractère discutable ou tout à fait déplorable. Si on se regarde dans un miroir le visage caché par un masque, c'est à soi-même qu'on voudrait dissimuler une faute. Les personnages masqués qui s'introduisent dans les rêves sont, en réalité, des hommes et des femmes que le dormeur connaît très bien, mais auxquels il refuse d'attribuer les intentions ou les comportements qu'ils assument dans ses rêves. Il s'agit ici du « processus de mimétisme » qui intervient chaque fois qu'il s'agit de soupçons, d'inquiétudes liées aux relations affectives.

MATIN

Cabale.

Profit. Avantages.

Psychanalyse.

Les rêves où l'on se voit vivre à l'aube ou au petit matin sont en général agréables. Ces visions (qui sont souvent inspirées par des souvenirs de vacances) représentent une compensation aux tristes réveils quotidiens, l'aspiration au mieux-être ou au calme, le désir de changer sa manière de vivre. Les gens souffrant de dépression nerveuse, ou d'un manque de confiance chronique, voient dans leurs rêves des levers de soleils sinistres dans des ciels livides.

MER

Cabale.

Mer bleue légèrement agitée : bonheur et chance dans les affaires. Mer calme, avec quelques voiles : joie et gains. Mer trop calme : retards. Mer tempétueuse : angoisses, souffrances, pertes.

Psychanalyse.

Nous avons déjà parlé à la rubrique « Eau » des théories freudiennes qui concernent l'élément liquide et nous pensons qu'il est important de nous pencher sur ce que dit Jung * à propos de la mer apparaissant dans les songes : « La mer est le symbole de l'inconscient collectif parce que, sous les reflets brillants qui jouent sur sa surface, elle recèle des profondeurs insoupçonnées où des éruptions mystérieuses jaillissent secrètement comme le font des mouvements de l'inconscient dans les profondeurs de l'âme. »

MÈRE

Cabale.

Sécurité. Protection.

Psychanalyse.

L'interprétation de la cabale peut être acceptée à condition qu'il s'agisse d'un désir et non d'un présage. On voit assez rarement, en rêve, sa propre mère. Elle se présente plutôt sous la forme de symboles. Ce qui fait dire à Freud que le dormeur obéit à une sorte de pudeur inconsciente dont l'origine se trouverait dans les « complexes d'Œdipe et d'Electre ». Autrement dit, l'homme ne voudrait pas voir sa mère, en rêve, à cause des souvenirs qu'il porte au fond de lui et la femme l'écarterait aussi, à cause de ses sentiments de culpabilité dérivant des années d'enfance où elle la considérait comme celle qui lui volait l'amour de son père. La psychanalyse moderne pense que si nous ne désirons pas voir notre mère s'introduire dans nos visions oniriques, c'est parce que nous serions obligés d'admettre que nous ne pouvons pas nous passer d'elle pour dominer

---

* C. J. Jung est l'auteur, entre autres ouvrages, de *L'homme à la découverte de son âme. Psychologie de l'Inconscient,* traduits par Roland Cahen. Albin Michel, éditeur *(N. d. T.).*

les événements et que nous sommes restés des enfants ayant toujours besoin d'être protégés et guidés. Cette interprétation est acceptée par la plupart des psychanalystes occidentaux qui ont constaté que l'apparition de la mère dans les rêves de leurs patients est toujours liée à des états pathologiques ou psychologiques graves.

MEUBLES

Cabale.

Richesses. Chance.

Psychanalyse.

L'interprétation de Freud se réfère à la vie sexuelle (voir la rubrique « Bois »). Il est fréquent pourtant que les meubles qui apparaissent dans les rêves indiquent que le dormeur pense à des aménagements, ou à sa vie quotidienne. Pourtant les chaises pourraient avoir quelques significations particulières, comme, par exemple : si on ne les trouve pas confortables, cela signifie que le dormeur a des préoccupations à cause de sa famille ou de ses finances. Rêver qu'on se trouve à plusieurs autour d'une table : consultations, discussions diverses, tandis que voir des commodes ou des armoires révèle l'intention de bien garder des secrets intimes. Rêver qu'on démolit des meubles : discordes familiales, réelles ou redoutées. Les déménagements révèlent que le dormeur désire un plus grand confort ou bien qu'il espère des changements décisifs.

MEURTRE

Cabale.

Danger de mort pour le dormeur.

Psychanalyse.

Il est rare de se voir, en rêve, perpétrer un crime par haine. Lorsque cela arrive c'est tout à fait anormal. Généralement, le dormeur se voit sur le point de tuer quelqu'un qu'il aime ou qu'il trouve sympathique, mais il regrette toujours l'acte qu'il est obligé d'accomplir. Ce rêve n'a rien d'inquiétant car il signifie qu'on voudrait supprimer quelque chose qui déplaît ou qu'on juge négatif dans le caractère d'un ami. En revanche, si vous rêvez qu'on vous tue, vous serez tenté de croire que l'assassin ne doit pas, dans la réalité, vous aimer beaucoup ; il peut aussi s'agir de complexes d'infériorité et de culpabilité.

MIROIR

Cabale.

Trahison.

Psychanalyse.

On rêve assez souvent qu'on se trouve en face d'un miroir et qu'on préfère éviter de se regarder. Cela signifie qu'on redoute l'examen de conscience par peur d'y découvrir des idées ou des goûts médiocres, ou tout à fait déplorables. Quelquefois même on est, en rêve, en face d'une glace qui vous reflète entièrement sauf la tête. Le symbole s'explique logiquement. On peut voir aussi des choses agréables dans les miroirs des songes, malheureusement cela signifie qu'on cherche à se tromper soi-même et qu'on croit posséder ce dont, en réalité, on est privé.

MONSTRES

Cabale.

Malheurs et très grands dangers.

Psychanalyse.

« Processus de déformation » ou violence des instincts. Pierre Réal écrit à ce sujet : « Les monstres des rêves représentent les forces psychiques bonnes ou mauvaises, profondes et inaccessibles. La vision d'un monstre impressionne toujours le dormeur à son réveil car il sent qu'il vient de se trouver en face de la personnification de ce qu'il y a de plus mystérieux ou de plus terrifiant en lui. » Cette hypothèse a été bien accueillie par de nombreux psychologues non freudiens, mais, finalement, nous pensons qu'elle n'est pas toujours valable.

MONTAGNES

Cabale.

Peine ou voyage.

Psychanalyse.

Voir des montagnes, en rêve, signifie que le dormeur a la ferme intention de surmonter ses difficultés. Si la montée est facile et si le paysage est beau, le dormeur a envie d'avoir des rapports amoureux. Si la montée est difficile et coupée par des glaciers et des rochers, le dormeur redoute des ennuis dans ses relations (impuissance, frigidité, timidité). Si la vue des montagnes est liée dans le souvenir du dormeur à des circonstances particulières, elle peut être interprétée tout différemment.

MONTÉE

Cabale.

Grande victoire peu sûre.

Psychanalyse.

Ceux qui se plaignent continuellement de la vie, dont ils ne peuvent supporter les ennuis, rêvent qu'ils gravissent des pentes escarpées. Il faudrait qu'ils acceptent de se faire soigner en avalant de fortes doses d'optimisme. Si l'action de monter devient de plus en plus pénible, s'il arrive même qu'on reste sur place, alors cela signifie que le dormeur fait des tentatives pour améliorer son sort mais qu'elles sont inutiles. Escalader avec plaisir révèle que le dormeur réalisera ce qu'il souhaite. Les remontées mécaniques : (ascenseurs, escalators, etc.), accompagnées de sensations agréables, ont presque toujours un rapport avec le désir amoureux.

MUR

Cabale.

Peine. Grimper sur un mur : difficultés surmontées. Abattre un mur : réussite totale. Voir un mur qui s'effondre : malheur pour soi et pour sa famille.

Psychanalyse.

Encore plus que les montagnes, les murs représentent des obstacles en tous genres et rêver qu'on grimpe sur un mur ou qu'on l'abat signifie qu'on désire voir un événement tourner en sa faveur. Si le dormeur qui s'appuie, en rêve, contre un mur, le voit s'effondrer sur lui, c'est qu'il n'a pas confiance dans la position qu'il occupe ou dans ce qu'il a édifié dans l'intention de se protéger et de s'isoler. Les murs en ruine signifient découragement et craintes. Si vous sentez une présence désagréable cachée derrière une paroi quelconque, c'est que cette paroi joue un rôle dans « le processus de mimétisme » que conduit le subconscient du dormeur.

MURMURE

Cabale.

Calomnies. Mensonges.

Psychanalyse.

Il arrive qu'en rêve on entend murmurer des mots dont on ne comprend pas le sens. Il s'agit alors du « processus de mimétisme sonore ». Les chuchotements symbolisent presque toujours de mauvaises pensées dont le contexte du rêve peut seul expliquer la nature.

MUSIQUE

Cabale.

Entendre de la musique ou l'exécuter : plaisir, argent, consolations.

Psychanalyse.

Les orchestres du royaume de Morphée se chargent de donner au dormeur des songes heureux et calmes. Selon Baumgartner, ce sont les rêves des gens qui vivent en plein bonheur : « Le désir joue toujours un grand rôle dans les manifestations oniriques et lorsqu'il est comblé il se traduit en musique. » Les Sages de l'Orient affirment de leur côté : « Les bienheureux rêvent de belle musique. »

NAISSANCE

Cabale.

Prospérité. Abondance.

Psychanalyse.

La symbolique de la naissance est extrêmement riche. Emerger de l'eau, ressusciter, sortir d'un lieu solennel, descendre lentement, se réveiller, etc., sont les conséquences oniriques de traumatismes divers et reflètent des tendances à l'isolement, d'inconscients désirs de disparaître, selon les cas. La naissance n'est presque jamais vue en rêve telle qu'elle est dans la vie. Les rêves « où l'on se sent naître » sont rarissimes. Assister à un accouchement ou y jouer le premier rôle est un genre de rêves provoqués soit par l'espoir, soit par la crainte d'une prochaine maternité.

NEIGE

Cabale.

Rêver de neige en hiver ne signifie rien. Durant les autres saisons ce sera pour un paysan : bonne et abondante récolte. Pour un commerçant ou un homme d'affaires : pertes d'argent et mauvaises tractations. Pour les militaires : renversement de leurs plans.

Psychanalyse.

Voir de la neige, en rêve, mais sans distinction de saison et de profession signifie toujours, si le dormeur se sent bien, des regrets nostalgiques, un besoin de calme, des goûts romantiques. Si le dormeur est mal à l'aise, il faut chercher ailleurs l'interprétation. La neige sale, boueuse, couverte d'empreintes, reflète probablement la peur de perdre, ou d'avoir perdu, sa virginité.

NETTOYAGE

Cabale.

Embarras ou disputes.

Psychanalyse.

Rêver qu'on est en train de briquer son appartement avec la dernière des énergies dénonce l'envie qu'on a de se libérer de quelque chose dont on n'est pas très fier et qu'on voudrait cacher à autrui. Rêver qu'on fait pipi au lit signifie qu'on a commis des actes sexuels répréhensibles. Rêver qu'on se lave dix fois de suite les mains et le corps, parce qu'on n'arrive pas à être tout à fait net, signifie (logiquement) qu'on voudrait effacer une faute, ou bien aussi qu'on craint d'attraper une maladie contagieuse.

NEZ

Cabale.

Pauvreté. Affront. N'avoir plus de nez : commérages. Pour les gens malades c'est un très mauvais présage.

Psychanalyse.

Dans les rêves des enfants, le nez est un personnage de premier plan. (Surtout en Italie où *Les Aventures de Pinocchio* sont un classique de la littérature enfantine, mais en France tout le monde ne sait pas que le nez de Pinocchio grandit démesurément lorsqu'il ment.) Les nez coupés et sanguinolents apparaissent pour représenter les gronderies et les punitions. Quelquefois, ils symbolisent le complexe de castration et les traumatismes dont souffrent les adolescentes à l'époque où apparaissent leurs premières règles.

NID

Cabale.

Bon présage. Chance.

Psychanalyse.

Le nid est le symbole du sexe féminin et dans les rêves il y a toujours quelqu'un qui cherche à s'en emparer. Chez les hommes : désir amoureux. Chez les femmes : peur des rapports physiques ou de la violence et de la domination masculine.

NŒUDS (VOIR LIENS)

NOURRITURES

Cabale.

Victoire, bien-être. Se voir en train de mâcher : certitude d'être nommé au conseil d'administration d'une importante société.

Psychanalyse.

Lorsque le songe n'est dû ni à la faim ni à une indigestion, il reflète des désirs de toute nature (aussi bien, et pourquoi pas, comme le dit le cabaliste, avoir une promotion dans ses affaires). Rêver qu'on porte à sa bouche quelque chose qu'on croyait bon et qui est mauvais : craintes d'être déçu. Mâcher et avaler difficilement : mauvaise adaptation aux conditions de vie présente. Etre obligé de manger sans en avoir envie : regrets au sujet d'un rôle que quelqu'un nous oblige à jouer.

NUAGES

Cabale.

Discordes. Nuages blancs : usure. Nuages noirs : discussions.

Psychanalyse.

Les nuages symbolisent l'inquiétude, les préoccupations, les angoisses. Le Soleil qui perce à travers la brume signifie l'espoir. Si l'on se voit en rêve se promenant au-dessus des nuages, c'est très bon signe car cela signifie que le dormeur est disposé à surmonter son découragement. Ce rêve symbolise aussi la propension d'un individu à... rêver, mais dans tous les sens du mot, et peut-être un peu trop dans la réalité.

NUDITÉ

Cabale.

Affronts en public.

Psychanalyse.

La plus simple interprétation de ce rêve a été donnée par Pierre Réal : « C'est un songe très fréquent : le dormeur se voit nu marchant dans des rues animées et sous le regard moqueur des passants. Il s'agit, bien entendu, d'un rêve symbolique : le patient se sent, au fond de lui, nu aux yeux des autres. Ce qui veut dire qu'il souffre de complexes d'infériorité ou d'une extrême timidité. En d'autres termes, cet individu se sent « à découvert sous des regards qui le jugent sans indulgence ». Nous avons parlé de la nudité à la rubrique « Femme » et aussi, très longuement, au cours de l'ouvrage.

NUIT

Cabale.

Tristesse.

Psychanalyse.

Les scènes qui se passent en rêve la nuit sont parfois engendrées par des désirs amoureux. Elles peuvent aussi être interprétées comme révélant de l'indécision et des sentiments d'angoisse, souvent injustifiés. Si ces rêves reviennent souvent : complexe d'infériorité. Ils se rapprochent symboliquement beaucoup de ce que nous avons dit à propos du « Brouillard ».

OBSÈQUES

Cabale.

Obsèques d'un parent ou d'un ami : honneur. Richesse. Héritage. Mariage avantageux. Obsèques d'un inconnu : médisance, tromperie.

Psychanalyse.

Les obsèques du père (si l'on est un homme) ou de la mère (si l'on est une femme) symbolisent le complexe d'Œdipe ou celui d'Electre. Il peut se faire que les remords, ou le désir d'ensevelir le souvenir d'actes accomplis dans le passé suscitent ce genre de rêves et leur interprétation est alors liée aux faits et gestes anciens du patient. Si on assiste, en rêve, aux funérailles de son conjoint ou d'un de ses enfants, la chose est inquiétante. Le dormeur peut haïr inconsciemment, mais cruellement, quelqu'un ou être la proie d'un torturant complexe d'infériorité. Dans ce cas, le patient est, sans s'en rendre compte, travaillé par la certitude qu'il rend, par sa faute, son conjoint très malheureux. Même interprétation si le dormeur se contente de voir, en rêve, un tombeau, un catafalque, un cercueil, etc. Si l'on assiste aux obsèques d'un inconnu, il faut tout de suite penser au « processus de mimétisme » : le dormeur *ne veut pas* donner un visage à celui qu'on enterre. Il se pourrait que ce soit une personne dont il a honte de désirer la mort, mais il se pourrait aussi que ce soit lui-même et que la présence du cercueil ne surgisse que pour cacher un

« complexe » dont il n'est pas fier. Après un rêve de ce genre, il faut essayer — et très vite — d'identifier le défunt et de connaître la cause de son décès. Assister aux obsèques de son amant, ou de sa maîtresse, signifie qu'on est dominé par la jalousie (il, ou elle, est à moi, et à personne d'autre !), ou qu'il existe quelque chose qui déplaît profondément dans le caractère ou le comportement de la personne qu'on conduit au cimetière.

ODEURS

Cabale.

Corruption.

Psychanalyse.

Les odeurs d'une pièce en général comme tout ce qui est sensoriel suscitent, comme chacun sait, des rêves très déterminés. Les odeurs qui règnent, par exemple, dans une pièce (comme, en général, tout ce qui est perceptible par les sens) suscitent certaines visions oniriques. Autrement il est rare de rêver des odeurs, sinon se rapportant à des fleurs ou à des femmes. Elles sont alors liées à des symboles sexuels.

ŒUFS

Cabale.

Petits avantages.

Psychanalyse.

Les œufs parlent généralement aux femmes d'espérances matrimoniales, d'heureuse et prochaine maternité, de bonheurs familiaux. S'ils sont cassés, ils symbolisent la crainte de ne pas voir se réaliser ses désirs. Les œufs apparaissant au milieu des rêves d'un homme signifient une inquiétude latente au sujet d'une absence probable des qualités requises pour être un bon « reproducteur » mais aussi, dans certains cas, la crainte de s'entendre annoncer, de but en blanc, la naissance prochaine d'un enfant dont il serait le père.

OISEAUX

Cabale.

Bonnes chances en perspective. Rapaces : vexations et tyrannies.

Psychanalyse.

Pour Freud, les oiseaux sont toujours des symboles ayant un rapport avec le sexe. Les psychanalystes modernes ne rejettent pas cette interprétation, mais ils pensent aussi que les dormeurs qui voient voler des oiseaux portent en eux des besoins inassouvis de liberté ou qu'ils se sont fixé des buts trop difficiles pour eux et impossibles à atteindre.

OREILLES

Cabale.

Découverte d'un secret.

Psychanalyse.

Si quelqu'un dit qu'il se voit en rêve avec les oreilles coupées — mais c'est très rare — il faut penser au complexe de castration. Les femmes qui rêvent assez souvent qu'elles portent des boucles d'oreilles, ou qu'on leur en offre, redoutent inconsciemment tout ce qui peut souiller la pureté et ne pensent qu'avec réticence aux rapports sexuels. (L'oreille, dans son ensemble, est un des symboles des organes génitaux féminins.) Lorsqu'elles se voient dissimuler leurs boucles d'oreilles sous un foulard et sous leurs cheveux, elles confessent, sans le savoir, la peur qu'elles ont qu'on ne découvre qu'elles ont un amant ou qu'elles aspirent à en avoir un.

ORGASME

Cabale.

Trahison. Orgasme et jeux érotiques : infidélité continue.

Psychanalyse.

Le plaisir atteignant l'orgasme peut avoir des significations très diverses et même opposées. Chez des personnes qui n'ont aucun complexe ce rêve indique tout simplement un besoin naturel d'activités amoureuses. Chez les invertis, pervers, sadiques, impuissants, etc., il dévoile leurs angoisses, leurs conflits intérieurs, leurs remords, leur contrition. Contrairement à ce que l'on pourrait croire, ce genre de rêves n'est pas très facile à interpréter.

OSSEMENTS

Cabale.

Ossements humains : peines et complications. Ossements d'hommes : mort prochaine d'une petite fille. Ossements d'animaux : mauvaises affaires.

Psychanalyse.

C'est l'espoir qui est sur le point de mourir lorsqu'on rêve d'ossements, quels qu'ils soient. Leur vue signifie que le dormeur s'apprête à abandonner ses illusions et que la tristesse, le scepticisme, la certitude de perdre un bien précieux, se sont emparés de son âme. Voir un ossuaire, c'est être atteint d'un pessimisme presque incurable. Notons que ces songes macabres hantent les nuits des gens atteints généralement de graves dépressions nerveuses.

OUVRIERS

Cabale.

Abondance. Reproches justifiés. Faire travailler un ouvrier : profit.

Psychanalyse.

Il vous semblera sans doute bizarre d'apprendre que les ouvriers jouent des rôles importants dans les rêves des femmes. C'est explicable si l'on sait que le travail manuel et que la machine sont des symboles typiques des organes virils. A première vue, les machines et les mécaniques ne paraissent avoir que peu de choses en commun avec l'érotisme et pourtant lorsqu'une femme rêve qu'elle fait travailler des ouvriers, c'est qu'elle désire s'imposer, d'une manière ou d'une autre, au sexe fort. Peut-être aussi qu'elle souffre de vivre sous la tutelle d'un homme. Mais si elle se voit convoquant dans son appartement un artisan pour effectuer une réparation ou pour l'aider dans un aménagement, elle avoue qu'elle souhaite des relations amoureuses dont elle redoute les suites.

PAILLE

Cabale.

Misère. Pauvreté.

Psychanalyse.

Fouiller dans la paille à la recherche d'un objet perdu indique que le dormeur est découragé et qu'il se méfie de ses réactions. Rêver qu'on essaye de se dissimuler sous un tas de foin (en général, on n'y réussit pas) signifie qu'on est peu convaincu de l'efficacité de ses idées ou de ses suggestions. Se trouver enfermé dans une grange ou un fenil signifie qu'on souhaite avoir des rapports sexuels.

PAIN

Cabale.

Honneur. Manger du pain : santé et joie.

Psychanalyse.

Manger du pain sec, ou en chercher, dénonce souvent la peur de la pauvreté due aux souvenirs de temps difficiles vécus autrefois. Lorsque le pain qu'on voit en rêve a une forme très spéciale, il devient symbole érotique flagrant.

PANNE

Cabale.

Chance.

Psychanalyse.

A l'époque où « les quatre roues » tiennent tant de place dans la vie de tant de gens, rêver de panne de moteur semble logique. Il ne faut pas tout de suite passer l'éponge car ce genre de rêve dénonce parfois le manque de confiance en soi et la crainte de ne pas avoir un comportement normal au sujet de la virilité. Un psychologue américain, J. McGregor, affirme que les rêves de « panne » sont très fréquents aujourd'hui et prouvent la néfaste influence sur la psyché de la civilisation de la mécanique et des robots. Il a dressé une longue liste « des pannes qu'on voit en rêve » et, bien qu'il ne faille pas l'accepter les yeux fermés, il convient de la consulter, ne serait-ce que pour s'amuser un moment. McGrégor dit, par exemple, que rêver d'avoir une panne en pleine campagne signifie désirs amoureux (il a pensé, peut-être, à ces accidents providentiels où le conducteur s'excuse d'un air hypocrite : « Oh, quel ennui, ma chère amie, le moteur est en panne... impossible d'aller plus loin... »;. Une panne de télévision signifie que le dormeur a besoin de fuir le traintrain quotidien. Une panne de la machine à laver trahit une mentalité de personne exagérément ordonnée. Une panne de téléphone, le besoin impérieux de ne plus entendre parler de son conjoint, etc.

PAQUET

Cabale.

Inquiétude pour sa famille. Recevoir un paquet : bonne nouvelle au sujet des affaires.

Psychanalyse.

Rêver qu'on reçoit un paquet représente toujours une bonne surprise et l'espoir en la Providence dans des affaires compliquées. Mais si on ouvre un paquet qui est vide, ou plein de quelque chose qu'on n'aime pas : déception. Ici c'est le bon sens qui parle par la voix du subconscient pour avertir celui qui se fait trop d'illusions qu'il vaut mieux ne jamais s'attendre au miracle. Rêver qu'on reçoit un paquet et qu'on hésite à l'ouvrir signifie que le dormeur recèle au fond de lui-même des soupçons qui le tourmentent mais qu'il préfère ne pas y penser. « Processus de mimétisme. »

PARADIS

Cabale.

Malheur. Misère. Disputes en famille.

Psychanalyse.

Le paradis que le dieu Morphée met en scène a dû être très influencé par les cinéastes de la belle époque d'Hollywood : ciel d'azur, lumière diffuse, charmants petits nuages sur lesquels on peut voyager ou se reposer. Si ce lieu de délices n'est pas habité par un serpent tentateur et s'il ne fait aucune allusion au moindre sous-entendu érotique, il faut en déduire que le dormeur a le goût de la paresse et que son caractère manque de force.

PARDON

Cabale.

Angoisses. Peines de cœur. Deuil.

Psychanalyse.

Ce rêve est généralement en rapport avec un événement ayant trait à la vie personnelle du dormeur. Accorder le pardon à quelqu'un signifie désirer qu'un innocent soit considéré comme coupable. Obtenir soi-même un pardon, c'est avouer un gigantesque complexe de culpabilité.

PEAU

Cabale.

Chance. Voir sa propre peau très bronzée, ou noire comme celle d'un nègre : trahison de la part de ses amis, ses bienfaiteurs, ses associés.

Psychanalyse.

L'état plus ou moins satisfaisant de leur épiderme inquiète les femmes, dans leurs rêves comme dans la réalité. Les imperfections qu'elles y découvrent révèlent qu'elles ont des problèmes sentimentaux ou aussi qu'elles pensent n'être pas suffisamment « attractives ». Lorsqu'elles se voient, en rêve, ridées, c'est qu'elles sont obsédées par les problèmes de la ménopause et la peur de vieillir. Si leur peau leur apparaît couverte de taches, c'est qu'elles craignent des ennuis gynécologiques ou d'avoir contracté une maladie vénérienne.

PÈRE

Cabale.

Bonheur. Voir la mort de son père : grande catastrophe.

Psychanalyse.

En rêve, on ne voit que très rarement son propre père. Il se travestit en symboles pour les raisons dont nous avons parlé à la rubrique « Mère ». Rêver son père sous l'aspect d'un personnage sévère et dur dénote un complexe de culpabilité qui est encore plus accentué si le dormeur se voit pleurer à chaudes larmes. Un père qui se présente sous les traits de quelqu'un d'aimable et de bienveillant révèle chez le dormeur un grand besoin de protection et d'affection. Notez qu'il n'est pas normal de voir son père figurer dans ses rêves. Dans le cas contraire, il est urgent de consulter un psychanalyste.

PERLE

Cabale.

Misère. Tristesse. Larmes.

Psychanalyse.

Presque toujours en rapport avec des problèmes de sexe. Les hommes ne disent jamais qu'ils ont vu des perles durant leur sommeil, tandis que les femmes en parlent beaucoup. Elles symbolisent les tendres sentiments, le mariage, etc. Rêver qu'on n'arrive pas à enfiler des perles parce qu'elles roulent de tous les côtés signifie qu'on craint de perdre bêtement ce qu'on a gagné.

PEUR

Cabale.

Découverte d'un secret.

Psychanalyse.

La peur qu'on vit en rêve reflète toujours celle qui harcèle dans la réalité bien qu'il ne soit pas certain que celle-ci soit fondée. Nous conseillons à ceux qui rêvent très souvent qu'ils ont peur d'aller consulter un psychanalyste. Ils éviteront ainsi de tomber dans de graves dépressions nerveuses.

PIÈGE

Cabale.

Mystère. Trésor caché.

Psychanalyse.

Si le rêve n'a pas une signification sexuelle précise, il dénote que le dormeur est trop méfiant. Les craintes des conséquences dérivant de relations intimes sont évidentes.

PIRATE

Cabale.

Gardez-vous de vos amis.

Psychanalyse.

Les rêves où apparaissent les pirates sont généralement réservés aux hommes. Aux hommes timides et complexés. Quelques filles disent qu'elles rencontrent des corsaires ou des aventuriers de tous genres qui les font prisonnières ou qui les maltraitent. L'interprétation se passe de commentaires, n'est-ce pas ?

PLAGE

Cabale.

Prévoir. Echapper à un danger.

Psychanalyse.

L'interprétation de la cabale se réfère de façon évidente à un rêve où le dormeur sera rejeté sur une plage à la suite d'un naufrage. Nous sommes d'accord en précisant toutefois que la plage est le symbole du refuge moral. Ce genre de rêves survient lorsque le dormeur est très inquiet, ne sachant comment résoudre des problèmes souvent financiers. Certains psychanalystes pensent voir dans les galets et les coquillages éparpillés sur le sable des symboles de la fortune. Une plage déserte et une mer calme peuvent hanter le sommeil de quelqu'un qui a besoin de repos et de vacances tandis qu'une foule bariolée de baigneurs reflète des aspirations à des semaines de vie brillante et mondaine.

PLUIE

Cabale.

Petite pluie : gain et profit pour un cultivateur qui travaille dur, mais ennuis pour un commerçant paresseux. Forte pluie : dangers et pertes d'argent pour les riches, repos et tranquillité pour les pauvres.

Psychanalyse.

Rêver qu'on voit tomber une pluie lente et continue en étant soi-même à l'abri révèle un tempérament solitaire et triste ou simplement mélancolique et très attaché aux souvenirs du passé. Des cataractes empêchant de sortir pour aller à un rendez-vous trahissent les soucis du dormeur au sujet d'une réalisation qui lui tient particulièrement à cœur. Marcher sous la pluie glacée signifie, soit que le dormeur a de la fièvre, soit qu'il n'est pas content de lui. Voir l'ondée cesser brusquement témoigne de grands espoirs mais aussi de pieuses illusions.

POISON

Cabale.

Choléra et maladies contagieuses.

Psychanalyse.

Rêver que quelqu'un vous offre une boisson ou un mets susceptibles d'être empoisonnés, c'est craindre de tomber dans un piège. Rêver qu'on offre soi-même du poison c'est, probablement, avoir l'arrière-pensée d'entraîner autrui dans un traquenard ou d'avoir envie de le punir. Les femmes qui rêvent qu'on leur fait des piqûres contenant du poison ou qu'elles souffrent de blessures empoisonnées ont des préoccupations d'ordre sexuel.

POISSONS

Cabale.

Poissons rouges : joie. Poissons ordinaires : douleurs. Aggravation d'une maladie. Poissons morts dans l'eau : espoirs déçus. Pêcher de gros poissons : bonheur et profits. Pêcher de petits poissons : colère et pertes d'argent.

Psychanalyse.

Les poissons sont généralement des symboles sexuels. Se trouver dans un aquarium pour les admirer trahit un besoin de rapports intimes. Avoir peur en présence de gros poissons est un signe de sensualité (surtout chez les femmes) très grande, tenant la première place dans les pensées. Les petits poissons qu'on cherche à attraper à la main et qui filent entre les doigts symbolisent les déceptions. Les rivières pleines de poissons morts parlent de solitude, d'amertume, de découragement. Ces interprétations valent surtout pour les femmes et lorsque les hommes voient des poissons en rêve cela signifie qu'ils sont beaucoup plus timides que leurs amis ne le croient.

PONT

Cabale.

Dégâts. Danger.

Psychanalyse.

Le pont symbolise un passage difficile, décisif, ou supposé tel. Son interprétation dépend du scénario bâti autour de lui et qui peut être plus ou moins compliqué. Se reporter à la rubrique « Abysse » et aux explications que nous avons données au sujet du pont au cours de notre ouvrage.

PORT

Cabale.

Découverte d'un secret. Voyage.

Psychanalyse.

Un port peut signifier un désir d'évasion, la crainte d'une séparation, la peur de l'inconnu, certains désirs érotiques et mille autres choses. Il est très important de faire parler le patient pour comprendre un état d'âme actuel et pour ne négliger aucun détail du rêve.

PORTRAIT

Cabale.

Longue vie pour la personne portraiturée.

Psychanalyse.

Les portraits qu'on voit en rêve représentent la plupart du temps des gens qu'on ne connaît pas mais qui pourtant « rappellent » quelqu'un. Il s'agit du « processus de condensation ». On ne peut interpréter ce genre de rêves qu'en tenant compte du contexte. Se voir en train de regarder son propre portrait avec satisfaction dénote qu'on espère réussir dans une entreprise ou qu'on souffre d'un colossal complexe de supériorité.

POUSSINS

Cabale.

Amitié solide. Innocence.

Psychanalyse.

La joie qu'un dormeur éprouve à voir courir dans tous les sens une nichée de poussins reflète le besoin qu'il a de faire plaisir aux autres ou l'espoir qu'il a d'arriver à faire le bonheur de quelqu'un. L'idée de mariage ne doit pas être exclue. Si la mère poule se dresse pour protéger ses petits, la situation familiale du dormeur n'est pas de tout repos. Mêmes interprétations pour tous les rêves où l'on voit des animaux nouveau-nés.

PRAIRIE

Cabale.

Gains.

Psychanalyse.

La prairie en fleurs symbolise l'enfance sans souci. Quelquefois aussi des désirs amoureux. Voir la rubrique « Herbe ».

PRIÈRE

Cabale.

Paix de l'âme. Joie, honneurs, richesses.

Psychanalyse.

Se voir en train de prier dénonce l'inquiétude et l'espoir dans un miracle pour dénouer une situation malsaine. (Voir la rubrique « Magie ».) Les gens très pratiquants qui se voient, en rêve, en train de prier, souffrent, généralement, d'un complexe de culpabilité.

PRINTEMPS

Cabale.

Bonnes nouvelles en route.

Psychanalyse.

Il peut s'agir de souvenirs de jeunesse ou d'un ancien amour perdu. Les rêves qui se passent dans l'atmosphère euphorique du printemps sont toujours agréables et donnent des réveils optimistes. S'ils se répétent souvent ils révèlent un tempérament de poète qui s'adapte mal à la réalité.

PRÊTRE

Cabale.

Bonne situation. Honneurs.

Psychanalyse.

La présence d'un prêtre ou d'un moine dans un rêve dénonce un grave et profond complexe de culpabilité. Généralement, on n'aime pas ce genre de rêves car on associe bien souvent les soutanes à des souvenirs de reproches et de punitions. Rêver qu'on parle amicalement avec un prêtre indique l'envie de se corriger d'un défaut ou d'arriver à un compromis en affaires.

PRISON

Cabale.

Animosité. Bagarres.

Psychanalyse.

Rêver de prison peut signifier qu'on est prisonnier de ses remords (on peut se voir alors condamné à mort et prêt à être confié aux mains du bourreau) mais aussi de ses défauts ou de ses goûts. Lorsqu'on rêve fréquemment de prison, il ne faut pas hésiter à aller consulter un psychanalyste.

PROCÈS

Cabale.

Inaltérable amitié.

Psychanalyse.

Souvent lorsque l'on rêve de procès ce sont ses propres fautes (ou supposées telles) qui occupent le banc des accusés, même si on joue soi-même le rôle de témoin, d'avocat ou de juge. On assume ces personnages parce qu'on cherche à se convaincre que le procès ne vous regarde pas personnellement. On se déguise en magistrat soit pour s'absoudre, soit pour condamner ce qu'on déteste en soi-même et qu'on voudrait traiter comme quelque chose d'étranger à soi-même. C'est le rêve typique d'un individu qui a l'habitude de crier au scandale pour la moindre peccadille du voisin et qui enfouit les siennes sous terre.

PUITS

Cabale.

Abondance. Fécondité.

Psychanalyse.

Le puits symbolise souvent la profondeur du Moi ou bien les problèmes dont on ne comprend pas bien les termes et dont la solution s'avère difficile. Rêver qu'on jette quelque chose dans un puits (il peut s'agir d'un cadavre, mais l'interprétation reste la même) signifie qu'on désire se débarrasser d'un mauvais souvenir, des conséquences d'une faute, d'un défaut quelconque. Le puits est aussi le symbole du sexe féminin. Le jeune homme qui rêve qu'il essaye de tirer de l'eau d'un puits mais que quelque chose l'empêche d'y arriver doute, incontestablement, de sa virilité.

QUIÉTUDE

Cabale.

Inquiétudes et persécutions.

Psychanalyse.

Rêver qu'on se trouve dar̄ ⌐n état de béatitude signifie qu'en réalité on a besoin de tranquillité. Il existe aussi une quiétude pleine de menaces et de mystères. On peut rêver qu'on se trouve dans un endroit ravissant, en pleine nature, et « sentir » qu'il va s'y passer quelque chose d'anormal. La sensation d'angoisse peut être assez forte pour que le

315

sommeil soit interrompu brusquement. Les rêves de ce genre dénoncent certains déséquilibres mentaux, l'anxiété maladive et la dépression nerveuse.

RADEAU

Cabale.

Danger. Malchance.

Psychanalyse.

La chose peut sembler bizarre mais à peu près tout le monde a rêvé ou rêvera un radeau ballottant sur les vagues. Le professeur Weiss dit que c'est un rêve que l'on fait dans ces périodes d'incertitude que les hommes vivent lorsqu'ils se trouvent dans l'obligation de prendre une décision importante. C'est un genre de rêves qui pose pas mal de points d'interrogations et invite à la réflexion. Lorsqu'une femme voit, en rêve, un radeau et que cette vue la trouble, il s'agit sans doute des problèmes que suscite sa vie sexuelle.

RAISIN

Cabale.

Plaisirs voluptueux. Raisin blanc : victoire sur ses ennemis. Raisin noir : contradiction.

Psychanalyse.

On discute beaucoup pour savoir si le raisin est un symbole sexuel. Quelques psychanalystes voient dans l'acte de couper une grappe de raisin : chez les hommes, le désir de l'accouplement, chez les femmes, la peur de perdre leur virginité. D'autres parlent d'un goût prononcé pour le *petting*. D'autres encore de sadisme. Personne n'est encore arrivé à se mettre d'accord sur le véritable symbolisme de la grappe de raisin.

RAJEUNISSEMENT

Cabale.

Bonheur prochain.

Psychanalyse.

C'est logiquement le rêve que font les femmes qui acceptent difficilement de vieillir. Il nous semble inutile d'épiloguer longuement sur cette interprétation, mais nous aimerions dire à ces personnes qu'il vaut mieux accepter l'inévitable plutôt que d'essayer de se comporter « en jeune » lorsqu'on ne l'est plus.

RATS

Cabale.

Contestation. Honte.

Psychanalyse.

Si l'on rêve très souvent d'être attaqué par des hordes de rats il faut tout de suite aller voir son médecin car on souffre d'un inquiétant état dépressif. Spécialement si l'on est une femme qui considère tous les rongeurs avec un sentiment d'insurmontable dégoût.

RELIGIEUSES

Cabale.

Rencontre avec des personnes pieuses. Se faire religieuse : infidélité conjugale.

Psychanalyse.

Les jeunes filles qui ont été élevées dans des institutions religieuses voient des religieuses dans leurs rêves. Elles sont

317

entrées au couvent ou bien elles sont déguisées en moniales, mais la signification est la même : complexe de culpabilité, crainte de « perdre son innocence », et des conséquences de cette perte.

RENDEZ-VOUS

Cabale.

Perte de temps.

Psychanalyse.

Les rendez-vous qu'on a, en rêve, se terminent généralement par une déception : ou bien la personne attendue ne vient pas, ou, si elle arrive, elle se transforme en quelqu'un d'insignifiant (ou quelqu'un qui inspire de la haine ou de l'antipathie) ou encore, elle est là mais elle ne fait pas attention à vous. C'est un rêve fréquent qui symbolise des désirs irréalisables, des aspirations inutiles, de l'indécision. Il devrait inciter à renforcer sa volonté, à avoir confiance en soi, ou (si le rendez-vous rêvé se déroule sur un plan qui n'a rien à voir avec la vie réelle) à ne pas se laisser aller à imaginer des histoires absurdes.

RENONCIATION

Cabale.

Acte inconsidéré.

Psychanalyse.

Renoncer, en rêve, à quelque chose qui fait véritablement plaisir est un signe d'orgueil démesuré ou de pudeur excessive. Quelquefois de goût pour le masochisme. Si on est heureux, en rêve, de cette renonciation cela signifie qu'on est esclave d'une situation dont il conviendrait de sortir.

RÊVE

Cabale.

Déception. Désirs impossibles à réaliser.

Psychanalyse.

Rêver que l'on rêve n'est pas un fait exceptionnel. Un individu qui rêve qu'il fait un beau rêve doit savoir qu'il a une tendance à tomber facilement dans l'utopie. Au contraire s'il voit quelque chose qui le terrifie et qu'il rêve qu'il se réveille, il a plutôt un naturel optimiste (peut-être superficiellement ?). Il espère sans doute que ses ennuis disparaîtront sous l'effet d'un coup de baguette magique.

RIDES

Cabale.

Vous garderez l'air jeune très longtemps.

Psychanalyse.

La peur de vieillir et de déplaire au conjoint. Quelquefois la crainte de ne pas supporter les ennuis de la vie.

RIRE

Cabale.

Allègement des souffrances.

Psychanalyse.

Le rire exprime la joie triomphale mais révèle aussi que le sens du comique n'est pas toujours absent de l'inconscient. On éclate de rire par exemple en voyant, en rêve, son abominable chef de bureau se promener imperturbablement dans la rue sans s'apercevoir qu'il a oublié son pantalon à la maison.

RIVALITÉ

Cabale.

Heureuse entreprise.

Psychanalyse.

Le rival qu'on rencontre au cours d'un rêve n'est jamais celui qu'on se connaît, hélas, dans la vie. « Processus de transfert » sur une autre personne qu'on hait, qu'on envie, à laquelle on veut du mal sans jamais avoir voulu l'admettre.

ROBOT

Cabale.

Bonnes nouvelles.

Psychanalyse.

La cybernétique, la science-fiction, obligent aujourd'hui les cabalistes et les psychanalystes à s'occuper des robots. Rêver qu'on a un automate à sa disposition signifie qu'on aime bien faire marcher les autres. Se voir menacé par un robot dénonce un certain pessimisme, l'incapacité de réagir, la croyance dans l'inéluctable.

ROMAN

Cabale.

Perdre un temps précieux.

Psychanalyse.

On peut se voir, en rêve, être devenu un héros ou une héroïne de roman. Processus d'identification qui cache des problèmes qu'il faudrait examiner de près. Rêver qu'on lit un roman et qu'on s'arrête brusquement de lire ou bien que les pages sont blanches, veut dire qu'on redoute des déceptions, ou que l'on est trop préoccupé par l'avenir.

ROSE

Cabale.

Joie. Pour les malades : danger de mort. Roses rouges : plaisir et amusements. Roses blanches : innocence.

Psychanalyse.

Les roses symbolisent l'amour (surtout les roses rouges). Les blanches révèlent qu'on regrette, un peu, son innocence perdue aussi bien qu'on espère un mariage prochain. Les adolescentes rêvent qu'elles trouvent les fleurs très belles mais qu'elles ont peur d'être piquées par les épines : il est facile de comprendre de quoi il s'agit. Dans les rêves d'hommes, les roses sont des symboles sexuels féminins.

ROUE

Cabale.

Difficultés conjugales. Infirmité.

Psychanalyse.

Le symbole de la roue est discuté. Elle peut représenter une extrême résignation (la roue du Destin) ou des désirs irréalisables. Rêver qu'on se trouve dans un véhicule qui perd une roue signifie que le dormeur craint une infinité de choses, depuis les pertes d'argent jusqu'à celle de la virginité, le divorce aussi bien que l'impuissance.

ROULETTE

Cabale.

Quelqu'un vous aime.

Psychanalyse.

La roulette est le symbole de la vie brillante. La voir en rêve signifie que le dormeur est attristé par sa faiblesse de caractère, son manque de courage, son impossibilité de risquer le tout pour le tout lorsque cela est nécessaire. Jouer à la roulette et perdre peut refléter la peur de ne pas savoir se débrouiller dans la vie ou de perdre sa fortune.

ROUTE

Cabale.

Route large : bonne marche des affaires. Joie. Prospérité. Route tortueuse : le contraire. Route pleine de monde : angoisses.

Psychanalyse.

Généralement ce n'est pas la route qu'on voit en rêve qui est importante, mais ses alentours ou ce qui s'y passe. Voir une route droite, ensoleillée, qui se perd à l'horizon comme dans certains films de Charlie Chaplin, est un rêve merveilleux qui indique que le dormeur a envie de s'améliorer, d'obtenir des succès et que ses ambitions ne seront pas déçues.

SABLE

Cabale.

Inquiétude.

Psychanalyse.

Etre étendue voluptueusement sur le sable chaud, ou jouer dans le sable, révèle un besoin de plaisirs érotiques. Marcher difficilement dans le sable signifie craindre de ne pas arriver à atteindre son but. Etre gêné par le sable qui s'est introduit sous ses vêtements dénonce un malaise qui peut avoir des causes diverses, morales ou physiques.

SANG

Cabale.

Honte. Mépris. Beaucoup de sang : pièges. Sang par terre : bon présage.

Psychanalyse.

Le sang est souvent un symbole de maladies, d'accidents. Sa vue dénonce aussi la crainte d'être trop vulnérable. Chez les femmes, il est lié à l'idée de virginité et de menstruation.

SAUT

Cabale.

Perdre sa place (ou bien, beaucoup d'amis, ou bien, danger évité).

Psychanalyse.

Se voir, en rêve, exécuter un grand saut indique le désir de franchir les obstacles de la vie, mais aussi un comportement habituellement trop léger. Etre obligé de sauter dénonce la crainte de devoir accepter un poste dangereux ou de se trouver en face d'épreuves trop difficiles. Ne pas oser sauter signifie avoir peur d'agir étourdiment, ou craindre les conséquences d'une décision prise sans avoir eu le temps de réfléchir.

SCÈNE DE THÉÂTRE

Cabale.

Tendance immodérée au plaisir.

Psychanalyse.

Rêver qu'on se trouve sur une scène sans jamais avoir joué la comédie et habillé de manière ridicule signifie être dominé dans la vie par la timidité. Rêver qu'on s'y trouve bien signifie l'ambition et le désir du succès. Assister à une représentation théâtrale dénote souvent un caractère trop soupçonneux. On peut interpréter autrement ce genre de rêve en cherchant ce qu'il signifie en axant l'attention sur le spectacle qui se déroule sur la scène.

SCIE

Cabale.

Bonnes affaires. Succès. Satisfaction.

Psychanalyse.

La scie symbolise le désir de mettre fin à quelque chose. Parfois le dieu Morphée nous envoie dans des lieux mystérieux pour scier des troncs et des branches d'arbre mais ce n'est qu'une métaphore transparente de mésententes en famille. Scier des câbles, des tuyaux, des poutres, dévoile chez une femme l'intolérance et l'étroitesse d'esprit vis-à-vis des relations sexuelles.

SEIN

Cabale.

Prospérité. Mariage prochain. Accouchement facile, etc.

Psychanalyse.

Nostalgie de l'enfance. Les seins qui apparaissent dans les rêves des femmes dénoncent une homosexualité latente tandis que chez les hommes ils font peut-être référence à leur fétichisme ou à certaines perversions. Inutile d'insister sur les innombrables interprétations érotiques qu'on leur confère, même si la représentation onirique est souvent indirecte.

SERPENT

Cabale.

Ennemis. Ingratitude.

Psychanalyse.

Lorsque les femmes voient, en rêve, des serpents c'est qu'elles ont peur d'adversaires habiles et mystérieux. Le plus souvent, ils figurent et symbolisent le sexe viril et l'effroi que leur causent l'homme et les rapports physiques. Les adolescentes rêvent souvent qu'un serpent les menace ou qu'elles marchent dans un nid de vipères. Chez les hommes, les reptiles symbolisent un caractère soupçonneux et un manque de confiance total envers autrui.

SERRURE

Cabale.

Attention aux voleurs !

La cabale du psychanalyste

Psychanalyse.

Pour l'homme, c'est un symbole du sexe féminin. Tenter de forcer une serrure dénonce le désir de coucher avec une femme en même temps que la crainte d'être trop timide pour la solliciter. Pour une femme, mettre une clef dans une serrure révèle qu'elle voudrait découvrir un secret qu'on lui cache aussi bien que le désir de s'en aller ailleurs.

SILENCE

Cabale.

Honneur et fortune.

Psychanalyse.

« Sentir », en rêve, un lourd silence vous écraser trahit un fort complexe de culpabilité. Etre entouré d'une foule muette et indifférente signifie qu'on redoute le jugement d'autrui. Entendre résonner des pas dans le silence (peut-être les pas du monstre qui habite son subconscient et dont les instincts sont redoutables ?) Il peut s'agir seulement de fantasmes créés par l'imagination.

SŒUR

Cabale.

Chance.

Psychanalyse.

Attention, mesdames, aux rêves qui ont pour protagoniste une de vos sœurs ! Il s'agit presque toujours du processus de transfert grâce auquel la femme qui rêve transfère sur sa parente ses propres goûts, angoisses ou désirs. Souvent derrière ce genre de rêves se cachent la nostalgie de l'enfance, l'amour morbide, la jalousie et l'envie. Les psychanalystes déchiffrent facilement ces symboles qui semblent incompréhensibles à leurs clientes, sans doute à cause de tous les sentiments et les sensations qui s'y mêlent. L'apparition d'une de ses sœurs dans les rêves d'un homme est toujours liée à des faits trop personnels, à des circonstances trop particulières pour être interprétée en quelques mots.

SOIE

Cabale.

Profit. Honneur. Soie rouge : blessure par balles. Soie bleue : dégâts.

Psychanalyse.

La soie est un symbole sexuel et, selon le rôle qu'elle assume dans un rêve, elle peut exprimer soit le désir, soit une tendance an narcissisme (chez les femmes) soit au fétichisme (chez les hommes). La soie blanche symbolise le mariage ; la noire, l'érotisme sadique ; les couleurs criardes, l'envie de s'imposer à l'attention des gens.

SOIF

Cabale.

Tristesse. Se désaltérer : richesse. Boire de l'eau trouble ou chaude : chagrins ou maladies.

Psychanalyse.

Avoir soif, en rêve, signifie souvent avoir soif en réalité et on se voit boire jusqu'à plus soif. Lorsqu'on a la fièvre, on rêve presque toujours qu'on demande à boire. Dans les autres cas, la soif symbolise de vives aspirations diverses. Etre obligé de boire de l'eau sale signifie que le dormeur est un être résigné ou déçu par la vie.

SOIR

Cabale.

Récompense.

Psychanalyse.

Rêver qu'il se passe quelque chose le soir est propre aux poètes romantiques, aux gens mélancoliques et aux pessimistes. Si ces rêves reviennent souvent il faut penser à se faire soigner, car on souffre d'une grave dépression nerveuse.

SOLEIL

Cabale.

Secrets découverts. Rapide solution d'un problème. Lever du soleil : bonne nouvelle, prospérité. Coucher du soleil : perte. Mensonges.

Psychanalyse.

Pierre Réal écrit à propos du Soleil : « Il est toujours synonyme de force active et d'orgueil. Ne dit-on pas d'un saint " qu'il irradie comme un soleil " ? Le Soleil signifie espoir, richesse intérieure, perfection, beauté, parfois érotisme dans le meilleur sens du terme. Pourquoi l'érotisme ? Parce qu'il exige la purification et la libération de soi-même, ce dont le Soleil est le symbole, toujours positif et bénéfique. » Cette interprétation se rapproche (à peu de chose près) de celle de Jung. Elle s'oppose à celle donnée par Freud, essentiellement basée sur le sexe et liée aux sensations de plaisir, d'ardeur ou de langueur. Les travaux des psychanalystes modernes prouvent que les deux théories sont bonnes, mais seulement partiellement bonnes. On peut dire que celle de Jung s'applique *aux grands rêves* (dont nous avons longuement parlé dans cet ouvrage) tandis que celle de Freud n'est que relative. En général, le Soleil représente l'optimisme, l'espoir, mais aussi l'illusion. Il faut interpréter différemment les rêves qui se déroulent soit à l'aube soit au crépuscule.

SOMNAMBULISME

Cabale.

Discussions en famille. Nouvelles étonnantes en route. Voir un somnambule : agitation, inquiétude.

Psychanalyse.

Rêver d'être somnambule reflète la crainte de l'être réellement. Dans ce cas se manifeste la nature réelle du subconscient du patient ou bien qu'il cherche à cacher certains côtés dégradants de sa nature. Un individu qui, par exemple, rêve qu'il agit, en état de somnambulisme, en monstre de luxure ou de férocité, peut véritablement porter en lui de telles tendances, mais il se pourrait aussi qu'il fasse ce genre de rêves parce qu'il est effrayé par des pensées que lui seul juge condamnables.

SONNERIE D'UN RÉVEIL

Cabale.

Danger très proche.

Psychanalyse.

Entendre sonner un réveil lorsqu'on dort est normal parce que le bruit provient presque toujours de la petite pendule qu'on a posée près de son lit. Lorsque ce n'est pas le cas, la sonnerie dénonce l'incapacité du dormeur à s'adapter à la vie ou son dégoût pour ce qu'il est obligé de faire dans la réalité.

SORCIÈRE

Cabale.

Traquenard. Piège. Danger.

Psychanalyse.

La sorcière apparaît surtout dans les rêves des petits enfants et on peut se reporter pour l'interprétation à la rubrique « Démon ». Il peut cependant se faire qu'un adolescent ou un adulte voient, au cours de leur sommeil, une ou des sorcières. Cette vision traduit leur envie d'arriver à atteindre un objectif déterminé, coûte que coûte.

SOUFFLE

Cabale.

Calomnie. Déloyauté de la part d'une femme.

Psychanalyse.

Souffler sur le feu pour le faire reprendre symbolise l'espoir de maintenir aussi vive que possible la flamme de l'amour ou de l'idéal. Souffler pour éteindre le feu dénote la faiblesse et parfois le désespoir, inconscient, du dormeur.

SOUTERRAIN

Cabale.

Craintes, ou bien voyage, ennuis, dégâts, etc.

Psychanalyse.

Voir, en rêve, un souterrain dénote du pessimisme, un sentiment d'oppression, un manque de foi dans l'avenir. Les événements qui se déroulent dans l'atmosphère d'un souterrain doivent être interprétés selon la façon dont les choses se passent et d'après les scènes dont le dormeur est témoin.

STATUE

Cabale.

Tristesse.

Psychanalyse.

La sensation qu'on éprouve, en rêve, en se sentant transformé en statue, est horrible. Elle trahit toujours une très forte angoisse chez le dormeur, souvent déterminée par des motifs ayant un rapport avec son comportement sexuel. Parfois il s'agit de frigidité. Mais si le dormeur se voit prendre une statue dans ses bras et l'embrasser c'est, certainement, qu'il désire réaliser un projet difficile ou qu'il juge impossible.

SUEUR

Cabale.

Créanciers impitoyables.

Psychanalyse.

Les sueurs nocturnes sont fréquentes dans certaines maladies, mais on peut aussi se réveiller en transpiration après un cauchemar effrayant dont on oublie au réveil les péripéties (mécanisme de défense du subconscient). Si un individu se réveille souvent baignant dans sa sueur, il ferait bien d'aller consulter un médecin car il frise la dépression nerveuse.

331

SUICIDE

Cabale.

Malheur et angoisses.

Psychanalyse.

On ne se voit jamais, en rêve, en train de se suicider, mais seulement étant tenté de le faire, ce qui suffit à dévoiler que le dormeur souffre d'un très grand complexe d'infériorité, d'une extrême méfiance envers lui-même et d'un pessimisme si profond qu'il est synonyme de détresse morale. Ce genre de rêves devrait inviter un individu à faire immédiatement appel aux conseils d'un psychanalyste.

TABLEAU

Cabale.

Jouissances intellectuelles. Bonheur. Peindre un tableau : honneurs et profits.

Psychanalyse.

Pour interpréter ces sortes de rêves il faut d'abord savoir ce que représentent les tableaux. Se voir dans une exposition de tableaux, ou dans un musée, signifie qu'on vit beaucoup en imagination et que la réalité paraît très morose. Se voir soi-même en train de peindre signifie la même chose.

TACHES

Cabale.

Taches sur ses vêtements : mélancolie. Taches sur le visage : maladie prochaine.

Psychanalyse.

Les taches symbolisent toujours ce dont on a peur ou que l'on craint de montrer, comme des imperfections, des défauts (vrais ou faux), des faiblesses, des anomalies dans le caractère. Rêver qu'on découvre des taches sur son corps dénonce la crainte des maladies vénériennes et de leurs conséquences. Rêver que ses vêtements sont couverts de taches signifie, chez les filles et chez les garçons, l'angoisse qu'ils éprouvent devant les mystères de la puberté.

TAPIS

Cabale.

Tromperie.

Psychanalyse.

Se voir, en rêve, marcher sur des tapis (quelquefois ces tapis ne sont ni dans des chambres ni dans des salons, mais sur la chaussée d'une rue) traduit la tentation de recourir à des moyens déloyaux pour faire aboutir un projet. Il peut s'agir aussi de la crainte qu'un secret qu'on désire garder ne soit dévoilé.

TÉLÉPHONE

Cabale.

Curiosité satisfaite.

Psychanalyse.

Le téléphone est, de nos jours, passé au rang de symbole sexuel et sentimental étant donné le rôle qu'il joue dans la vie quotidienne de tout le monde. Rêver qu'on ne peut pas obtenir une communication ou qu'elle est brusquement interrompue (ceci aussi, hélas, c'est la vie quotidienne !) signifie que le dormeur redoute la fin d'une liaison. Nous avons parlé assez longuement des rêves de téléphone au cours de cet ouvrage.

TÉLÉVISION

Cabale.

Nouvelle chance.

Psychanalyse.

Interpréter un rêve où le dormeur se voit regardant une émission de télévision ne peut se faire que si l'on connaît le sujet de cette émission. Pourtant l'interprétation peut aussi être axée sur les circonstances qui ont permis l'entrée en scène du téléviseur ou du spectacle qui se déroule sur l'écran.

TEMPÊTE

Cabale.

Perte d'amitiés. Tempête très violente : beaucoup d'ennemis. Tempête qui arrache des arbres : incidents sans conséquence.

Psychanalyse.

Assister tout tranquillement, en rêve, au déchaînement d'une tempête indique que le dormeur désire (mais qu'il n'en est pas certain) surmonter une épreuve difficile dont il sent l'approche. Rêver qu'on est terrorisé en assistant à une tempête particulièrement violente signifie qu'on redoute des châtiments, sans doute, du Ciel. Rêver qu'on voit des arbres arrachés par la tempête ne signifie pas, comme le dit la cabale, qu'il faut s'attendre à des incidents sans gravité mais plus probablement qu'on a été marqué par le complexe d'Œdipe.

TENTE

Cabale.

Voyage fatigant.

Psychanalyse.

Le goût et l'entrée dans les mœurs du *camping* ont fait de la tente un symbole synonyme d'évasion, de décontraction, de sérénité. Freud voyait dans les tentes qui apparaissaient dans les rêves des femmes des symboles érotiques, quelquefois masochistes, et souvent en rapport avec le besoin de protection.

TERRE

Cabale.

Abondance. Richesse. Fécondité. Gésir à terre : funérailles. Etre enterré : richesse.

Psychanalyse.

C'est un des « symboles premiers » de la femme, de la maternité, de la fécondité. L'homme qui rêve qu'il est étendu à plat ventre par terre est généralement tourmenté par des désirs charnels inassouvis. La femme qui se voit dans la même position a besoin d'être aimée, d'être entourée, ou d'être mère. On se voit rarement étendu par terre sur le dos mais cela signifie qu'on regrette quelque chose ; à moins qu'on ne contemple le ciel avec beaucoup de plaisir et c'est alors un présage d'espoir et de paix. Rêver qu'on est enterré vivant est évidemment une sensation atroce : il s'agit généralement d'un dormeur très épuisé nerveusement qui pense que rien de bon ne pourra lui arriver. Ce rêve peut aussi n'avoir rien de tragique et n'être dû qu'au manque d'air ou à des couvertures trop chaudes ou trop lourdes posées sur le lit.

TOILETTE

Cabale.

Grand danger.

Psychanalyse.

Les femmes rêvent fréquemment qu'elles font leur toilette mais qu'elles ne sont jamais aussi propres ou aussi belles qu'elles le souhaiteraient. Ce rêve dénonce un léger complexe d'infériorité ou une petite tendance au narcissisme.

TORTURE

Cabale.

Amour malheureux.

Psychanalyse.

Rêver qu'on torture celui ou celle qu'on aime dénote un certain goût pour le sadisme, mais aussi le besoin de s'imposer au partenaire, d'acquérir sa considération ou de le rendre jaloux. Rêver que quelqu'un qui vous aime vous torture laisse supposer une extrême sensibilité chez le dormeur et une inquiétante tendance masochiste. Rêver que vos père et mère, de vagues amis, ou des étrangers vous torturent, c'est être affligé d'un complexe de persécution ou de méfiance qu'il convient d'éliminer de toute urgence.

TOUR

Cabale.

Longue vie et vieillesse heureuse.

Psychanalyse.

Symbole sexuel évident. Le désir s'exprime par la vision de tours vers lesquelles le dormeur se dirige ou à l'intérieur desquelles il monte. Les tours en ruine ou tronquées : crainte de l'impuissance sexuelle. Pourtant rêver que l'on se trouve au sommet d'une tour signifie qu'on espère remporter une victoire mais pas forcément sur le plan sexuel.

TOURBILLON

Cabale.

Jours difficiles en vue.

Psychanalyse.

Rêver qu'on se trouve pris dans un tourbillon lorsqu'on est tranquillement en train de nager, signifie que la volonté du dormeur n'est pas la plus forte. Dans la majorité des cas, ce rêve se réfère au comportement sexuel.

TRAHISON

Cabale.

Difficultés avec la Justice.

Psychanalyse.

Rêver qu'on est trahi par la personne qu'on aime c'est — mais est-il besoin de l'écrire ? — qu'on craint dans la vie d'être trompé et qu'on est jaloux. Si le même rêve se répète souvent, il vaudrait peut-être mieux rompre une liaison qui fait souffrir. Lorsqu'on n'a pas confiance en quelqu'un auquel on est attaché, il est forcé que la jalousie se manifeste, et souvent de manière brutale et intolérable. Pour plus d'explications voir la rubrique « Infidélité ».

TRAIN

Cabale.

Train à vapeur : procès gagné. Train électrique : très rapide victoire sur un concurrent.

Psychanalyse.

Les interprétations des trains vus en rêve rejoignent celles données aux rubriques « Départ », « Avion », « Automobile », avec quelques nuances particulières. Freud et Ellis voyaient dans les chemins de fer un symbole de la famille.

TREMBLEMENT DE TERRE

Cabale.

Dangers pour la fortune ou pour la vie du dormeur. Mort certaine d'un parent proche.

Psychanalyse.

Lorsque le rêve n'est pas provoqué par l'instabilité du lit dans lequel on dort, le tremblement de terre dénonce la crainte d'un événement imprécis qui viendrait bouleverser la tranquillité de l'existence. Si le rêve de tremblement de terre se répétait souvent et qu'il soit accompagné de sensations d'angoisse il faudrait en parler avec un psychothérapeute.

TRÉSOR

Cabale.

Inquiétude. Fouiller pour découvrir un trésor : malheur.

Psychanalyse.

Une personne qui rêve qu'elle découvre un trésor est encline à penser qu'elle va faire fortune mais nous l'avertissons qu'elle ne doit pas se faire trop d'illusions. Rêver qu'on trouve un trésor peut avoir un rapport avec l'érotisme et l'interprétation se rapproche de celle donnée à la rubrique « Argent ». Pour un homme, creuser la terre signifie désir. Pour une femme, cet acte dénonce son besoin de trouver l'âme sœur, ou bien de découvrir chez l'homme qu'elle aime les qualités qu'elle préfère. Rêver qu'on creuse vainement : manque de confiance et pessimisme chronique.

TZIGANES

Cabale.

Changement de caractère.

Psychanalyse.

Les Tziganes qu'on voit, en rêve, sont toujours des voleurs ou des hommes méchants, sans doute à cause de l'idée d'eux qu'on a si stupidement répandue : ils symbolisent les trahisons et les escroqueries. Les caravanes de gitans représentent des désirs d'évasion qui semblent irréalisables. Les fameux Tziganes violonistes apparaissent aux gens qui vivent hors de la réalité en croyant que l'existence ressemble encore aux romans de jeunes filles d'autrefois.

VALISE

Cabale.

Abondance. Ou bien : inquiétude.

Psychanalyse.

Rêver qu'on fait sa valise signifie qu'on espère toujours un départ impossible. Rêver qu'on porte une énorme et trop lourde valise signifie qu'on traîne un secret douloureux dont on désire se libérer. Rêver qu'on se promène en tenant à la main une valise vide signifie qu'on redoute des déceptions, que l'on craint, inconscienmment, d'être embarqué dans une entreprise peu fructueuse. Rêver qu'on voit un voleur s'emparer d'une valise signifie que le dormeur craint d'être exploité sans recours ou de perdre un objet auquel il tient particulièrement.

VAMPIRE

Cabale.

Chute probable dans les mains d'un usurier.

Psychanalyse.

Les femmes rêvent assez souvent de vampires. Il faut en rechercher la cause dans les films d'horreur qu'on présente aujourd'hui. Les vampires sont les symboles des violences que les femmes redoutent, de l'agressivité masculine ou de la peur qu'elles ont de perdre leur virginité.

VELOURS

Cabale.

Honneurs. Richesse.

Psychanalyse.

Les hommes qui, en rêve, se sentent heureux de toucher du velours trahissent leurs tendances fétichistes. Les femmes révèlent, en faisant ces sortes de songes, qu'elles ont besoin d'être entourées d'une grande tendresse, mais peut-être aussi qu'elles sont des inverties sans le savoir, ou le sachant.

VENT

Cabale.

Dangers. Ou bien : angoisses, tourments divers.

Psychanalyse.

N'oubliez pas qu'un courant d'air dans votre chambre, une porte ouverte peut vous faire rêver que vous vous trouvez en pleine tourmente. Dans ce cas, toute interprétation est inutile ; mais lorsque le dormeur est bien calfeutré chez lui et qu'il entend en rêve les hurlements sinistres du vent c'est que, dans la réalité, il est profondément triste ou qu'il a de graves soucis.

VENTE

Cabale.

Gain. Vente d'objets de fer : malheur.

Psychanalyse.

Les rêves où il s'agit de vente peuvent être interprétés de cent façons différentes : tout dépend de la situation du dormeur, de son caractère, de ses goûts, etc. D'une manière générale, on pourrait dire que rêver qu'on offre une marchandise alléchante signifie que le dormeur a envie de se concilier des sympathies, mais, attention, car il est possible que l'identité du client soit masquée par « les processus de condensation et de superposition ». On peut rêver qu'on met en vente des objets inutiles ou de mauvaises qualité, ou bien qu'on possède un magasin vide alors qu'une personne s'y présente dans l'intention d'acheter : complexe d'infériorité et d'impuissance. Il pourrait aussi s'agir de déviations ou de perversions, cela dépend de la nature des objets mis en vente. (Voir aussi la rubrique « Commerce ».)

VERRE

Cabale.

« Tout ce qui est en verre se rapporte, pour nous, à la femme. » (*Texte exact.*)

Psychanalyse.

Les psychanalystes ne sont pas encore arrivés à assigner au verre une valeur symbolique générale. Dans de nombreux cas, le verre (à cause de son contact froid) symbolise la frigidité, vraie ou supposée. Il est plus facile d'interpréter la présence d'une paroi de cristal. Si le dormeur s'y heurte, sans en avoir soupçonné la présence, il doit être affligé d'un complexe d'infériorité ou d'un sentiment de faux orgueil. S'il se voit tentant d'apercevoir ce qu'il y a derrière la paroi, c'est probablement qu'il a des soupçons ou, tout simplement, qu'il est affligé d'une curiosité non justifiée.

VIERGE

Cabale.

Paix, joie. Vierge Marie : consolation, guérison, parfait bonheur.

Psychanalyse.

Les adolescents voient très souvent apparaître la mère de Jésus dans leurs rêves et cela veut dire qu'ils sont hantés par un sentiment de culpabilité. Les adultes ne rêvent presque jamais de la Vierge Marie, mais de figures tout de blanc vêtues, qui manifestent le remords qu'ils éprouvent pour des pratiques défendues. Elles ne sont en tout cas presque jamais un symbole de pureté.

VIN

Cabale.

Boire du vin : plaisir. Vin blanc : allégresse. Vin rouge : ivresse.

Psychanalyse.

Dans les rêves des femmes, le vin symbolise la peur de l'homme et si elles se voient obligées de boire c'est qu'elles redoutent les contacts physiques et le mariage. Les taches de vin sur les vêtements peuvent signifier la peur de perdre sa virginité ou celle d'attraper une maladie vénérienne.

VISITE

Cabale.

Faire une visite : larmes. Recevoir une visite : situation précaire.

Psychanalyse.

Rêver que l'on s'apprête à aller voir quelqu'un chez lui, à lui rendre visite, trahit souvent l'envie que le dormeur a de connaître cette personne, peut-être de la « conquérir » ou qu'il désire simplement se réconcilier avec elle. Ce n'est pas toujours la personne qu'on aimerait voir en réalité qu'on rencontre en songe car « les processus d'association et de condensation » interviennent ces nuits-là. Lorsque s'y ajoute « le processus de superposition » (c'est-à-dire lorsqu'un visage apparaît à la place d'un autre) cela signifie que le dormeur n'est pas d'accord avec la personne à laquelle il pense ou même qu'il nourrit envers elle des sentiments d'hostilité. Les femmes qui rêvent qu'on vient chez elles leur rendre visite désirent inconsciemment avoir des rapports d'intimité physique, ou seulement sentimentale, avec quelqu'un auquel elles pensent.

VOILE

Cabale.

Mystère. Modestie. Voile de mariée : joie. Personnage voilé : invitation à se tenir sur ses gardes.

Psychanalyse.

Une figure féminine voilée qui apparaît en rêve à une femme est toujours une rivale, vraie ou supposée, ayant un rapport avec ses problèmes sentimentaux. Il peut s'agir aussi de sa propre mère, d'une parente ou d'une amie, avec lesquelles on ne s'entend pas très bien. Un homme rêve d'un voile qui cache quelqu'un qu'il aime, ou qu'il désire, lorsqu'il n'est pas très sûr de bien agir. Le voile de mariée est un symbole parlant.

VOL

Cabale.

Chance. Grands honneurs. Richesses.

Psychanalyse.

Voler dans les airs sans l'aide d'engins mécaniques (avions, ballons, volatiles géants) a toujours pour Freud une signification se rapportant au sexe. (Le sommeil est généralement très agité et le sujet très excité au cours de ces rêves.) Les psychothérapeutes européens et américains sont d'accord avec cette interprétation. Les adeptes des théories de Jung voient dans les vols à travers l'atmosphère des tendances à l'élévation morale et à la sublimation.

VOLCAN

Cabale.

Nouvelle importante.

Psychanalyse.

Les rêves durant lesquels un individu se voit dans l'épouvante d'une éruption volcanique dénoncent la peur d'être trahi, dans la réalité, par son propre tempérament coléreux ou par celui d'autrui. Lorsque le dormeur se voit poursuivi par les laves brûlantes, il révèle qu'il n'a aucune confiance en lui et qu'il a une peur excessive de ce qui l'attend dans l'avenir.

WEEK-END

Cabale.

Bonheur amoureux.

Psychanalyse.

Une femme qui rêve qu'elle se voit partir en week-end trahit ses désirs érotiques. Il faut noter que les fins de semaine ne se déroulent jamais, en rêve, de manière idyllique. Très souvent le plaisir est gâté par une poursuite désagréable, une mauvaise surprise, qui annoncent que la journée finira mal. Ces rêves sont la spécialité des jeunes filles qui désirent et qui craignent à la fois une première expérience amoureuse. Il peut s'agir aussi, et généralement, de besoins bien normaux d'évasion à la campagne pour y trouver le calme qui n'existe plus dans les grandes villes.

YACHT

Cabale.

Bien-être. Argent. Confort.

Psychanalyse.

C'est un rêve dangereux qui se présente surtout aux filles assoiffées d'aventures qui voient trop de films romanesques et qui lisent gloutonnement les indiscrétions sur les princesses ou les vedettes données par leur hebdomadaire préféré. Nous leur conseillons de faire un sévère examen de conscience si elles se retrouvent souvent, durant leur sommeil, à bord d'un trop beau bateau de plaisance : leur personnalité n'est pas formée comme elle devrait l'être et leur caractère puéril, leur tempérament trop léger risquent de les entraîner dans des aventures affligeantes qui ne leur prépareront pas un avenir de tout repos.

YEUX

Cabale.

Bonne réussite dans les affaires.

Psychanalyse.

Lorsque l'attention du dormeur se porte tout particulièrement sur les yeux de quelqu'un qu'il voit en rêve cela signifie qu'il est affligé d'une timidité plus ou moins accentuée. Il se pourrait aussi qu'il cherche à cacher quelque chose que ses voisins seraient susceptibles de découvrir. Se sentir regardé trop fixement dénote souvent un complexe de culpabilité. Rêver que l'on possède un regard particulièrement aigu équivaut à avouer qu'on regrette de ne pas être assez perspicace ou qu'on cache en soi-même des idées absurdes. Rêver qu'on est aveugle ou qu'on vous a bandé les yeux, qu'on ne peut pas enlever son bandeau mais qu'on essaie de deviner ce qui se passe autour de soi, est une véritable confession d'impuissance ou bien la manifestation d'une crainte anormale d'être trompé ou persécuté.

ZODIAQUE

Cabale.

Chance au jeu.

Psychanalyse.

Attention ! Nous nous adressons aux femmes qui se plongent chaque jour dans les horoscopes, qui y croient totalement et qui se laissent impressionner par ce qu'ils prédisent. Très souvent les signes du Zodiaque qui apparaissent en rêve n'ont rien à voir avec l'astrologie et mille choses se cachent très certainement sous leurs travestissements. Les personnes qui, en rêve, voient l'être aimé se transformer en monstre mythologique ou en bête féroce, simplement à cause du signe zodiacal sous lequel il est né, sont très nombreuses. Elles ont raison de lire les rubriques quotidiennes de leur journal si cela les amuse et si elles ne les considèrent que sous leur côté optimiste. Nous ne faisons que leur demander ici de ne pas les prendre pour des prophéties.

Table

*La composition
et l'impression de ce livre ont été effectuées
par l'Imprimerie Aubin à Ligugé
pour les Editions Albin Michel*

AM

*Achevé d'imprimer le 30 janvier 1975
N° d'édition 5362. N° d'impression 8071.
Dépôt légal 1ᵉʳ trimestre 1975*